LOLITA

LOLITA
Vladimir Nabokov

Título original: *Lolita*
Tradução: Jorio Dauster

© 1955 by Vladimir Nabokov
Todos os direitos reservados,
inclusive o direito de reprodução total ou parcial.
Esta edição é publicada por acordo com
o espólio de Vladimir Nabokov.
© para edição brasileira Editora Companhia das Letras
© 2003 para esta edição M.E.D.I.A.S.A.T. / Mifano Comunicações

Dados Internacionais de Catalogação na Publicação (CIP)
(Câmara Brasileira do Livro, SP, Brasil)

Nabokov, Vladimir
    Lolita / Vladimir Nabokov ; tradução Jorio Dauster.
– Rio de Janeiro : O Globo ; São Paulo : Folha de S.Paulo,
2003.

    Título original: Lolita

    1. Romance norte-americano I. Título.

03-2021   CDD-813.5

Índices para catálogo sistemático:
1. Romances : Literatura norte-americana 813.5

Revisão final desta edição: Editora Página Viva
Impressão: Globo Cochrane Gráfica e Editora Ltda. e Plural Editora e Gráfica Ltda.
Encadernação e acabamento: R.R. Donnelley América Latina – Brasil

Coleção idealizada por:
M.E.D.I.A.S.A.T. – Espanha
Mifano Comunicações – Brasil

VLADIMIR
NABOKOV
Lolita

Tradução de Jorio Dauster

Para Véra

Prefácio

Lolita, ou A confissão de um viúvo de cor branca: era esse o duplo título das estranhas páginas recebidas pelo autor da presente nota. "Humbert Humbert", que as escreveu, morrera na prisão de uma trombose coronária, em 16 de novembro de 1952, poucos dias antes da data marcada para o início de seu julgamento. Ao pedir que eu revisasse o manuscrito, seu advogado — meu bom amigo e parente Clarence Choate Clark, que atualmente milita no foro do distrito de Colúmbia — baseou-se numa cláusula do testamento de "H. H." que deixava a critério de meu eminente primo todas as providências necessárias à publicação de *Lolita*. Provavelmente pesou na decisão do sr. Clark o fato de que o revisor por ele escolhido havia pouco recebera o Prêmio Poling por uma modesta obra (*Será que os sentidos fazem sentido?*), na qual haviam sido estudadas certas perversões e estados mórbidos.

Minha tarefa revelou-se mais simples do que ambos tínhamos previsto. Exceto pela correção de óbvios solecismos e pela cuidadosa eliminação de uns poucos mas obstinados pormenores que, malgrado os próprios esforços de "H. H.", ainda subsistiam no texto, como placas de estrada e lápides tumulares (lembrando lugares ou pessoas que caberia ocultar por bom gosto e poupar por compaixão), essas notáveis memórias são apresentadas sem retoques. O singular cognome do autor é de sua própria lavra; e, naturalmente, essa máscara — através da qual parecem cintilar dois olhos hipnóticos — não poderia ser removida segundo a vontade de seu portador. Embora *Haze* apenas rime com o verdadeiro sobrenome da heroína, seu primeiro nome está por demais entrelaçado com as fibras profundas da obra para que se possa pensar em alterá-lo — o que, como o leitor verá por si mesmo, de todo modo não é necessário. As mentes curiosas encontrarão referências ao crime de "H. H." nos jornais de setembro e outubro de 1952; mas sua causa e seu propósito seriam ainda um mistério absoluto se por acaso essas memórias não tivessem vindo pousar sob minha lâmpada de leitura.

Em favor dos leitores da velha-guarda, que gostam de acompanhar o destino das pessoas "reais" depois de encerrada a "verdadeira" história, podem-se oferecer alguns pormenores fornecidos pelo sr. "Windmuller", de "Ramsdale", desejoso de manter-se no anonimato a fim de que "a longa sombra desse sórdido e lamentável caso" não atinja a comunidade à qual se orgulha de pertencer. Sua filha, "Louise", está atualmente cursando o segundo ano de uma universidade. "Mona Dahl" estuda em Paris. "Rita" casou-se recentemente com o dono de um hotel na Flórida. A sra. "Richard F. Schiller" morreu ao dar à luz uma menina natimorta no Natal de 1952, em Gray Star, um povoado nos confins do Noroeste. "Vivian Darkbloom" escreveu uma autobiografia a ser publicada brevemente, *Minha deixa*, considerada como seu melhor livro pelos críticos que tiveram acesso ao manuscrito. Os guardas dos diversos cemitérios envolvidos na história não registram a aparição de nenhum fantasma.

Visto simplesmente como um romance, *Lolita* trata de situações e emoções que, caso houvessem sido abrandadas por meio de chavões insossos, teriam permanecido irritantemente obscuras aos olhos do leitor. A verdade é que a obra não abriga um único termo obsceno; de fato, o impávido filisteu, condicionado pelas convenções modernas a aceitar sem repugnância uma ampla exibição de palavras chulas nos romances mais banais, ficará chocado com sua ausência nesta obra. Se, no entanto, para não ofender essa paradoxal pudicícia, um revisor tentasse diluir ou suprimir as passagens que certo tipo de gente poderia chamar de "afrodisíacas" (ver, a esse respeito, a monumental decisão proferida a 6 de dezembro de 1933 pelo meritíssimo juiz John M. Woolsey com relação a outro livro, muito mais ousado), forçoso seria abandonar de vez a publicação de *Lolita*, pois os episódios que se poderiam tolamente acusar de possuir uma existência sensual própria são funcionalmente imprescindíveis ao desenvolvimento de um relato trágico que se encaminha, de modo inexorável, rumo a verdadeira apoteose moral. Os cínicos talvez digam que a pornografia comercial faz idêntica reivindicação; os eruditos poderão argumentar que a apaixonada confissão de "H. H." é uma tempestade num tubo de ensaio, pois ao menos doze por cento dos adultos americanos do sexo masculino — "numa estimativa por baixo", segundo a dra. Blanche Schwarzmann (comunicação verbal) — desfrutam anualmente, de uma forma ou de outra, da experiência especial que "H. H." descreve com tamanho desespero; dirão ainda que, se nosso ensandecido memorialista houvesse procurado um psicólogo competente no fatídico verão de 1947, o desastre teria sido evitado — mas, nesse caso, tampouco este livro teria existido.

Que se desculpe este comentarista por aqui repetir o que vem enfatizando em seus livros e palestras, isto é, que não raro a palavra *chocante* serve apenas como sinônimo de *incomum*, e que toda grande obra de arte é sempre algo necessariamente original, devendo por isso mesmo provocar uma reação de surpresa mais ou menos chocante. Não tenho a menor intenção de glorificar "H. H.". Trata-se, sem dúvida, de uma pessoa horrível e abjeta, notável exemplo de lepra moral, que assume um tom entre feroz e jocoso talvez para esconder o mais profundo sofrimento, mas que não inspira qualquer simpatia. É cansativo em suas idiossincrasias. Muitos de seus comentários incidentais sobre o povo e a paisagem deste país são ridículos. A sinceridade desesperada que permeia sua confissão não o absolve dos pecados de uma astúcia diabólica. É um ser anormal, nada tem de gentleman. Mas com que acordes mágicos seu violino evoca uma ternura, uma compaixão por *Lolita* que faz com que nos sintamos fascinados pelo livro embora abominando seu autor!

Como caso clínico, *Lolita* por certo será visto como um clássico nos meios psiquiátricos. Como obra de arte, transcende seu aspecto expiatório. Todavia, mais importante do que sua relevância científica ou valor literário é o impacto ético que o livro deve exercer sobre o leitor sério, pois nessa dolorosa trajetória pessoal transparece uma lição de cunho genérico: a criança desobediente, a mãe egotista, o maníaco ofegante não são apenas vívidos personagens de um drama excepcional. Eles nos advertem sobre tendências perigosas, apontam para gravíssimos males. *Lolita* deveria fazer com que todos nós — pais, educadores, assistentes sociais — nos empenhássemos com diligência e visão ainda maiores na tarefa de criar uma geração melhor num mundo mais seguro.

John Ray, Jr.
Doutor em filosofia
Widworth, Massachusetts
5 de agosto de 1955

PARTE I

1

Lolita, luz de minha vida, labareda em minha carne. Minha alma, minha lama. Lo-li-ta: a ponta da língua descendo em três saltos pelo céu da boca para tropeçar de leve, no terceiro, contra os dentes. Lo. Li. Ta.

Pela manhã ela era Lô, não mais que Lô, com seu metro e quarenta e sete de altura e calçando uma única meia soquete. Era Lola ao vestir os jeans desbotados. Era Dolly na escola. Era Dolores sobre a linha pontilhada. Mas em meus braços sempre foi Lolita.

Será que teve uma precursora? Sim, de fato teve. Na verdade, talvez jamais teria existido uma Lolita se, em certo verão, eu não houvesse amado uma menina primordial. Num principado à beira-mar. Quando foi isso? Cerca de tantos anos antes de Lolita haver nascido quantos eu tinha naquele verão. Ninguém melhor do que um assassino para exibir um estilo floreado.

Senhoras e senhores membros do júri, o item número um da acusação é aquilo que invejavam os serafins — os desinformados e simplórios serafins de nobres asas. Vejam este emaranhado de espinhos.

2

Nasci em Paris, em 1910. Meu pai, pessoa meiga e tolerante, era uma salada de genes raciais: cidadão suíço, descendente de franceses e austríacos, com uma pitada de Danúbio nas veias. Daqui a pouco vou fazer passar de mão em mão alguns lindos cartões-postais em que o céu está sempre banhado de um azul fulgurante. Ele era dono de um hotel de luxo na Riviera. Seu pai e seus dois avós haviam sido, respectivamente, negociantes de vinho, de jóias e de seda. Aos trinta anos casou-se com uma moça inglesa, filha de Jerome Dunn, o alpinista, e neta de dois clérigos de Dorset especializados em assuntos deveras obscuros, respectivamente paleopedologia e harpas eólias. Minha mãe, mulher muito fotogênica, morreu em insólito acidente (um piquenique, um raio) quando eu tinha três anos e, exceto por um nicho de ternura em meio às trevas do passado, nada subsiste dela nos vales e grotões da memória sobre os quais — caso vocês ainda suportem meu estilo (estou escrevendo sob observação) — se pôs o sol de minha infância: certamente, todos conhecem aqueles restos de dia, com seus olores e mosquitos suspensos sobre uma sebe em flor, ou subitamente penetrados pelo caminhante que passa ao pé da colina no lusco-fusco de uma tarde-noite de verão — um calor de veludos, insetos dourados.

A irmã mais velha de minha mãe, Sybil, que se casara com um primo de meu pai e fora por ele depois abandonada, servia em nossa casa como uma espécie de governanta não remunerada. Alguém me disse mais tarde que ela era apaixonada por meu pai, do que ele se aproveitara tranqüilamente num dia de chuva — para esquecer de tudo quando o sol voltou a brilhar. Eu gostava muitíssimo dela, apesar da severidade — a funesta severidade — de algumas de suas normas. Talvez ela quisesse fazer de mim, no devido tempo, um viúvo melhor do que meu pai. Tia Sybil tinha olhos de um azul-celeste, com orlas rosadas, e a pele cor de cera. Fazia versos e era poeticamente supersticiosa. Disse-me que sabia que ia morrer logo depois que eu fizesse dezesseis anos, e morreu mesmo. Seu marido, que rodava o mundo vendendo perfumes, acabou por fixar-se nos Estados Unidos, onde abriu uma firma e comprou imóveis.

Criança feliz e saudável, cresci num mundo luminoso de livros ilustrados, areias alvas, laranjeiras, cachorros fiéis, panoramas marinhos e rostos sorridentes. O esplêndido Hotel Mirana girava em torno de mim como uma espécie de universo privado, um cosmo caiado de branco dentro daquele outro, azul e maior, que refulgia lá fora. Da lavadora de pratos em seu avental de algodão ao potentado no terno de flanela, todos gostavam de mim, todos me mimavam. Velhas senhoras americanas, apoiadas em bengalas, inclinavam-se sobre mim qual torres de Pisa. Princesas russas arruinadas, que não tinham meios de pagar a meu pai, compravam-me caros bombons. Ele, *mon cher petit papa*, levava-me para passear de barco ou de bicicleta, ensinava-me a nadar, mergulhar e andar de esqui aquático, lia-me *Dom Quixote* e *Os miseráveis* — e eu o adorava e respeitava, sentindo-me feliz por ele quando por acaso ouvia a criadagem comentar suas várias amizades femininas, belas e meigas criaturas que me devotavam grande atenção, derramando preciosas lágrimas sobre minha alegre orfandade.

Eu freqüentava uma escola inglesa a poucos quilômetros de casa, e lá jogava tênis, tirava notas excelentes e mantinha um ótimo relacionamento tanto com os colegas quanto com os professores. Antes de fazer treze anos (isto é, antes de conhecer minha pequena Annabel), só me recordo de dois episódios de natureza claramente sexual. O primeiro foi uma conversa casta, solene e puramente técnica sobre as surpresas da puberdade que tive no jardim de rosas da escola com um garoto americano, filho de uma então famosa estrela do cinema que ele raramente via no mundo tridimensional. O segundo foram algumas interessantes reações orgânicas diante de certas fotografias, pérola e penumbra, com reentrâncias corporais infinitamente macias, no suntuoso álbum de Pichon, *La beauté humaine*, que eu surrupiara na biblioteca do hotel de sob uma montanha de revistas *Graphics* com encadernações imitando mármore. Mais tarde, no seu delicioso estilo bonachão, meu pai transmitiu-me tudo o que, a seu juízo, eu necessitava saber sobre o sexo; isso se passou no outono de 1923, pouco antes que eu fosse mandado para um *lycée* em Lyon (onde deveríamos passar três invernos). Mas — pobre de mim — naquele verão ele estava viajando pela Itália com a mme. de R. e sua filha, e eu não tinha ninguém com quem me lamentar, ninguém a quem pedir conselhos.

3

Os pais de Annabel, como os do autor, eram de nacionalidades diferentes: no seu caso, um inglês e uma holandesa. Recordo-me hoje de suas feições com muito menos nitidez do que alguns anos atrás, antes de conhecer Lolita. Há dois tipos de memória visual: aquela em que, de olhos abertos, recriamos com habilidade uma imagem no laboratório da mente (e então vejo Annabel segundo categorias gerais, tais como: "pele cor de mel", "braços delgados", "cabelos castanhos cortados bem curtos", "cílios longos", "boca larga e radiante"); e a outra em que, de olhos fechados, instantaneamente projetamos sobre o escuro interior das pálpebras a réplica objetiva e absolutamente fiel de um rosto amado, um pequeno fantasma em cores naturais (e é assim que vejo Lolita).

Portanto, ao descrever Annabel, permitam-me o recato de dizer apenas que era uma menina encantadora, alguns meses mais moça do que eu. Seus pais eram velhos amigos de minha tia, e tão rígidos e pomposos quanto ela. Haviam alugado uma casa não muito distante do Hotel Mirana. O sr. Leigh era moreno e calvo, a sra. Leigh (Vanessa van Ness em solteira), gorda e exageradamente empoada. Como eu detestava os dois! No começo, Annabel e eu só falávamos de assuntos totalmente impessoais. Ela enchia as mãos de areia fina e a deixava escoar pelos dedos entreabertos. Nossos cérebros eram afinados como os de todos os pré-adolescentes inteligentes de nossa época e de nosso meio, e duvido que se pudesse considerar como algo de excepcional nosso interesse pela pluralidade dos mundos habitados, as competições de tênis, o conceito de infinito, a doutrina do solipsismo, e coisas do gênero. A maciez e fragilidade dos filhotes de animais nos inspiravam igual sentimento de intensa dor. Ela queria ser enfermeira em algum país faminto da Ásia; eu queria ser um espião célebre.

De repente, sobre nós se abateu uma paixão louca, desajeitada, impudica e agoniante; e também desesperada, caberia acrescentar, porque só teríamos podido saciar aquele furor de posse mútua se cada um de nós assimilasse a última partícula da alma e do corpo do outro — mas lá estávamos, incapazes até mesmo de manter uma relação carnal, quando crianças que vivessem em cortiços teriam tido tantas oportunidades de fazê-lo. Após uma desvairada tentativa de nos encontrarmos à noite em seu jardim (à qual retornarei dentro em pouco), a única privacidade que nos permitiam era a de estar longe dos ouvidos, mas não dos olhos, de todos os que freqüentavam aquela movimentada parte da praia. Ali, na areia macia, a poucos metros dos mais velhos, ficávamos estendidos durante toda a manhã num petrificado paroxismo de desejo, aproveitando cada abençoada dobra do tempo e do espaço para nos tocarmos: sua mão, semi-oculta na areia, movia-se lentamente em minha direção, os dedos finos e queimados de sol chegando como sonâmbulos cada vez mais perto; depois era seu opalescente joelho que iniciava uma longa e cautelosa viagem; às vezes, uma trincheira ocasionalmente aberta pelas crianças oferecia proteção suficiente para que nossos lábios salgados se roçassem; mas esses contatos fugazes levavam nossos corpos jovens, saudáveis e inexperientes a um estado de tamanha exacerbação que nem mesmo a água fria e azul, sob a qual ainda nos agarrávamos, era capaz de aliviar.

Dentre os tesouros que perdi durante minhas andanças de adulto, conta-se uma fotografia tirada por minha tia onde apareciam, sentados em volta da mesa de calçada de um restaurante, Annabel, seus pais e o dr. Cooper, um senhor idoso e solene que puxava de uma perna e, naquele verão, fazia a corte a minha tia. Surpreendida no ato de curvar-se sobre seu *chocolat glacé*, Annabel não tinha saído bem, e (tanto quanto me recordo da fotografia) apenas os ombros magros e a risca dos cabelos permitiam identificá-la em meio ao clarão ensolarado contra o qual se esbatia seu perdido encanto. Mas eu, algo afastado do grupo, aparecia numa pose quase teatral: um rapaz melancólico sentado de perfil, com as sobrancelhas salientes, vestindo uma camisa esporte escura e calções brancos de bom corte, as pernas cruzadas, o olhar distante. A fotografia foi tirada no último dia daquele fatídico verão, poucos minutos antes de fazermos nossa segunda e derradeira tentativa de lutar contra o destino. Usando um pretexto ridículo qualquer (era nossa última chance, nada mais importava), escapamos do restaurante rumo à praia, encontramos um trecho de areia deserto e lá, na sombra violácea de algumas rochas avermelhadas que formavam uma espécie de gruta, tivemos uma breve sessão de ávidas carícias, os óculos de sol que alguém perdera servindo como única testemunha. Eu·estava de joelhos, prestes a possuir minha querida, quando saíram da água dois banhistas barbudos, o velho homem do mar e seu irmão, gritando palavras obscenas de encorajamento. Quatro meses depois ela morreu de tifo em Corfu.

4

Repasso seguidamente estas desgraçadas memórias e fico me perguntando se foi então, no resplendor daquele remoto verão, que se abriu a fenda em minha vida; ou será que meu excessivo desejo por aquela criança foi apenas a primeira manifestação de uma particularidade inata? Quando tento analisar minhas ânsias, meus atos e motivos, entrego-me a uma espécie de devaneio retrospectivo do qual brota uma infinidade de alternativas, fazendo com que cada caminho visualizado se bifurque sem cessar na paisagem alucinadamente complexa de meu passado. Porém, tenho como certo que, de alguma forma mágica e fatal, Lolita começou com Annabel.

Também sei que o trauma causado pela morte de Annabel cristalizou a frustração daquele verão de pesadelo, gerando um obstáculo permanente a qualquer outro romance durante os frios anos de minha juventude. O espiritual e o físico haviam se fundido em nós com uma perfeição que jamais poderá ser compreendida pelos insípidos jovens de hoje, com seus modos grosseiros e mentes padronizadas. Muito tempo depois que ela morreu, eu ainda sentia seus pensamentos flutuando através dos meus. Muito antes de que nos encontrássemos, havíamos sonhado os mesmos sonhos. Comparando reminiscências, descobrimos estranhas afinidades. Em junho do mesmo ano (1919), um canário perdido entrara na casa dela e na minha, em dois países muito distantes. Ah, Lolita, tivesse *você* me amado assim!

Reservei para o fim de minha "fase Annabel" o relato de nosso primeiro e malogrado encontro a sós. Certa noite ela conseguiu burlar a odiosa vigilância da família. No fundo do jardim, em meio às mimosas de folhas finas e nervosas, nos empoleiramos sobre as ruínas de um murinho de pedra. Através da escuridão e das árvores esbeltas transpareciam os arabescos das janelas iluminadas que, tingidas pelas cores de uma memória sensível, hoje me lembram cartas de baralho — presumivelmente porque uma partida de bridge mantinha o inimigo ocupado. Ela tremia e contorcia-se enquanto eu lhe beijava o canto da boca entreaberta e o lóbulo da orelha em fogo. Entre as silhuetas das longas e delgadas folhas, uma penca de estrelas brilhava palidamente acima de nós, e aquele céu vibrante parecia tão nu quanto Annabel sob seu vestidinho leve. Vi seu rosto contra o céu, tão estranhamente distinto como se emitisse um tênue brilho próprio. Suas pernas, suas lindas e irrequietas pernas, não estavam de todo fechadas e, quando minha mão localizou o que buscava, uma expressão sonhadora e estranha, misto de prazer e dor, tomou conta daqueles traços infantis. Ela estava sentada um pouco acima de mim e, toda vez que em seu êxtase solitário se sentia compelida a me beijar, a cabeça baixava suavemente num movimento lânguido e sonolento, quase pesaroso, os joelhos nus capturavam e comprimiam meu pulso para logo depois se afrouxarem, a boca palpitante, crispada pelo azedume de alguma poção misteriosa, aproximava-se de meu rosto com um sorvo sibilante de ar. Ela tentava então aliviar as dores do amor esfregando rudemente seus lábios ressequidos contra os meus, mas depois se afastava, os cabelos jogados para trás num gesto nervoso, retornando mais uma vez em sombra, deixando-me sugar sua boca aberta, enquanto eu, com a generosidade de quem estava pronto a tudo entregar-lhe — meu coração, minha garganta, minhas tripas —, punha em suas mãos inexperientes o cetro de minha paixão.

Lembro-me da fragrância do pó-de-arroz que ela terá roubado da empregada espanhola de sua mãe, um perfume vulgar, doce e almiscarado, que se mesclava com o cheiro de biscoito de seu próprio corpo. Meus sentidos estavam a ponto de transbordar quando súbita barulheira vinda de uma moita próxima fez com que nos separássemos, as veias latejando, assustados pelo que provavelmente não passava de um gato em suas rondas noturnas. Nesse justo instante veio da casa a voz de sua mãe, chamando por ela em tom cada vez mais frenético, enquanto o dr. Cooper saía para o jardim claudicando laboriosamente. Mas o pequeno bosque de mimosas, o manto de estrelas, o frêmito, a chama, a doce seiva e a dor ficaram comigo, e aquela menininha de pernas bronzeadas e língua ardente desde então me perseguiu — até que, por fim, vinte e quatro anos depois, quebrei seu feitiço encarnando-a em outra.

5

Quando hoje olho para trás, os dias de minha juventude parecem afastar-se velozmente numa revoada de desbotados fragmentos, como aquelas nevadas matinais de papel higiênico usado que um passageiro de trem vê turbilhonar na esteira do último vagão. Nas relações de cunho higiênico com as mulheres, eu era prático, breve e irônico. Nos tempos de estudante em Londres e Paris, bastavam-me as profissionais. Dedicava-me com afinco e atenção aos estudos, embora os resultados não fossem particularmente brilhantes. De início, como o fazem muitos talentos *manqués*, planejei formar-me em psiquiatria, mas eu era *manqué* demais até para isso. Instalou-se em mim uma estranha lassidão — doutor, estou me sentindo tão oprimido —, e bandeei-me para o terreno da literatura inglesa, onde tantos poetas frustrados terminam a vida como professores, fumando cachimbo e vestindo paletós de tweed. Paris me convinha. Discutia filmes soviéticos com emigrados russos. Conversava com pederastas no café Deux Magots. Publicava ensaios tortuosos em revistas obscuras. Compunha pastichos:

> Se Fräulein von Kulp
> voltar-se para mim
> com a mão na porta,
> não a seguirei. Nem a Fresca.
> Nem àquela Gaivota.

Um trabalho meu intitulado "O tema proustiano numa carta de Keats para Benjamin Bailey" provocou alguns sorrisos matreiros nos seis ou sete intelectuais que o leram. Contratado por importante casa editora, produzi uma *Histoire abrégée de la poésie anglaise* e depois comecei a compilar aquele manual de literatura francesa para estudantes de língua inglesa (com comparações tiradas de autores ingleses) que viria a me manter ocupado durante toda a década dos 40 — e cujo último volume estava prestes a ir para o prelo quando fui preso.

Arranjei um emprego: dar aulas de inglês para um grupo de adultos em Auteuil. Mais tarde, um colégio de rapazes valeu-se de meus serviços durante dois invernos. Vez por outra, tendo feito amizade com alguns psicoterapeutas e assistentes sociais, aproveitava para acompanhá-los nas visitas a várias instituições, tais como orfanatos e reformatórios, onde pálidas meninas pubescentes de cílios emaranhados podiam ser contempladas com a impunidade total que só os sonhos nos costumam conceder.

Quero agora expor uma idéia. Entre os limites de idade de nove e catorze anos, virgens há que revelam a certos viajores enfeitiçados, bastante mais velhos do que elas, sua verdadeira natureza — que não é humana, mas nínfica (isto é, diabólica). A essas criaturas singulares proponho dar o nome de "ninfetas".

O leitor terá notado que substituo a noção de espaço pela de tempo. De fato, gostaria que ele visse "nove" e "catorze" como os pontos extremos — as praias refulgentes e os róseos rochedos — de uma ilha encantada onde vagam essas minhas ninfetas cercadas pelas brumas de vasto oceano. Será que todas as meninas entre esses limites de idade são ninfetas? Claro que não. Se assim fosse, nós que conhecemos o mapa do tesouro, que somos os viajantes solitários, os ninfoleptos, teríamos há muito enlouquecido. Tampouco a beleza serve como critério; e a vulgaridade, ou pelo menos aquilo que determinados grupos sociais entendem como tal, não é necessariamente incompatível com certas características misteriosas, a graça preternatural, o charme imponderável, volúvel, insidioso e perturbador que distingue a ninfeta das meninas de sua idade, as quais, incomparavelmente mais sujeitas ao mundo concreto dos fenômenos que se medem com relógios, não têm acesso àquela intangível ilha de tempo mágico onde Lolita brinca com suas companheiras. Dentro dos mesmos limites de idade, o número de genuínas ninfetas é muitíssimo inferior ao das meninas provisoriamente sem atrativos, ou apenas "bonitinhas" e até mesmo "adoráveis", que são criaturas essencialmente humanas — comuns, rechonchudas, informes, de pele fria e barriguinha proeminente, usando tranças —, capazes ou não de transformar-se em mulheres de grande beleza (basta ver aquelas garotas gordotas, de meias pretas e chapéus brancos, que se metamorfoseiam em estonteantes estrelas do cinema). Confrontado com a fotografia de um grupo de escolares ou escoteiras e solicitado a apontar a mais bonita entre elas, um homem normal não escolherá necessariamente a ninfeta. É necessário ser um artista ou um louco, um indivíduo infinitamente melancólico, com uma bolha de veneno queimando-lhe as entranhas e uma chama supervoluptuosa ardendo eternamente em sua flexível espinha (ah, quantas vezes a gente se encolhe de medo, se esconde!), a fim de discernir de imediato, com base em sinais inefáveis — a curva ligeiramente felina de uma maçã do rosto, uma perna graciosa coberta de fina penugem, e outros indícios que o desespero, a vergonha e lágrimas de ternura me impedem de enumerar —, o pequeno e fatal demônio em meio às crianças normais. Elas não a reconhecem como tal, e a própria ninfeta não tem consciência de seu fantástico poder.

Além do mais, como a noção de tempo desempenha um papel mágico nesta matéria, o estudante não deve surpreender-se ao tomar conhecimento de que precisa haver um intervalo de muitos anos — a meu juízo nunca menos de dez, geralmente quarenta ou cinqüenta, chegando a noventa em alguns poucos casos de que se tem registro — entre a menina e o homem para que este caia sob o feitiço da ninfeta. É uma questão de ajuste focal, de uma certa distância que o olho interior se deleita em superar, de um certo contraste que a mente percebe com um frêmito de perverso regozijo. Quando eu e ela éramos crianças, não via em minha pequena Annabel uma ninfeta. Eu era um de seus pares, um jovem fauno por méritos próprios, habitando aquela mesma ilha de tempo fantasmagórico. Mas hoje, em setembro de 1952, passados vinte e nove anos, acho que posso reconhecer nela a ninfeta original, o fatídico súcubo que me acompanhou pelo resto da vida. Amamo-nos com um amor prematuro, de uma ferocidade que não raro destrói vidas adultas. Eu era um garoto forte e sobrevivi; mas o veneno estava na ferida, a ferida jamais se fechou, e logo depois eu me vi amadurecendo numa sociedade que permite a um homem de vinte e cinco anos cortejar uma moça de dezesseis, mas não uma menina de doze.

Assim, não é de surpreender que o período em que vivi como adulto na Europa fosse marcado por monstruosa duplicidade. Ostensivamente, mantinha o que se chama de relações normais com diversas mulheres terrenas, cujos seios se assemelhavam a abóboras ou pêras; intimamente, consumia-me uma demoníaca fogueira de concupiscência por todas as ninfetas que passavam na rua e que eu, por um covarde respeito às leis, jamais ousava abordar. As fêmeas humanas que me era permitido manusear eram apenas agentes paliativos. Estou pronto a crer que as sensações que eu derivava da fornicação natural eram bem semelhantes àquelas vividas pelos machos adultos quando copulam com suas companheiras adultas naquele ritmo rotineiro que faz o mundo tremer. O problema é que esses senhores não haviam nem mesmo vislumbrado — como eu havia — uma beatitude incomparavelmente mais sublime. O mais apagado de meus sonhos impuros era mil vezes mais deslumbrante do que todas as cenas de adultério jamais imaginadas pelo mais viril escritor de gênio ou pelo mais talentoso impotente. Meu mundo estava cindido. Tinha consciência não de um, mas de dois sexos, embora nenhum deles fosse o meu porque, anatomicamente, ambos eram considerados como femininos. Porém, para mim, através do prisma de meus sentidos, eram tão diferentes quanto o dia e a noite. Tudo isso sou capaz de racionalizar agora. Entre os vinte e trinta e poucos anos, não compreendia com tanta clareza minha agonia. Se meu corpo sabia o que desejava com tanta ânsia, minha mente rechaçava cada um de seus apelos. Ora me sentia envergonhado e assustado, ora temerariamente otimista. Estrangulado pelos tabus, a psicanálise tentava seduzir-me com pseudoliberações de pseudolibidos. O fato de que para mim os únicos objetos de vibração amorosa eram as irmãs de Annabel, suas donzelas de honor, me parecia às vezes um prenúncio de demência. Outras vezes, dizia-me que era tudo uma questão de atitude, que na verdade nada havia de errado em que alguém se sentisse perdidamente fascinado por uma menininha. Seja-me permitido lembrar ao leitor que na Inglaterra, após a aprovação em 1933 da Lei sobre a Infância e a Juventude, entende-se como "menina" a criança do sexo feminino de mais de oito e menos de catorze anos (entre catorze e dezessete, passam a ser legalmente chamadas de "moças"). Já em Massachusetts, nos Estados Unidos, define-se tecnicamente como "criança delinqüente" a que conta entre sete e dezessete anos (e que, além disso, vive habitualmente entre pessoas depravadas ou imorais). Hugh

Broughton, um polemista que escreveu durante o reinado de James I, provou que Rahab iniciou-se na prostituição aos dez anos. Tudo isso é muito interessante, e eu ousaria dizer que o leitor já estará me vendo à beira de um ataque, espumando pela boca. Mas não, nem um pouco; estou apenas depositando, com uma piscadela marota, alguns pensamentos felizes no meu cofrinho de poupança. Vejamos outras fotografias. Aqui está Virgílio, que sabia cantar belas loas às ninfetas, mas provavelmente preferia um períneo de rapaz. Cá estão, reclinadas sobre fofas almofadas, duas nílicas irmãs pré-núbeis, filhas de Akhenaton e Nefertite (este casal faraônico teve uma ninhada de seis), seus corpos macios e morenos cobertos apenas de inúmeros colares de contas brilhantes, os cabelos curtos e os longos olhos cor de ébano intactos após três mil anos. Vejam agora essas noivas de dez anos, forçadas a sentar-se no *fascinum*, o fálico marfim dos templos em que se estudam os clássicos. O casamento e a coabitação antes da puberdade são ainda hoje bastante comuns em certas províncias das Índias Orientais. Na tribo dos Lepcha, velhos de oitenta copulam com meninas de oito, e ninguém se importa. Afinal de contas, Dante apaixonou-se loucamente por sua Beatriz quando ela tinha nove anos — uma menininha resplandecente, o rosto lindamente pintado, coberta de jóias sobre a túnica vermelha — e isso se passou em 1274, em Florença, durante um banquete no alegre mês de maio. E, quando Petrarca se apaixonou loucamente por sua Laurinha, ela não passava de uma loura ninfeta de doze anos correndo ao vento, em meio ao pólen e à poeira, uma flor em fuga na bela planície que se avista das colinas de Vaucluse.

Mas sejamos recatadamente civilizados. Humbert Humbert fez tudo o que podia para ser bom. Esforçou-se mesmo, com todo o empenho. Tinha o maior respeito pelas crianças comuns, com sua pureza e vulnerabilidade, e em circunstância alguma atentaria contra a inocência de uma menina, caso houvesse o menor risco de encrenca. Mas como batia seu coração quando, no meio de um bando inocente, ele divisava algum pequeno demônio, "enfant charmante et fourbe", olhar velado, lábios úmidos, dez anos de cadeia se simplesmente repararem que você está olhando para ela. E assim seguia a vida. Humbert estava perfeitamente apto a possuir Eva, mas era por Lilith que ansiava. O desabrochar inicial dos seios ocorre cedo (10,7 anos), como parte das alterações somáticas que acompanham a puberdade. O passo seguinte nesse processo consiste no aparecimento dos primeiros pêlos púbicos pigmentados (11,2 anos). Meu cofrinho está cheio até em cima.

Um naufrágio. Um atol. Sozinho com a tiritante filha de uma passageira que se afogou. Minha querida, isso é só uma brincadeira! Que maravilhosas aventuras eu fantasiava, sentado no duro banco de alguma pracinha, enquanto fingia estar imerso na leitura de um trêmulo livro. As ninfetas brincavam despreocupadas em torno do plácido intelectual, como se ele fosse uma estátua bem conhecida ou mera extensão da sombra rendada de alguma velha árvore. Certa vez um espécimen de irretocável beleza, vestindo uma túnica axadrezada, plantou com estrépito seu pé fortemente armado sobre o banco e, quase roçando em mim, esticou os braços nus e esguios para apertar a correia do patim de rodas; e eu me dissolvi ao sol, o livro servindo como folha de parreira, quando aqueles cachos castanho-claros caíram sobre o joelho esfolado, e a sombra de que eu era parte palpitou e se derreteu sobre sua radiosa perna, bem juntinho a meu rosto camaleônico. Em outra ocasião, no metrô, uma colegial de cabelos cor de cobre ficou agarrada à alça diante de meu assento, e a revelação de uma ruiva penugem axilar que então me foi oferecida ficou correndo semanas a fio em minhas veias. Poderia relacionar um número enorme desses romances fugidios e unilaterais. Alguns deles deixavam na boca um travo de fel. Acontecia, por exemplo, que de minha sacada eu visse uma janela acesa do outro lado da rua e o que parecia ser uma ninfeta no ato de despir-se em frente a um espelho cooperativo. Assim isolada, assim longínqua, a visão adquiria um encanto que, de tão penetrante, exigia imediata e solitária recompensa. Mas, subitamente, diabolicamente, o terno esboço de nudez a que me entregara se transformava no repulsivo braço de um homem de cuecas, lendo seu jornal diante da janela aberta, na noite quente e úmida de um verão desesperado.

Pulando corda, brincando de amarelinha. Aquela velha vestida de preto que se sentou no meu banco, no meu instrumento de tortura e de prazer (uma ninfeta estava tateando debaixo de minhas pernas em busca de uma bola de gude perdida), e perguntou — bruxa insolente — se eu estava sentindo cólicas. Ah, deixem-me em paz na minha pracinha pubescente, no meu jardim de macios musgos. Que elas brinquem a meu redor para sempre. Que não cresçam nunca!

6

A propósito: freqüentemente me pergunto o que acontece depois com essas ninfetas. Neste mundo férreo, em que os trilhos de causa e efeito se cruzam e entrecruzam, será que o oculto espasmo que delas furtei não lhes teria afetado o futuro? Afinal de contas, eu as possuíra — embora, verdade seja dita, elas não houvessem desconfiado de nada. Muito bem. Mas isso não se manifestaria algum tempo depois? Não lhes teria eu, de alguma forma, adulterado o destino ao conspurcar suas imagens com minha voluptuosidade? Ah, isso foi e continua a ser para mim uma fonte de imensa e terrível perplexidade.

Em compensação, pude conhecer qual o aspecto físico que assumiam, depois de crescidas, essas adoráveis e enlouquecedoras ninfetas de braços esguios. Lembro-me que caminhava por uma rua cheia de gente no bairro da Madeleine, num cinzento entardecer de primavera. Uma garota magricela passou por mim em passos curtos e rápidos, equilibrando-se nos sapatos de salto alto. Olhamos para trás no mesmo instante, ela parou e me aproximei. Mal chegava à altura dos pêlos do meu peito e tinha aquele tipo de rosto miúdo e redondo, com covinhas, tão comum nas adolescentes francesas. O que me atraiu foram seus longos cílios e o tailleur cinza-pérola, bem justo, envolvendo um corpo jovem que guardava ainda — e daí vinha o eco nínfico, o frêmito de prazer, o arrepio nas entranhas — um quê de infantil em meio ao *frétillement* profissional das ancas ágeis e estreitas. Perguntei seu preço e imediatamente respondeu, com metálica e melodiosa precisão (um pássaro, um verdadeiro pássaro!): "Cent". Tentei regatear, mas ela notou o terrível e solitário desejo presente no olhar que, lá de cima, parecia concentrar-se em sua testa redonda e em seu chapéu rudimentar (uma fita, um buquê de flores). Com um leve adejar dos cílios, disse: "Tant pis" e fez menção de ir embora. Quem sabe, três anos antes eu poderia tê-la visto voltando da escola! Esse pensamento revelou-se decisivo. Subiu à minha frente pelas escadas íngremes e estreitas de sempre, com a sineta de sempre abrindo o caminho para o monsieur que talvez não desejasse encontrar-se com outro monsieur na deplorável escalada rumo ao quarto abjeto, nada mais que uma cama e um bidê. Como de praxe, pediu logo seu *petit cadeau* e, como de praxe, perguntei seu nome (Monique) e sua idade (dezoito). Eu conhecia bem os hábitos banais das prostitutas e sabia que todas respondem: "Dix-huit", um gorjeio de triste engodo que as infelizes têm de repetir dez vezes por dia. No caso de Monique, pelo contrário, não havia dúvida de que ela estava adicionando um ou dois anos a sua idade, como se podia deduzir do corpo enxuto e compacto, curiosamente imaturo. Tendo se despojado das roupas com fascinante rapidez, ela ficou por alguns momentos parcialmente envolta na encardida cortina de filó, ouvindo com deleite infantil, sem qualquer afetação, o realejo que tocava lá embaixo no pátio já invadido pela penumbra. Quando, ao examinar suas pequenas mãos, reparei nas unhas sujas, ela franziu a testa com candura e disse: "Oui, ce n'est pas bien", dirigindo-se para a pia. Mas eu lhe garanti que não fazia mal, que não tinha a menor importância. Com seus cabelos castanhos cortados bem curtos, seus olhos de um cinzento luminoso e sua pele clara, ela era perfeitamente encantadora. Seus quadris não eram mais largos que os de um garoto acocorado. De fato, não hesito em dizer (e realmente é por isso que me demoro, agradecido, naquele quartinho cinza-filó da memória) que, dentre as muitas dezenas de *grues* a quem submeti meu corpo, a pequena Monique foi a única a nele despertar os tormentos de um autêntico prazer. "Il était malin, celui qui a inventé ce truc-là!", ela comentou amigavelmente, enfiando-se nas roupas com a mesma rapidez vertiginosa.

Propus que nos encontrássemos para uma sessão mais elaborada naquela mesma noite, e ela disse que estaria às nove no bar da esquina, jurando que jamais havia dado bolo em ninguém durante sua curta vida. Voltamos para o mesmo quarto, e não pude deixar de cumprimentá-la por sua beleza. Ela respondeu com modéstia: "Tu es bien gentil de dire ça" e então, dando-se conta daquilo que eu também reparara no espelho que refletia nosso diminuto Éden — o horrível ricto de ternura que contorcia minha boca sobre os dentes cerrados —, a obediente Monique (ah, sim, ela havia sido mesmo uma ninfeta!) quis saber se devia tirar o batom dos lábios, "avant qu'on se couche", caso eu estivesse pensando em beijá-la. Claro que estava. Entreguei-me a ela mais completamente do que jamais o fizera a nenhuma outra mulher, e minha última visão da Monique de longos cílios naquela noite está cercada de uma aura de alegria que raras vezes associo a qualquer episódio em minha humilhante, sórdida e taciturna vida amorosa. Ela pareceu tremendamente satisfeita com a gratificação de cinqüenta francos que lhe dei quando saiu a trote pela garoa noturna de abril, arrastando um pesado Humbert Humbert em sua estreita esteira. Detendo-se diante de uma vitrine, disse com grande entusiasmo: "Je vais m'acheter des bas!" — e espero não esquecer nunca o modo pelo qual seus lábios infantis de parisiense explodiram na palavra *bas*, pronunciando-a com um apetite que virtualmente transformava o *a* num breve e cintilante *o*.

Estivemos juntos outra vez no dia seguinte, às duas e quinze da tarde, em minha própria casa. Mas não foi tão bom, ela parecia ter se tornado menos juvenil, mais mulher, durante a noite. Um resfriado que apanhei dela obrigou-me a cancelar o quarto encontro, e, na verdade, não lamentei romper uma cadeia emocional que ameaçava sobrecarregar-me de fantasias dilacerantes para depois mergulhar aos poucos em morna decepção. Assim, deixemos que a enxuta e esbelta Monique permaneça o que foi durante alguns minutos: uma depravada ninfeta brilhando através do véu banal de jovem prostituta.

A breve convivência com ela deu origem a uma série de pensamentos que podem parecer bastante óbvios ao leitor que entende dessas coisas. Um anúncio numa revista erótica levou-me, num dia de excepcional bravura, ao escritório de uma certa mlle. Edith, que de início me estimulou a selecionar uma alma irmã entre as fotografias notavelmente discretas reunidas num álbum já bastante sujo de tanto ser manuseado ("Regardez-moi cette belle brune!"). Quando empurrei o álbum para o lado e consegui balbuciar meus criminosos desejos, ela deu a impressão de que ia me pôr porta afora; porém, após perguntar quanto eu estava disposto a desembolsar, condescendeu em colocar-me em contato com alguém *qui pourrait arranger la chose*. No dia seguinte, uma mulher asmática e tagarela — exageradamente pintada, cheirando a alho, com um sotaque provençal quase burlesco e um vasto bigode preto sobre os lábios carmesins — conduziu-me ao que parecia ser seu próprio domicílio e lá, após beijar explosivamente as pontas em penca dos gordos dedos a fim de significar a extraordinária qualidade de sua virginal mercadoria, descerrou teatralmente uma cortina para revelar o que me pareceu ser aquela parte do aposento onde costumava dormir uma família numerosa e pouco exigente em matéria de limpeza. Sua única ocupante era uma guria monstruosamente balofa com ao menos quinze anos de idade, pele amarelada, rosto repugnantemente simplório e grossas tranças pretas amarradas com fitas vermelhas, que, sentada numa cadeira, brincava mecanicamente com uma boneca careca. Quando sacudi a cabeça e tentei escapar da armadilha, a mulher, falando muito depressa, começou a tirar a encardida camiseta de lã da gigantesca garota, mas, ao ver que eu estava decidido a ir embora, exigiu *son argent*. Abriu-se uma porta nos fundos do quarto e dois homens, que estavam jantando na cozinha, vieram participar da discussão. Eram uns sujeitos muito morenos; quase disformes, camisas abertas no peito, um deles usando óculos escuros. Um garoto e uma imunda criancinha, de uns três anos e pernas arqueadas, escondiam-se atrás deles. Com a lógica insolente de um pesadelo, a enraivecida alcoviteira, indicando o homem de óculos, disse que, *lui*, ele trabalhara na polícia, daí que era melhor que eu pagasse logo. Caminhei em direção a Marie — pois era esse seu nome artístico —, que a essa altura havia tranqüilamente transferido o volumoso traseiro para um banco junto à mesa da cozinha e recomeçara a tomar a sopa deixada no prato, enquanto a criancinha se apropriava da boneca. Movido por um impulso de compaixão que dramatizava a idiotice de meu gesto, enfiei uma nota em sua mão indiferente. Ela entregou o presente ao ex-investigador, após o que me deixaram sair.

7

Talvez o álbum da cafetina tenha representado mais um prego no caixão; seja como for, para minha própria segurança, pouco depois resolvi casar-me. Ocorreu-me que os horários regulares, as comidas caseiras, todas as convenções do casamento, a rotina profilática das atividades de alcova e, quem sabe, o eventual desabrochar de certos valores morais, de certos sucedâneos espirituais, poderiam contribuir, se não para que expurgasse meus desejos degradantes e perigosos, ao menos para que os mantivesse sob dócil controle. Uma pequena soma de dinheiro recebida após a morte de meu pai (não muito, o Mirana havia sido vendido bem antes), aliada a minha inegável beleza física (embora alguns traços fossem algo brutais), permitiram que me dedicasse com serenidade à empreitada. Ao final de cuidadosas reflexões, a escolha recaiu na filha de um médico polonês — que, aliás, naquela época vinha me tratando de umas crises de tontura e taquicardia. Enquanto jogávamos xadrez, sua filha espreitava-me por trás do cavalete e tomava emprestado de mim os olhos ou os nós dos dedos para inseri-los nas porcarias cubistas que as moçoilas prendadas de então pintavam no lugar dos lilases e carneiros de outrora. Permito-me repetir com tranqüila ênfase: eu era, e ainda sou, apesar de *mes malheurs*, um homem incomumente bem-apessoado — alto, cabelos pretos e sedosos, movimentos pausados, um ar tristonho e, por isso mesmo, ainda mais sedutor. A virilidade excepcional com freqüência projeta nas feições do indivíduo assim dotado um certo ar irritadiço e pletórico, que deriva justamente daquilo que ele tem de ocultar. Era esse o meu caso. Infelizmente, sabia muito bem que, com um simples estalar de dedos, poderia dispor de qualquer mulher que escolhesse; na verdade, tinha desenvolvido o hábito de não ser muito atencioso com elas por medo de que caíssem como frutas maduras em meu gélido colo. Houvesse sido eu um *français moyen* apreciador de mulheres vistosas, teria facilmente encontrado, entre as muitas beldades que se chocavam enlouquecidas contra meu lúgubre rochedo, criaturas bem mais fascinantes do que Valéria. No entanto, minha escolha foi ditada por considerações cuja essência, como entendi tarde demais, consistia numa lastimável tentativa de ter o melhor de dois mundos. O que vem apenas comprovar quão terrivelmente tolo o pobre Humbert sempre foi em matéria de sexo.

<h1 style="text-align:center">8</h1>

Embora me dissesse que estava apenas em busca de uma presença sedativa, um *pot-au-feu* em forma humana, um chumaço ambulante de pêlos púbicos, o que realmente me atraiu em Valéria foi sua capacidade de imitar uma garotinha. Não o fazia por ter adivinhado algo sobre mim, era simplesmente seu estilo — mas eu caí na esparrela. Na realidade, ela já andava beirando os trinta anos (nunca consegui saber a idade exata, pois até seu passaporte mentia) e perdera a virgindade em circunstâncias que variavam com seus humores rememorativos. De minha parte, eu era tão ingênuo como só um pervertido pode ser. Ela parecia fofa e travessa, vestia-se *à la gamine*, mostrava um bom pedaço de perna lisa, sabia como realçar o branco de um peito de pé nu contra o negro de um chinelo de veludo, e fazia beicinho, e sorria marcando as covinhas do rosto, e saracoteava para cá e para lá, e usava corpetes apertados, e sacudia os cachos louros da maneira mais banal e graciosa que se possa imaginar.

Após uma breve cerimônia na *mairie*, levei-a para o novo apartamento que havia alugado e lá, causando-lhe certa surpresa, fiz com que vestisse, antes mesmo de tocar nela, uma ordinária camisola de menina que eu conseguira surrupiar do armário de um orfanato. Diverti-me razoavelmente naquela noite de núpcias, tanto assim que a idiota já estava à beira de uma crise histérica quando o sol raiou. Mas a realidade em breve se impôs. Os cachinhos oxigenados revelaram suas raízes melânicas; a penugem transformou-se em espinhos nas pernas raspadas; a boca úmida e melíflua, por mais que eu a enchesse de amor, passou a exibir uma ignominiosa semelhança com o mesmo orifício no precioso retrato em que sua falecida mamãe aparecia com cara de sapo; e, passado pouco tempo, ao invés de uma pálida menininha de rua, Humbert Humbert viu-se às voltas com uma grande e balofa matrona, de pernas curtas, seios fartos e cérebro diminuto.

Esse estado de coisas durou de 1935 a 1939. A única virtude de Valéria era sua natureza pouco expansiva, que ajudava a criar uma estranha atmosfera de conforto em nosso pequeno e sórdido apartamento: dois quartos, uma vista nublada numa das janelas, uma parede de tijolos na outra, uma minúscula cozinha e uma banheira em forma de sapato — dentro da qual me sentia como um Marat, mas sem nenhuma virgem de alvo pescoço para apunhalar-me. Lá passamos algumas noites bem aconchegantes, ela mergulhada na leitura de seu *Paris-Soir*, eu escrevendo numa mesinha bamba. Íamos ao cinema, assistíamos a lutas de boxe e corridas de bicicleta. Muito raramente, só mesmo em casos de grande urgência ou desespero, eu recorria a sua carne insossa. O dono da mercearia tinha uma filhinha cuja sombra me deixava alucinado, mas, com a ajuda de Valéria, ao menos podia dar vazão legal a meus fantásticos anseios. Em matéria de comida, desistimos tacitamente do *pot-au-feu* e em geral fazíamos as refeições num restaurante sempre entupido de gente na rue Bonaparte, onde havia manchas de vinho nas toalhas e uma permanente algaravia em línguas estrangeiras. Na loja ao lado, um antiquário exibia em sua atravancada vitrine uma esplêndida gravura americana, em tons vibrantes de verde, vermelho, dourado e azul-anil: uma locomotiva dotada de gigantesca chaminé, imensos faróis em estilo barroco e um formidável limpa-trilhos, puxando seus vagões violáceos através de uma tempestuosa noite nas pradarias e misturando às nuvens baixas e felpudas seus negros rolos de fumaça salpicada de fagulhas.

Não tardou a chover torrencialmente. No verão de 1939, *mon oncle d'Amérique* morreu, deixando-me uma renda anual de alguns milhares de dólares com a condição de que eu fosse viver nos Estados Unidos e demonstrasse algum interesse por seus negócios. Tal perspectiva era muito bem-vinda. Sentia que minha vida precisava de uma sacudidela, além do que haviam surgido alguns furos de traça na pelúcia de meu conforto matrimonial. Ao longo das últimas semanas vinha reparando que minha gorda Valéria já não era a mesma: dava mostras de um estranho nervosismo e até de algo semelhante à irritação, coisa inteiramente incompatível com o temperamento controlado que ela costumava personificar. Quando a informei de que em breve zarparíamos rumo a Nova York, ficou aflita e desnorteada. Seus documentos deram origem a tediosas dificuldades. Como refugiada, ela era portadora de um passaporte Nansen ("Nonsense", melhor diria), e até mesmo a sólida cidadania suíça de seu marido afigurava-se insuficiente para superar o problema. Convenci-me de que todas aquelas formalidades burocráticas e a necessidade de fazer fila na *préfecture* eram a causa de seu desinteresse, apesar de minhas pacientes descrições dos Estados Unidos, país de crianças rosadas e imensas árvores, onde a vida seria bem melhor do que na sombria e insípida Paris.

Saíamos certa manhã de uma repartição, os papéis quase em ordem, quando Valéria, que seguia a meu lado com seu andar de pato, começou a sacudir vigorosamente a cabeça de poodle sem pronunciar uma única palavra. Deixei que o fizesse durante algum tempo e depois perguntei se ela achava que tinha algo dentro do crânio. Respondeu (traduzo de seu francês que, imagino, era por sua vez a tradução de um chavão eslavo): "Há outro homem em minha vida".

Convenhamos, essas são palavras duras de ouvir para qualquer marido. Confesso que fiquei pasmo. Dar-lhe uma surra ali mesmo, no meio da rua, como o teria feito qualquer homem do povo honesto, não era uma opção viável. Anos e anos de sofrimentos secretos me haviam ensinado a manter um controle sobre-humano. Por isso, toquei-a para dentro de um táxi que já havia algum tempo vinha se arrastando convidativamente rente à calçada e, naquele ambiente de relativa privacidade, sugeri com a maior calma que ela explicasse melhor suas ensandecidas palavras. Sufocava-me uma fúria crescente — não porque sentisse algum afeto especial por aquela figura grotesca, a *mme. Humbert*, mas porque só a mim cabia decidir sobre matérias legais ou ilegais de interesse do casal, e ali estava Valéria, uma esposa de comédia, preparando-se despudoradamente para dispor por conta própria do meu conforto e do meu destino. Indaguei pelo nome de seu amante. Repeti a pergunta, mas ela, como boa farsante, ficou se lastimando da vida infeliz que levava comigo e terminou por anunciar que planejava obter um divórcio imediato. "Mais qui est-ce?", finalmente bradei, dando-lhe um tapa no joelho; e ela, sem ao menos pestanejar, olhou-me fixamente como se a resposta fosse simples demais para ser posta em palavras, deu de ombros e apontou para o fornido pescoço do motorista de táxi. Ele estacionou em frente a um barzinho e se apresentou. Não recordo seu nome ridículo, mas, depois de todos esses anos, ainda o vejo com toda a nitidez — um troncudo ex-coronel do Exército Branco, com um basto bigode e cabelos à escovinha. Havia milhares deles fazendo manobras infernais nas ruas de Paris. Sentamo-nos a uma mesa; o czarista pediu vinho, e Valéria, após aplicar sobre o joelho um guardanapo úmido, continuou a falar — mais *para dentro de mim* do que para mim; despejou palavras nesse mui digno receptáculo com uma volubilidade de que jamais suspeitei ela fosse capaz. Vez por outra alvejava seu impassível amante com uma rajada de frases eslavas. A situação ficou ainda mais absurda quando o coronel-taxista, interrompendo Valéria com um sorrisinho possessivo, começou a expor seus próprios planos e opiniões. Em seu cuidadoso francês conspurcado por um sotaque atroz, esboçou o mundo de prazer e trabalho em que se propunha a entrar de mãos dadas com a jovem esposa. A essa altura, sentada entre nós dois, ela começou a enfeitar-se toda, pintando os lábios franzidos em forma de boquinha, triplicando o queixo para alisar a frente da blusa, e assim por diante. Enquanto isso, ele falava de Valéria como se ela estivesse ausente e também como se fosse uma espécie de criança abandonada que, para seu próprio bem, passava das mãos de um preclaro tutor para as de outro ainda mais preclaro. E, embora minha raiva impotente pudesse ter exagerado e distorcido certas impressões, juro que ele me consultou sobre coisas tais como o regime alimentar de Valéria, seus períodos menstruais, seu guarda-roupa e os livros que tinha lido ou deveria ler. "Acredito", disse ele, "que Valéria vai gostar de *Jean Christophe*, não é mesmo?" Ah, aquele sr. Taxovitch era um intelectual e tanto!

Pus um ponto final na verborréia sugerindo que Valéria recolhesse de imediato suas coisas, que não eram muitas, diante do que o tedioso coronel se ofereceu para transportá-las no táxi. Retornando à condição de mero profissional do volante, conduziu o casal Humbert a seu domicílio, enquanto Valéria falava sem parar e Humbert, o Terrível, deliberava com Humbert, o Pequeno, se Humbert Humbert devia matar a mulher infiel, ou o amante, ou ambos, ou nenhum deles. Lembro-me de que certa vez empunhei uma pistola automática pertencente a um colega, na época (acho que não falei disso, mas pouco importa) em que namorei a idéia de aproveitar-me de sua irmãzinha, uma ninfeta supinamente diáfana com um laço preto nos cabelos, suicidando-me em seguida. Perguntava-me se Valechka (como a chamava o coronel) era realmente digna de ser assassinada com um tiro, ou estrangulada, ou afogada. Como suas pernas eram muito vulneráveis, decidi por fim que me limitaria a feri-la de forma horrível tão logo ficássemos a sós.

Mas jamais ficamos. Valechka — já agora derramando uma catadupa de lágrimas tingida pelos restos da maquiagem multicor — tratou de encher estabanadamente um malão, duas valises e uma caixa de papelão a ponto de estourar, e a idéia de calçar minhas botas de montanha e sapecar-lhe um tremendo pontapé no traseiro não pôde obviamente ser executada com aquele maldito coronel avoejando o tempo todo em torno dela. Não posso dizer que ele tenha agido de forma insolente ou coisa parecida; pelo contrário, na comédia-pastelão em que eu me embrulhara, ele desempenhava o papel secundário de um cidadão à antiga, discreto e cortês, pontuando seus movimentos com todo o tipo de desculpas expressas naquela pronúncia estropiada ("j'ai demannde pardonne" — desculpe-me —, "est-ce que j'ai puis" — será que eu poderia —, e assim por diante) e voltando-se de costas com grande tato quando Valechka, num gesto largo, tirou suas calcinhas cor-de-rosa da corda estendida sobre a banheira. Mas ele parecia estar em todos os lugares ao mesmo tempo, *le gredin*, adaptando sua envergadura à anatomia do apartamento, lendo meu jornal na minha cadeira, desatando os nós de um barbante, enrolando um cigarro, contando as colheres de chá, visitando o banheiro, ajudando sua belezoca a embrulhar o ventilador elétrico que o pai lhe dera de presente, carregando a bagagem para a rua. Fiquei sentado de braços cruzados, um quadril apoiado no parapeito da janela, morrendo de ódio e de tédio. Finalmente, ambos foram embora do trêmulo apartamento — a vibração da porta que eu batera atrás deles ressoando ainda em cada um de meus nervos, pobre substituto da bofetada com as costas da mão que, segundo as normas cinematográficas, eu deveria ter dado na cara da adúltera. Desempenhando canhestramente meu próprio papel, marchei até o banheiro para verificar se eles tinham levado minha água de toalete inglesa. Não tinham, mas, com um espasmo de intenso asco, notei que o ex-conselheiro do czar, após esvaziar por completo a bexiga, não tinha puxado a descarga. Encarando aquela solene poça de urina alheia, em cujo centro uma amarelecida ponta de cigarro se desintegrava, como um insulto supremo, olhei freneticamente a minha volta em busca de alguma arma. Na verdade, ouso dizer que uma cortesia típica dos russos de classe média (talvez com um acre toque oriental) foi o que levou o bravo coronel (Maximovitch! — seu nome de repente desfila pela minha memória), pessoa muito formal como todos eles o são, a cercar sua necessidade íntima de um decoroso silêncio a fim de não acentuar as pequenas dimensões do domicílio de seu anfitrião, o que não ocorreria se o rugir de uma catarata se seguisse ao murmúrio de furtivo riacho. Mas isso nem passou pela minha cabeça naquela hora, quando, grunhindo de raiva, vasculhei a cozinha em busca de algo melhor do que uma vassoura. Abandonando a procura, saí disparado com o heróico propósito de agarrar o touro à unha; apesar de meu vigor natural, não sou um pugilista, enquanto o atarracado Maximovitch parecia feito de aço. O vazio da rua, onde a única marca de Valéria era um botão de strass que ela deixara cair na lama (após guardá-lo desnecessariamente durante três anos numa caixinha quebrada), talvez me tenha poupado o dissabor de voltar para casa com o nariz ensangüentado. Mas não faz mal, no devido tempo tive minha pequena vingança. Um médico de Pasadena contou-me certo dia que a sra. Maximovitch, *née* Zborovski, morrera de parto por volta de 1945; sabe-se lá como, o casal tinha ido parar na Califórnia, onde, mediante excelente remuneração, havia sido usado durante doze meses numa experiência conduzida por um eminente etnólogo americano. O objetivo era conhecer as reações humanas e raciais de pacientes que deviam ficar permanentemente de quatro e só podiam comer bananas e tâmaras. Meu informante jurou que vira com seus próprios olhos a obesa Valéria e seu coronel, já então grisalho e também bastante corpulento, movendo-se de gatinhas com grande desenvoltura pelos assoalhos bem varridos de um conjunto de salas fortemente iluminadas (frutas numa sala, água na outra, esteiras de dormir na terceira, e assim por diante), na companhia de numerosos outros quadrúpedes selecionados entre gente pobre e desvalida. Tentei encontrar os resultados dessa experiência na *Review of Anthropology*, mas pelo visto não foram ainda publicados. Naturalmente, empreitadas científicas de tal gabarito levam algum tempo para dar frutos. Espero que, quando venham a público, estejam acompanhados de boas fotografias, conquanto não pareça muito provável que uma biblioteca de prisão se disponha a abrigar trabalhos tão eruditos. Aquela a que estou atualmente restrito, malgrado os bons ofícios de meu advogado, bem ilustra o ecletismo risível que governa a escolha de livros para as bibliotecas do sistema penitenciário. Além, obviamente, da Bíblia, eles têm

Dickens (uma velha coleção da editora G. W. Dillingham, de Nova York, MDCCCLXXXVII), a *Enciclopédia infantil* (com algumas simpáticas fotos de louríssimas bandeirantes vestindo calças curtas) e *O anúncio de um assassinato* de Agatha Christie; mas têm também algumas pérolas reluzentes, tais como *Um vagabundo na Itália* (Boston, 1868) de Percy Elphinstone, autor de *Veneza revisitada*, e o comparativamente mais recente (1946) *Quem é quem sob as luzes da ribalta* — atores, produtores, dramaturgos e fotografias de peças teatrais. Folheando este último volume ontem à noite, fui premiado com uma dessas esplendorosas coincidências que os estudiosos da lógica abominam e os poetas adoram. Transcrevo a maior parte da página:

PYM, ROLAND. Nascido em Lundy, Mass., 1922. Fez seu aprendizado como ator na Elsinore Playhouse, Derby, N. Y. Estreou em *Clarão de sol*. Dentre as muitas peças em que trabalhou, vale assinalar: *A dois quarteirões daqui, A moça do vestido verde, Salada de maridos, O estranho cogumelo, Negócio arriscado, John Lovely, Estava sonhando com você.*

QUILTY, CLARE, dramaturgo norte-americano. Nascido em Ocean City, N. J., 1911. Formado na Universidade de Colúmbia. Trabalhou no comércio antes de tornar-se autor de peças teatrais. Escreveu, entre outras, *A pequena ninfa, A dama que gostava de relâmpagos* (em parceria com Vivian Darkbloom), *A idade das trevas, O estranho cogumelo, Amor paterno.* Conhecido por suas numerosas peças infantis. *A pequena ninfa* (1940) foi representada em 280 localidades do interior, percorrendo 22 400 quilômetros, durante o inverno que antecedeu sua estréia em Nova York. Passatempos: carros velozes, fotografia, animais domésticos.

QUINE, DOLORES. Nascida em Dayton, Ohio, 1882. Estudou teatro na American Academy. Estreou em Ottawa, 1900. Apareceu pela primeira vez em Nova York no ano de 1904, na peça *Nunca fale com estranhos.* Desde então desapareceu em (segue-se uma lista de cerca de trinta peças).

A simples visão do nome de minha amada, mesmo quando pespegado ao de uma velha bruxa dos palcos, ainda me sacode com uma dor infinita! Talvez ela também poderia ter sido uma atriz. Nascida em 1935. Apareceu (Clarence, reparei no lapso de escrita que cometi no parágrafo anterior, mas por favor não o corrija) na peça *O dramaturgo assassinado.* Quine, a porquinha que cuinha, liquidou Quilty. Ah, minha Lolita, tudo o que me restou para brincar foram as palavras!

9

A ação de divórcio atrasou minha viagem, e as trevas de mais uma guerra mundial já tombavam sobre o globo quando, após um inverno de tédio e pneumonia em Portugal, finalmente cheguei aos Estados Unidos. Em Nova York, aceitei pressuroso a sinecura que o destino me oferecera: tratava-se, basicamente, de conceber e redigir anúncios de perfume. Agradava-me o caráter incidental e pseudoliterário da tarefa, a que eu me dedicava quando não tinha nada de melhor para fazer. Além disso, uma universidade de Nova York, talvez por não ter muitas outras opções naqueles tempos de guerra, insistiu em que eu completasse minha história comparada da literatura francesa para estudantes de língua inglesa. O primeiro volume manteve-me ocupado durante uns dois anos, ao longo dos quais raramente trabalhei menos do que quinze horas por dia. Quando me recordo desse período, vejo-o cuidadosamente dividido entre uma faixa de ampla claridade, representada pelo refrigério da pesquisa em bibliotecas suntuosas, e outra de estreita sombra, onde floresciam os excruciantes desejos e as insônias de que já falei o suficiente. Agora que já me conhece, o leitor pode facilmente imaginar quanta poeira e calor tive de suportar para ao menos entrever algumas ninfetas brincando no Central Park (ah, sempre tão remotas!), e quanto me repugnavam as jovens secretárias desodorizadas que um gaiato do escritório despejava incessantemente em cima de mim. Deixemos tudo isso de lado. Uma terrível depressão fez com que eu fosse parar num sanatório durante mais de um ano. Voltei a trabalhar, mas de novo fui internado.

Pareceu-me que uma vida ativa ao ar livre poderia trazer algum alívio a meus males. Um de meus médicos prediletos — um sujeitinho tão cínico quanto simpático, com uma barbicha castanha — tinha um irmão que se aprestava para chefiar uma expedição às regiões árticas do Canadá. Dela participei na qualidade de "relator de reações psíquicas". Juntamente com dois jovens botânicos e um velho carpinteiro, compartilhei vez por outra (mas nunca com grande êxito) dos favores de uma de nossas nutricionistas, a dra. Anita Johnson — que, folgo em dizer, bem cedo foi embarcada de volta num avião.

Eu não tinha a menor idéia dos propósitos da expedição. A julgar pelo número de meteorologistas presentes, talvez estivéssemos perseguindo até sua toca (situada, creio eu, em plena ilha do Príncipe de Gales) o irrequieto e cambaleante pólo norte magnético. Um grupo, em companhia dos canadenses, estabeleceu uma estação meteorológica na ponta Pierre, no estreito de Melville. Outro grupo, igualmente desnorteado, coletava plâncton. Um terceiro estudava a evolução da tuberculose na tundra. Bert — um cinegrafista inseguro com quem certa feita fui obrigado a dividir indignas tarefas braçais (ele também sofria de problemas psíquicos) — sustentava que os chefões de nossa equipe, os verdadeiros líderes que nunca víamos, estavam empenhados principalmente em verificar a influência da melhoria climática na pele das raposas árticas.

Vivíamos em cabanas de madeira pré-fabricadas em meio a um mundo de granito pré-cambriano. Nada nos faltava — exemplares do *Reader's Digest*, uma máquina de fazer sorvete, latrinas de acampamento, chapéus de cartolina para a festa de Natal. Minha saúde melhorou extraordinariamente apesar da fantástica monotonia da vida e da paisagem — ou talvez por causa disso. Cercado de uma vegetação mirrada onde predominavam os liquens e os salgueiros anões; varrido, e aparentemente purificado, pelo vento uivante; sentado num rochedo sob um céu totalmente translúcido (mas através do qual não se vislumbrava nada de importante), senti-me curiosamente alheio a meu próprio ser. Nenhuma tentação me perseguia. As roliças e reluzentes garotas esquimós — com seu cheiro de peixe, suas negras cabeleiras sebosas e suas caras de porquinho-da-índia — inspiravam-me ainda menos desejo do que a dra. Johnson. Não se encontram ninfetas nas regiões polares.

Deixei a meus superiores a análise das morainas e outras fainas, e durante algum tempo tentei anotar aquilo que, indulgentemente, julguei serem as tais "reações" (reparei, por exemplo, que os sonhos sob o sol da meia-noite tendem a ser vivamente coloridos, o que foi confirmado por meu amigo cinegrafista). Eu devia interrogar meus companheiros acerca de várias matérias importantes, tais como sentimentos nostálgicos, medo de animais desconhecidos, desejos de alimentos indisponíveis, poluções noturnas, passatempos, seleção de programas radiofônicos, mudanças de postura existencial, e assim por diante. Todo mundo ficou tão enfarado com as perguntas que logo abandonei o projeto, e só lá pelo fim de meus vinte meses de trabalhos enregelados (segundo a jocosa definição de um dos botânicos) dispus-me a redigir o relatório inteiramente espúrio e muito picante que o leitor poderá encontrar nos *Anais de Psicofísica Adulta* correspondentes ao ano de 1945 ou 1946, bem como no número da revista *Explorações Árticas* dedicado à expedição; expedição essa que, como soube depois por intermédio de meu sorridente psicoterapeuta, não estava realmente interessada no cobre da ilha Victoria ou coisas do gênero: seu verdadeiro objetivo era algo ultra-secreto, e por isso limito-me a dizer que, fosse qual fosse o segredo, ele foi admiravelmente preservado.

O leitor ficará triste ao saber que, pouco tempo após meu retorno à civilização, sofri um novo acesso de insanidade (se é que esse termo cruel pode ser aplicado a uma sensação insuportável de opressão e melancolia). Devo minha completa recuperação a uma descoberta que fiz no caríssimo sanatório onde estava sendo tratado. Descobri que existe uma fonte inesgotável de sadio divertimento na tapeação dos psiquiatras. A brincadeira consiste em atraí-los astuciosamente sem nunca revelar que você conhece os truques da profissão; em inventar para eles sonhos intrincados, verdadeiros clássicos no gênero (o que faz com que eles, esses usurpadores de sonhos, tenham os piores pesadelos e acordem aos gritos); em atormentá-los com recordações simuladas de cenas de infância que envolvam seu pai e sua mãe; em jamais permitir que eles ao menos entrevejam seus verdadeiros problemas sexuais. Subornando uma enfermeira, tive acesso aos arquivos e descobri com grande júbilo as fichas em que eu era qualificado como "homossexual latente" e "totalmente impotente". O esporte era tão estimulante e seus resultados tão salutares — pelo menos em meu caso —, que decidi prolongar por um mês minha estada depois de estar totalmente curado (dormindo maravilhosamente e comendo como uma ginasiana). Fiquei ainda mais uma semana, pelo simples prazer de enfrentar um figurão recém-chegado, refugiado de guerra e obviamente tantã, muito famoso por sua capacidade de convencer os pacientes de que haviam presenciado sua própria concepção.

10

Ao sair do sanatório, passei a procurar um canto no interior da Nova Inglaterra, alguma cidadezinha sonolenta com ruas ladeadas de olmos e uma igreja caiada de branco, onde pudesse dedicar todo o verão às anotações que já enchiam um caixote e aos mergulhos que pretendia dar em algum lago das redondezas. Começava de novo a interessar-me por meu trabalho — isto é, a empreitada intelectual, pois o outro, minha contribuição para os perfumes póstumos de meu tio, estava reduzido a um mínimo.

Um de seus antigos empregados, membro de uma família ilustre, sugeriu que eu passasse alguns meses na residência de uns primos empobrecidos — um certo sr. McCoo, já aposentado, e sua esposa —, os quais desejavam alugar o andar superior da casa até então ocupado por uma tia de hábitos morigerados que falecera recentemente. Segundo me disse, eles tinham duas filhas, uma criança de colo e uma menina de doze anos, além de um belo jardim próximo a um belo lago. Disse-lhe que o arranjo parecia perfeitamente perfeito.

Correspondi-me com o casal, convencendo-os de minha civilidade, e passei uma noite fantástica no trem, imaginando, nos menores detalhes, a enigmática ninfeta a quem eu daria lições de francês e acariciaria em humbertês. Ninguém esperava por mim na estaçãozinha de brinquedo onde desembarquei com minha nova e luxuosa mala, e ninguém atendeu a minha chamada telefônica. Mais tarde, porém, um perturbadíssimo McCoo, com as roupas encharcadas, apareceu no único hotel da verde e rosa Ramsdale para informar-me de que sua casa havia sido destruída por um incêndio — possivelmente devido à conflagração simultânea que durante toda noite grassara em minhas veias. A mulher e as filhas, desculpou-se, haviam escapado para o sítio da família levando o carro, mas uma amiga dela, a sra. Haze, uma pessoa maravilhosa, se oferecera para hospedar-me em sua residência, no número 342 da rua do Gramado. Uma senhora que morava defronte à casa da sra. Haze emprestara seu carro a McCoo, um sedã deliciosamente antiquado, de carroceria quadrada, conduzido por um preto de ar jovial. No entanto, havendo desaparecido a única razão para minha vinda, esse arranjo passava a ser de todo absurdo. Muito bem, sua casa teria de ser reconstruída de cima a baixo — e daí? Por acaso o seguro não cobriria o prejuízo? Eu estava furioso, frustrado e entediado, mas, sendo um europeu de hábitos corteses, não podia negar-me a ser levado à rua do Gramado naquele carro funerário; pois, do contrário, McCoo possivelmente inventaria um meio ainda mais complicado para livrar-se de mim. Saiu a galope, enquanto meu chofer balançava a cabeça com um risinho abafado. No caminho, jurei que nada no mundo me faria ficar uma única noite em Ramsdale: pegaria um avião naquele mesmo dia para as Bahamas, para as Bermudas ou para o diabo que carregue. As doces perspectivas oferecidas por praias em tecnicolor já agitavam meus pensamentos havia algum tempo e, na verdade, o primo de McCoo tinha me desviado desse rumo com sua bem-intencionada mas, como se via agora, totalmente ridícula sugestão.

Falando em desvios de rumo, ao dobrar a rua do Gramado quase atropelamos um cachorro intrometido, desses que passam a vida atacando os carros em movimento. Pouco adiante apareceu a casa da família Haze, uma pavorosa construção de madeira pintada de branco, sombria e decrépita, mais cinzenta do que branca — o tipo de lugar onde a gente sabe que encontrará um tubo de borracha ligado à torneira da banheira para fazer as vezes de chuveiro. Dei uma gorjeta ao chofer, com a esperança de que ele partiria imediatamente e eu pudesse retornar a meu hotel e a minha mala sem ser visto; mas o sujeito simplesmente atravessou a rua para falar com uma velha senhora que o chamava da varanda. O que é que eu podia fazer? Toquei a campainha.

Uma empregada preta abriu a porta — e me deixou plantado sobre o capacho da entrada enquanto corria de volta à cozinha, onde alguma coisa estava queimando.

Adornavam o vestíbulo um carrilhão ligado à campainha, uma pavorosa escultura mexicana de olhos brancos (dessas que os turistas compram nas lojas de lembranças) e aquele quadro banal tão adorado pelos pequeno-burgueses com pretensões artísticas, *L'arlésienne* de Van Gogh. À direita, uma porta entreaberta dava para uma sala de estar onde se vislumbravam outras bugigangas mexicanas num armário de canto e um sofá listrado contra a parede. Uma escada subia dos fundos do vestíbulo e, enquanto eu esperava de pé enxugando a testa (só então me dei conta de como fazia calor na rua) e olhava a meu redor (concentrando-me, por falta de coisa melhor, numa velha e acinzentada bola de tênis que repousava sobre uma arca de carvalho), a sra. Haze, debruçando-se sobre o corrimão do andar de cima, indagou com sua melodiosa voz de contralto: "É o monsieur Humbert?". De lá caíram também algumas cinzas de cigarro. Em seguida, a própria dona da casa — sandálias, calças marrons, blusa de seda amarela, rosto meio quadrado, nessa ordem — desceu os degraus, o dedo indicador ainda batendo a cinza do cigarro.

Acho melhor descrevê-la logo, para ficar livre disso. A mulherzinha tinha uns trinta e cinco anos, a testa lustrosa, sobrancelhas depenadas a pinça e traços bastante comuns mas razoavelmente atraentes, correspondendo assim a uma versão piorada da Marlene Dietrich. Retocando com umas palmadinhas seu coque castanho-escuro, conduziu-me à sala de visitas, onde conversamos por alguns minutos sobre o incêndio na casa da família McCoo e o privilégio de viver em Ramsdale. Seus olhos verde-mar, bem afastados um do outro, tinham um jeito curioso de percorrer todo o corpo do interlocutor embora evitando cuidadosamente encará-lo de frente. Seu sorriso se resumia a uma estranha contração da sobrancelha. Falando sem parar, ela erguia o corpo do sofá como se fosse um boneco de molas e lançava espasmodicamente o braço em direção a três cinzeiros e à lareira (onde jaziam os restos marrons de uma maçã), após o que se enroscava de novo, sentando-se sobre uma das pernas. Obviamente, tratava-se de uma dessas mulheres cuja cuidadosa elocução, de um convencionalismo extremo, costuma refletir o que ouvem no clube de bridge ou lêem nos romances de sucesso, mas nunca suas próprias almas; mulheres sem o menor senso de humor; mulheres totalmente indiferentes, no fundo, aos dez ou doze temas passíveis de sustentar uma conversa de salão, mas muito preocupadas com as regras que regem tais conversas (sob cujo elegante invólucro de celofane facilmente se percebem frustrações muito pouco apetecíveis). Compreendi logo que, se por um acaso inimaginável me tornasse seu inquilino, ela começaria a aplicar metodicamente a mim tudo aquilo que considerava inerente à condição de ter um inquilino, e eu me veria outra vez envolvido numa daquelas entediantes relações que conhecia tão bem.

Mas nem passava por minha cabeça instalar-me lá. Jamais poderia sentir-me bem naquele tipo de casa em que há uma revista esfrangalhada em cima de cada poltrona e uma decoração pavorosamente híbrida, onde a comédia da chamada "mobília moderna e funcional" se mescla com a tragédia de decrépitas cadeiras de balanço e mesinhas bamboleantes sustentando abajures que nunca se acendem. Fui levado ao andar de cima e, virando à esquerda, entrei no "meu" quarto. Inspecionei-o através de uma névoa de absoluta repugnância, mas deu para notar, acima de "minha" cama, uma reprodução do quadro de René Prinet *A sonata Kreutzer*. E ela chamava aquele quartinho de empregada de "semi-studio"! Vamos embora daqui imediatamente, disse com firmeza a mim mesmo, enquanto fingia deliberar se aceitava ou não o preço absurda e preocupantemente baixo que minha ansiosa senhoria pedia pelo aluguel do quarto (com direito a comida).

No entanto, a cortesia do Velho Mundo impedia-me de escapar da provação. Atravessamos o patamar em direção à ala direita da casa ("onde eu e Lô temos nossos quartos", sendo Lô presumivelmente a criada), e o inquilino-amante, homem muito exigente, mal conseguiu ocultar um estremecimento ao lhe ser concedida uma fugaz visão do único banheiro — um estreito cubículo entre o patamar e o quarto de "Lô", com peças de roupa molhadas penduradas sobre a duvidosa banheira (exibindo, no fundo, um cabelo enroscado em forma de ponto de interrogação), além da esperada serpente de borracha e seu complemento, uma coberta cor-de-rosa que agasalhava decorosamente a tampa da privada.

"Vejo que o senhor não está muito bem impressionado", disse ela, deixando que sua mão pousasse por um instante sobre a manga de meu paletó. Nela se aliava um desembaraço contido — algo que costuma ser chamado de *aplomb* — com uma timidez e melancolia que davam a suas palavras, selecionadas cuidadosamente, uma entonação tão artificial quanto a de um professor de dicção. "Confesso que não é uma casa muito bem arrumada", prosseguiu a infeliz, olhando para meus lábios, "mas posso garantir que o senhor terá todo o conforto, realmente todo o conforto. Deixe-me mostrar-lhe o jardim" (essa última frase dita com maior vivacidade, um toque cativante na voz).

Com grande relutância, desci as escadas atrás dela e entramos na cozinha, que ficava nos fundos do hall e na mesma ala direita onde estavam também as salas de jantar e de visitas (no lado esquerdo, debaixo de "meu" quarto, só havia uma garagem). Na cozinha, a empregada preta, jovem ainda mas já bastante gorducha, pegou a enorme e lustrosa bolsa negra dependurada na maçaneta da porta que dava para a varanda de trás e disse: "Já estou indo, dona Haze". "Está bem, Louise", respondeu a sra. Haze com um suspiro. "Acerto com você na sexta-feira." Passamos por uma pequena copa e chegamos à sala de jantar, paralela à sala de visitas que já tivemos a oportunidade de apreciar. Reparei numa soquete branca jogada no chão. Com um resmungo de protesto, a sra. Haze abaixou-se para apanhá-la de passagem e a jogou num armário próximo à copa. Inspecionamos perfunctoriamente uma mesa de mogno com uma fruteira no centro, dentro da qual só havia um caroço de ameixa ainda úmido. Apalpei meu bolso em busca do horário de trens e o puxei furtivamente para fora, decidido a consultá-lo tão logo fosse possível. Estava ainda seguindo os passos da sra. Haze através da sala de visitas quando, de repente, diante de nós se abriu um clarão verdejante — "a *piazza*", cantarolou minha guia, e então, sem qualquer aviso prévio, uma onda azul ergueu bem alto meu coração: ajoelhada sobre uma esteira, seminua em meio a uma poça de sol, virando-se para me olhar por cima de seus óculos escuros, lá estava o meu amor da Riviera.

Era a mesma criança — os mesmos ombros frágeis cor de mel, as mesmas costas flexíveis, nuas e sedosas, os mesmos cabelos castanhos. O lenço preto com bolinhas brancas que cingia seu torso ocultava de minha vista embotada pelo tempo, mas não do olhar afiado de uma memória ainda jovem, os seios pubescentes que eu acariciara num dia imorredouro. E, como se eu fosse a ama-seca de uma princesinha de contos de fadas (perdida, raptada, descoberta em andrajos de cigana através dos quais sua nudez sorria para o rei e seus cães de caça), reconheci a diminuta verruga marrom-escura em seu flanco. Com um misto de espanto e êxtase (o rei chorando de alegria, as trombetas a soar, a ama-seca embriagada), vi novamente o recôncavo de seu adorável abdômen onde minha boca, viajando rumo ao sul, se detivera por um instante; e aquelas ancas infantis onde eu beijara a marca crenulada ali impressa pelo elástico do maiô — naquele dia derradeiro, dia louco e imortal, atrás das "Roches Roses". Os vinte e cinco anos que vivi desde então reduziram-se a um ponto latejante, e se desvaneceram.

Tenho grande dificuldade em exprimir com suficiente ênfase aquele lampejo, aquele tremor, aquele choque de apaixonado reconhecimento. Durante o breve e ensolarado momento em que meu olhar deslizou pela criança ajoelhada (os olhos do pequeno Herr *Doktor* que curaria todos os meus males piscavam por cima daqueles severos óculos escuros), enquanto eu passava por ela em meu disfarce de adulto (um homem alto e bonitão, digno de uma tela de cinema), o vácuo de minha alma conseguiu aspirar cada detalhe de sua radiosa beleza para compará-los com os traços da amada que a morte me roubara. Pouco depois, é verdade, essa *nouvelle*, essa Lolita, *minha* Lolita, iria eclipsar inteiramente seu protótipo. O que desejo ressaltar é que a descoberta dela foi uma conseqüência fatal daquele "principado à beira-mar" em meu tétrico passado. Tudo o que se passou entre os dois eventos nada mais foi que um tatear no escuro, uma série de erros crassos, falsos rudimentos de alegria. Tudo o que tinham em comum os unia num único episódio.

Todavia, não tenho ilusões. Meus juízes verão em tudo isso a pantomima de um louco com uma depravada preferência pelo *fruit vert*. *Au fond, ça m'est bien égal*. Tudo o que sei é que, enquanto a tal de Haze e eu descíamos os degraus para chegar ao ofegante jardim, meus joelhos eram o mero reflexo de joelhos mergulhados num mar ondulante, meus lábios pareciam feitos de areia, e...

"Aquela era minha Lô", ela disse, "e esses são meus lírios."

"Sim", respondi, "eu sei. São lindos, lindos, lindos!"

11

O segundo item da peça acusatória é um diário de bolso encadernado em imitação de couro preto, com o ano de 1947 gravado em caracteres dourados e oblíquos no canto superior esquerdo. Falo desse excelente produto da Cia. Neca & Neca, da cidade de Zerusca, como se estivesse realmente diante de mim. Na verdade, foi destruído há cinco anos, e o que examinamos agora (graças aos bons ofícios de uma memória fotográfica) é apenas sua fugaz materialização, um filhote de fênix.

Relembro-me da coisa com tal precisão porque, em realidade, escrevi tudo duas vezes. Primeiro, fazia as anotações a lápis (com muitas rasuras e correções) em folhas soltas, copiando-as depois em letras diabolicamente minúsculas, com numerosas abreviações, no livrinho preto a que me referi.

Por força de uma portaria estadual, no dia 30 de maio os cidadãos de New Hampshire (mas não os das Carolinas) foram concitados a jejuar. Naquele dia, uma epidemia de "gripe intestinal" (o que quer que isso seja) obrigou as escolas de Ramsdale a fechar até o fim do verão. O leitor poderá obter maiores dados sobre as condições meteorológicas no *Diário Oficial* de Ramsdale referente ao ano de 1947. Poucos dias antes me mudara para a casa da sra. Haze, e o pequeno diário que agora me proponho divulgar (tal como um espião que repete de cor o conteúdo da mensagem que engoliu) cobre a maior parte do mês de junho.

Quinta-feira. Dia muito quente. De um posto de observação privilegiado (janela do banheiro), vi Dolores tirando roupas da corda na luz verde-maçã do quintal. Desci para o jardim. Ela estava usando uma blusa axadrezada, jeans e tênis. A corda mais secreta e sensível de meu corpo abjeto ressoava a cada movimento salpicado de sol que ela fazia. Passado algum tempo, ela sentou a meu lado no degrau inferior da varanda dos fundos e começou a catar pedrinhas — pedrinhas, meu Deus, e depois um caco de garrafa de leite com o formato recurvo de um lábio enraivecido — para atirá-las contra uma lata. Ping. Você não vai conseguir duas vezes... não pode acertar... que agonia... uma segunda vez. Ping! Pele maravilhosa... ah, maravilhosa: tenra e bronzeada, sem a menor jaça. O consumo exagerado de sundaes causa espinhas. A hipersecreção das glândulas sebáceas, que alimentam os folículos capilares da pele, provoca uma irritação que abre caminho às infecções. Mas as ninfetas não sofrem de acne, por mais que se empanturrem de alimentos gordurosos. Meu Deus, que agonia aquele brilho pálido e sedoso acima de suas têmporas, esbatendo-se no reflexo dourado dos cabelos castanhos. E aquele ossinho tremelicante do lado de seu tornozelo coberto de poeira. "A filha do McCoo? A Ginny McCoo? Xi, ela é um horror. Implicante. E puxa de uma perna. Quase morreu de poliomielite." Ping! Os arabescos de penugem reluzente em seu antebraço. Quando ela se levantou para levar a roupa para dentro, pude adorar de longe os fundilhos desbotados de seus jeans, enrolados até acima da canela. Como se a flauta de um faquir tivesse feito crescer uma árvore artificial no meio do jardim, a sra. Haze surgiu de repente, armada de um sorriso afável e uma máquina fotográfica, e após algumas manobras heliotrópicas — olhos tristes para cima, alegres para baixo — teve a audácia de fotografar Humbert, *le Bel*, sentado nos degraus, piscando nervosamente.

Sexta-feira. Vi quando ela saiu com uma menina morena chamada Rose. Por que é que sua maneira de andar — uma criança, vejam bem, uma mera criança! — me excita de maneira tão abominável? Tratemos de analisar a questão. Os pés imperceptivelmente voltados para dentro. Uma espécie de bamboleio abaixo do joelho, que a cada passo se estende até os tornozelos. Um levíssimo arrastar dos pés. Muito infantil, e ao mesmo tempo infinitamente lascivo. Humbert Humbert também se sente infinitamente excitado pelos termos de gíria que a guria emprega, por sua voz alta e estridente. Mais tarde, ouvi-a disparar por cima da cerca uma saraivada de bobagens em direção a Rose. Que faziam meu corpo vibrar com intensidade crescente. "Oi, garota, tenho que me mandar agora."

Sábado. (Talvez tenha emendado a primeira parte desta entrada.) Sei que é loucura manter este diário, mas isso me causa um estranho prazer e, seja como for, só uma esposa amantíssima poderia decifrar minhas letras microscópicas. Permitam-me por isso registrar, com um soluço de dor, que minha L. tomou banho de sol hoje na chamada *piazza*, mas sua mãe e outra mulher não saíram de perto um só instante. Claro que eu poderia ter sentado lá fora na cadeira de balanço e fingido que estava lendo. Mas, como medida de precaução, mantive-me a distância, temeroso de que o tremor horrível, insano, ridículo e digno de pena que me paralisava pudesse impedir que fizesse minha *entrée* com um mínimo de naturalidade.

Domingo. Ondinha de calor ainda presente, uma semana realmente favônia. Dessa vez, assumi uma posição estratégica na cadeira de balanço da *piazza*, equipado com um volumoso jornal e um cachimbo novo, antes mesmo que L. chegasse. Para meu imenso pesar, ela veio acompanhada da mãe, ambas com maiôs pretos de duas peças tão novos quanto meu cachimbo. Minha querida, minha namorada, ficou por um momento a meu lado — ela queria as histórias em quadrinhos —, e seu cheiro era quase igual ao da outra, a da Riviera, porém mais intenso, com matizes mais pungentes — um tórrido odor que de pronto agitou minha virilidade —, mas ela já arrancara de mim as páginas desejadas e se retirara para sua esteira, ao lado da mamãe-foca. Lá, minha belezinha deitou-se de bruços, revelando-me, revelando aos milhares de olhos arregalados de meu atento sangue, as omoplatas ligeiramente salientes, a curva aveludada ao longo da espinha, a intumescência das firmes e estreitas nádegas cobertas de preto, o longo vale das coxas juvenis. Silenciosamente, a ginasiana divertia-se com os desenhos coloridos de verde, vermelho e azul. O próprio Priapo tricolor não saberia conceber uma ninfeta mais adorável. Olhando-a através de camadas prismáticas de luz, os lábios secos, focalizando minha concupiscência e balançando-me ligeiramente sob o manto do jornal, senti que, se me concentrasse devidamente sobre a visão que ela oferecia, talvez pudesse obter logo uma esmola de prazer; no entanto, assim como alguns predadores preferem atacar sua presa quando ela está em movimento, planejei fazer com que aquela deplorável consumação coincidisse com um dos gestos infantis que acompanhavam sua leitura (como, por exemplo, quando tentou coçar o meio das costas e revelou uma axila pontilhada), mas a gorda Haze estragou tudo ao virar-se em minha direção para pedir que lhe passasse minha caixa de fósforos e entabulou uma conversa fiada sobre a obra pseudoliterária de um farsante de sucesso.

Segunda-feira. Delectatio morosa. Tristemente passam os dias, e são tantas as minhas dores... Nós (mamãe Haze, Dolores e eu) devíamos ir esta tarde ao lago para um mergulho e um banho de sol, mas a manhã de céu nacarado degenerou em chuva ao meio-dia, e Lô fez uma cena.

Estudos efetuados com meninas de Nova York e Chicago indicam que a pubescência se manifesta, em média, aos treze anos e nove meses, embora varie individualmente de um mínimo de dez anos (ou menos) a um máximo de dezessete. Virgínia não completara ainda catorze anos quando Harry Edgar a possuiu. O "monsieur Poe-Poe" (tal como o poeta-poeta era chamado por um dos alunos do monsieur Humbert Humbert em Paris) dava-lhe aulas de álgebra. *Je m'imagine cela.* Passaram a lua-de-mel em Petersburg, na Flórida.

Segundo os especialistas em sexualidade infantil, tenho todas as características necessárias para estimular o interesse de uma menina: queixo bem talhado, mão musculosa, voz grave e sonora, ombros largos. Além disso, dizem que me pareço com um cantor ou ator por quem Lô é "gamada".

Terça-feira. Chuva. Lago das Chuvas. Mamãe fazendo compras. Lô, eu bem sabia, andava por perto. Ao cabo de algumas manobras furtivas, encontrei-a no quarto de sua mãe. Abrindo com os dedos o olho esquerdo para tirar um cisco. Vestido axadrezado. Embora eu adore a intoxicante fragrância de seus cabelos castanhos, acho que ela deveria lavar a cabeça de vez em quando. Durante um momento, ficamos ambos banhados pela mesma luz morna e verde do espelho, que refletia o topo de um álamo e nossos dois rostos recortados contra o céu. Segurei-a firmemente pelos ombros e depois docemente pelas têmporas, fazendo-a virar-se na minha direção. "É bem aqui", ela disse, "dá para sentir ele." "Os camponeses suíços usam a ponta da língua." "Para tirar o cisco?" "Ishu meshmu. Vamush tentar?" "Claro", disse ela. Delicadamente apliquei meu trêmulo ferrão ao globo salgado e irrequieto. "Genial", ela disse, piscando, "saiu *mesmo!*" "Agora o outro?" "Seu bobo", ela começou, "no outro não tem..." Mas então notou a avidez dos lábios franzidos que se aproximavam. "Está bem", disse em tom cooperativo, e o sinistro Humbert, curvando-se sobre aquele rostinho afogueado, pousou os lábios sobre suas pálpebras cálidas e adejantes. Ela riu e, roçando por mim, saiu do quarto. Meu coração parecia estar ao mesmo tempo em toda parte. Jamais em minha vida... nem ao acariciar minha criança amada na Riviera... nunca...

Noite. Nunca sofri angústia maior. Gostaria de descrever seu rosto, seu jeito... mas não posso, meu desejo por Lô é tamanho que me cega quando ela está por perto. Diabo, não estou acostumado a conviver com ninfetas. Se fecho os olhos, tudo o que vejo é uma fração imobilizada dela, um instantâneo pinçado de um filme cinematográfico, o repentino vislumbre de suaves encantos inferiores, como quando, levantando o joelho sob a saia axadrezada, ela se senta para amarrar o cordão do sapato. "Dolores Haze, ne montrez pas vos djambes", intromete-se sua mãe (que pensa que sabe francês).

Poeta *à mes heures*, compus um madrigal aos cílios negros como carvão de seus olhos cinza-claro e vazios, às cinco sardas assimétricas de seu nariz arrebitado, à loura penugem de seus membros bronzeados; mas o rasguei e não lembro mais o que escrevi. Só consigo descrever os traços de Lô (e aqui retomo o diário) empregando os termos mais banais: poderia dizer que seus cabelos eram castanhos e seus lábios (o inferior bastante carnudo) tão vermelhos como um pirulito ao ser chupado... ah, que bom se eu fosse uma dessas autoras de histórias românticas e pudesse fazê-la posar nua sob uma lâmpada também nua! Ao invés disso, porém, sou o esbelto Humbert Humbert, de ombros largos, peito cabeludo, sobrancelhas negras e espessas, com um sotaque esquisito e uma cloaca repleta de monstros putrefatos que se esconde por trás do sorriso tranqüilo de menino. E nem ela é a frágil criança dos romances femininos. O que me leva à loucura é a natureza dupla desta ninfeta — talvez de todas as ninfetas; essa mistura, em minha Lolita, de uma infantilidade terna e sonhadora com uma espécie de estranha vulgaridade, derivada dos rostinhos atrevidos que aparecem nos anúncios e nas fotos de revista, das rosadas imagens de criadinhas adolescentes na Inglaterra (cheirando a suor e a feno), das jovens prostitutas disfarçadas de meninas nos bordéis do interior. E, novamente, tudo isso se mescla com a preciosa e imaculada ternura que aflora através do perfume barato e do lodo, da imundície e da morte, ah, meu Deus, meu Deus! E o mais notável é que ela, *esta* Lolita, *minha* Lolita, veio individualizar a antiga lascívia do autor deste diário, de tal modo que, acima e antes de tudo, só existe... Lolita.

Quarta-feira. "Olha, dá um jeito de mamãe levar você e eu ao lago amanhã." Foram essas as palavras textuais que minha namorada de doze anos pronunciou, num sussurro voluptuoso, quando nos encontramos por acaso na varanda da frente, ela entrando, eu saindo. O reflexo do sol vespertino, resplandecente diamante branco em meio a um sem-número de raios irisados, latejava na traseira abaulada de um carro. As folhas de frondoso olmo projetavam sombras macias na fachada de madeira da casa. Dois choupos se agitavam, trêmulos. Ouviam-se os sons indistintos do tráfego distante e uma voz de criança que chamava: "Nancy, Nan-cy!". Lolita havia posto na vitrola seu disco predileto, "Carminha" — que eu costumava chamar de "Carsua", fazendo-a bufar com fingida exasperação em resposta a minha fingida bufonaria.

Quinta-feira. Na noite passada, sentamo-nos os três — dona Haze, Lolita e eu — na *piazza*. O ameno crepúsculo cedera gradualmente lugar a uma lânguida escuridão. A mulherzinha acabara de contar em pormenores o enredo de um filme que vira com L. durante o inverno. O pugilista estava na rua da amargura quando encontrou o velho e bondoso padre (que também lutara boxe em sua robusta juventude e ainda era capaz de nocautear qualquer pecador). Estávamos sentados sobre almofadas espalhadas pelo chão, L. ensanduichada entre sua mãe e mim (a belezinha tinha se aboletado propositadamente entre nós dois). De meu lado, embarquei num relato hilariante de minhas aventuras árticas. A musa da criatividade entregou-me um rifle e atirei num urso-branco, que se sentou e disse: "Oh!". Durante todo o tempo eu tinha aguda consciência da proximidade de L. e, enquanto falava e gesticulava na misericordiosa obscuridade, valia-me daqueles gestos invisíveis para tocar sua mão, seu ombro e a pequena bailarina de lã e gaze com que ela brincava e que, fazendo piruetas no ar, seguidamente aterrissava no meu colo; por fim, quando já tinha envolvido totalmente minha ardente amiguinha naquela teia de carícias etéreas, atrevi-me a roçar os dedos pela lanugem arrepiada de sua perna nua, e ri de minhas próprias piadas, e tremi, e ocultei meus tremores, e uma ou duas vezes meus lábios velozes puderam sentir o calor de seus cabelos quando, num arrebatamento histriônico, estiquei o focinho e afaguei a pequena bailarina. Ela também se agitava muito, até que finalmente sua mãe lhe disse rispidamente que ficasse quieta e atirou a boneca para longe, enquanto, rindo sempre e debruçando-me sobre as pernas de L. para falar com a mulherzinha, eu deixava que meus dedos rastejassem por suas costas magras, sentindo-lhe a pele através da camiseta de menino.

Mas sabia que era tudo inútil e, torturado de desejo, as roupas me apertando miseravelmente, fiquei quase feliz quando a voz tranqüila de sua mãe anunciou no escuro: "E agora todos nós achamos que a Lô deve ir para a cama". "Você é uma chata", disse Lô. "O que significa que não vai haver nenhum piquenique amanhã", disse Haze. "Estamos num país livre, não estamos?", retrucou Lô. Foi embora furiosa, após bater os pés malcriadamente; lá fiquei por pura inércia, enquanto Haze fumava o décimo cigarro da noite e se queixava da filha.

Com um ano de idade, imagine só, ela já mostrava como era geniosa, jogando os brinquedos para fora do berço a fim de que sua pobre mãezinha tivesse de apanhá-los um a um. Agora, aos doze, virara uma verdadeira peste. Tudo o que queria da vida era desfilar como baliza da escola, rodando aquele bastão, ou dançar o *jitterbug*. Suas notas eram ruins, mas estava mais bem ajustada na nova escola do que em Pisky (a cidade natal da sra. Haze, no Meio-Oeste. A casa de Ramsdale pertencera a sua falecida sogra. Tinham se mudado para lá havia menos de dois anos). "Por que ela se sentia infeliz lá?" "Ah", disse Haze, "eu que o diga, pobre de mim, também tive que passar por tudo isso quando era garota: os meninos que torcem o braço da gente, que esbarram de propósito no corredor quando se está carregando um montão de livros, puxam nossos cabelos, machucam nossos seios, levantam nossas saias. Naturalmente, nessa fase de crescimento as meninas costumam ficar muito temperamentais, mas Lô está exagerando. Vive de mau humor, não responde a nenhuma pergunta que lhe faço. É malcriada e insolente. Espetou uma caneta no traseiro da Viola, sua colega italiana. Sabe o que é que eu gostaria, monsieur? Se por acaso o senhor ainda estivesse por aqui no outono, eu ia lhe pedir para ajudar a Lô com as lições de casa — o senhor parece que sabe tudo, geografia, matemática, francês." "Ah, tudo", respondeu o monsieur. "Isso quer dizer", ela concluiu rapidamente, "que o senhor vai estar aqui!" Minha vontade era urrar que ficaria ali para sempre desde que tivesse a esperança de acariciar vez por outra minha jovem pupila. Mas achei melhor ser cauteloso com ela e, por isso, limitei-me a resmungar qualquer coisa ininteligível (*le mot juste*) e a me espreguiçar antes de subir para o quarto. A mulherzinha, contudo, certamente ainda não resolvera dar o dia por encerrado. Já estava deitado em minha fria cama, ambas as mãos apertando de encontro ao rosto o fantasma olfativo de Lolita, quando ouvi a infatigável senhoria aproximar-se pé ante pé da porta do quarto e sussurrar através do buraco da fechadura — só queria saber se eu havia acabado de ler a revista que tomara emprestada na véspera. De seu quarto, Lô berrou que estava com ela. Como circulam os materiais de leitura nesta bendita casa!

Sexta-feira. Imagino o que diriam os editores acadêmicos se citasse em meu manual escolar "la vermeillette fente" de Ronsard, ou "un petit mont feutré de mousse délicate, tracé sur le milieu d'un filet escarlatte" de Remy Belleau, ou qualquer coisa do gênero. Provavelmente vou ter outro colapso nervoso se continuar um dia a mais nesta casa, sob o peso dessa tentação intolerável, ao lado de minha querida — minha querida —, minha noiva, minha vida. Será que a Mãe Natureza já a havia iniciado no Mistério da Menarca? Uma sensação de tumescência. A Maldição dos Irlandeses. O tombo do telhado. A visita da vovozinha. Segundo uma revista para mocinhas: "O sr. Útero começa a construir uma parede espessa e macia, preparando-se para receber um bebê caso ele precise instalar-se lá". O homúnculo demente em sua cela acolchoada.

Aliás, se alguma vez eu cometer um assassinato para valer — prestem atenção no "se" —, o impulso terá de vir de algo bem mais forte do que aquilo que se passou entre mim e Valéria. Notem também, cuidadosamente, que naquela época eu era bastante inepto. Se e quando vocês decidirem me fritar na cadeira elétrica, lembrem-se de que somente um acesso de loucura poderia fornecer-me a energia necessária para que eu agisse com violência (toda essa passagem talvez tenha sido reescrita). Às vezes tento matar alguém, em sonhos. Mas sabem o que acontece? Por exemplo, estou empunhando um revólver e mantendo sob minha mira um inimigo impassível, que acompanha com sereno interesse o que está acontecendo. Ah, não hesito em apertar o gatilho, mas, do cano acabrunhado de minha arma, uma bala após a outra cai debilmente ao chão. Nesses sonhos, só penso em ocultar o vexame de meu desafeto, que aos poucos vai ficando entediado com o troço todo.

À noite, durante o jantar, após eu haver descrito em tom jocoso o encantador bigode à escovinha que ainda não decidira se ia ou não deixar crescer, a gata velha, lançando em direção a Lô um olhar de soslaio cheio de zombaria materna, disse-me: "Acho melhor que não faça isso, senão alguém vai ficar doidinha". Lô imediatamente empurrou para longe o prato de peixe cozido, por pouco não derrubando seu copo de leite, e saiu da sala em disparada. "Supondo que Lô peça desculpas por seus maus modos, o senhor se aborreceria muito de ir nadar conosco no lago amanhã?"

Mais tarde, ouvi muitas portas sendo batidas e outros sons vindos das tremebundas cavernas onde as duas rivais estavam tendo uma briga dos diabos.

Ela não pediu desculpas. Adeus, lago. Talvez tivesse sido divertido. *Sábado*. Fazia vários dias que vinha deixando a porta entreaberta enquanto escrevia em meu quarto; só hoje, porém, a armadilha funcionou. Tentando disfarçar seu embaraço em visitar-me sem ser convidada (expresso mediante o arrastar de pés, coceiras e contorções variadas), Lô entrou e, após zanzar para cá e para lá, interessou-se pelos rabiscos horrendos com que eu cobrira uma folha de papel. Ah, não! Não eram o fruto da pausa inspirada de um literato entre dois parágrafos, e sim os terríveis hieroglifos (que ela era incapaz de decifrar) de minha lascívia fatal. Quando ela debruçou os cachos castanhos sobre a escrivaninha, Humbert, o Rouco, passou-lhe o braço pela cintura numa vil imitação de afeto paterno; examinando ainda, de forma um tanto míope, a folha de papel que segurava em suas mãos, minha inocente visitante dobrou lentamente as pernas até ficar meio sentada sobre meus joelhos. Menos de dez centímetros separavam seu adorável perfil — os lábios entreabertos, os cabelos reluzentes — de meus caninos arreganhados, e até mim chegava o calor irradiado por seu corpo através das descuidadas roupas de rapaz. De repente, tive a certeza de que poderia beijar sua garganta ou a comissura de seus lábios com total impunidade, de que ela deixaria que o fizesse e até fecharia os olhos, como ensina Hollywood. Um sorvete duplo de baunilha com calda quente de chocolate por cima — nada mais excepcional do que isso. Não posso explicar a meu douto leitor (cujas sobrancelhas, eu desconfio, a essa altura já devem ter atingido o topo de seu crânio calvo), não sei dizer-lhe como adquiri tal certeza; talvez meus ouvidos de macaco tenham inconscientemente captado uma levíssima mudança no ritmo de sua respiração, porque agora ela não estava mais olhando de verdade minhas garatujas, mas esperando com serena curiosidade — ah, minha límpida ninfeta! — que o fascinante inquilino fizesse aquilo que estava morrendo de vontade de fazer. Sou obrigado a pensar que uma criança moderna, ávida leitora de revistas de cinema, perita em close-ups filmados em câmera lentíssima, talvez não achasse muito estranho que um amigo adulto, bonitão e intensamente viril... Tarde demais. Subitamente a casa começou a vibrar com a voz volúvel de Louise descrevendo para a sra. Haze (que acabara de entrar) o bicho morto que ela e Leslie Tomson haviam encontrado no porão — e minha pequena Lolita não era alguém que se dispusesse a perder uma história dessas.

Domingo. Inconstante, rabugenta e alegre, desajeitada e graciosa (com a graça brusca de seu corpo de potrinha), excruciantemente desejável da cabeça aos pés (ah, como eu trocaria toda a Nova Inglaterra pela pluma de uma romancista!), dos grampos e do laço de veludo preto que prendiam seus cabelos até a pequena cicatriz na parte inferior da barriga da perna (onde um patim de rodas a atingira em Pisky), poucos centímetros acima da grossa meia soquete. Foi com a mãe à casa dos Hamilton — uma festa de aniversário ou coisa que o valha. Vestido de algodão listrado, saia bem rodada. Suas duas pombinhas já parecem bem formadas. Garota precoce!

Segunda-feira. Manhã chuvosa. "Ces matins gris si doux..." Meus pijamas brancos têm nas costas um desenho de lilases. Sou como uma dessas aranhas bojudas e pálidas que se vêem em velhos jardins. Instalada no centro de luminosa teia, dando uns puxõezinhos neste ou naquele fio. *Minha* teia se estende por toda a casa, enquanto, sentado na cadeira, fico à escuta como um astucioso feiticeiro. Será que Lô está em seu quarto? Puxo o fio de mansinho. Não está. Há pouco ouvi o som *staccato* que o rolo de papel higiênico faz ao girar, e meu longo filamento não captou nenhum passo entre o banheiro e seu quarto. Será que ainda está escovando os dentes (o único ato de higiene que Lô executa com real entusiasmo)? Não. A porta do banheiro acaba de ser batida, por isso cumpre procurar em outra parte da casa a bela presa multicor. Façamos com que um fio de seda desça pelas escadas. Certifico-me, assim, de que ela não está na cozinha — a porta da geladeira não foi batida, não se ouve nenhum grito dirigido a sua detestada mamãe (a qual, arrulhando e rindo em surdina, certamente estará se deliciando com sua terceira conversa telefônica da manhã). Muito bem, continuemos a tatear sem perder as esperanças. Como uma arraia, deslizo em pensamento até a sala de estar, onde encontro o rádio em silêncio (e mamãe ainda falando com a sra. Chatfield ou a sra. Hamilton, a voz abafada, o rosto afogueado, sorrindo, cobrindo o bocal com a mão livre, negando implicitamente que nega aqueles divertidos rumores envolvendo seu locatário, num sussurro prenhe de intimidade que nada tem a ver com o estilo descontraído de suas conversas cara a cara). Donde se conclui que minha ninfeta simplesmente não está em casa. Foi embora! O que pensei ser uma urdidura prismática nada mais é que uma velha e desbotada teia de aranha, a casa está vazia, morta. E, de repente, através da porta entreaberta ouço a voz sorridente de Lolita a me dizer baixinho: "Não fala nada para a mamãe, mas comi *todo* o seu bacon". Corro para a porta, mas ela já desapareceu. Lolita, onde está você? A bandeja com o café da manhã, carinhosamente preparada por minha senhoria, olha de banda para mim, desdentada, pronta para ser levada ao quarto. Lola, Lolita!

Terça-feira. Mais uma vez as nuvens interferiram no piquenique naquele lago inatingível. Será que o Destino está conspirando contra mim? Ontem experimentei diante do espelho um calção de banho novo.

Quarta-feira. À tarde, Haze (num vestido bem cortado e sapatos corretos) disse que iria à cidade comprar um presente para uma amiga de uma de suas amigas e perguntou se, dado meu maravilhoso bom gosto em matéria de tecidos e perfumes, eu me importaria de acompanhá-la. "Escolha o que mais o seduziria", ronronou. Como poderia Humbert recusar, se de fato trabalhava no ramo de perfumes? Encurralara-me entre o carro e a varanda da frente. "Depressa", disse ela, enquanto eu laboriosamente dobrava meu avantajado corpo para entrar (tentando ainda imaginar em vão uma maneira de escapar). Ela já ligara o motor e estava maldizendo em termos delicados o chofer de um caminhão que manobrava na rua (após haver entregado uma cadeira de rodas novinha em folha para a vizinha da frente), quando a voz estridente de minha Lolita se fez ouvir da janela da sala de visitas: "Ei, vocês aí! Aonde é que vocês vão? Vou também! Esperem um pouco!". "Não ligue para ela", ganiu Haze. Mas, graças à habilidade da intrépida motorista, o carro morreu e, a essa altura, Lô já estava abrindo a porta a meu lado. "É incrível", começou Haze, mas Lô acabara de entrar aos trancos e barrancos, trêmula de alegria. "Você aí, chega o traseiro para lá", disse-me Lô. "Lô!", exclamou Haze olhando-me de esguelha (e sem dúvida esperando que eu pusesse a insolente guria para fora). "Cuidado", ela respondeu (não pela primeira vez), enquanto nós dois éramos jogados para trás pelo arranco brusco do carro. "É incrível", continuou Haze, engrenando violentamente a segunda, "que uma criança seja tão malcriada. E tão teimosa. Quando devia saber que sua presença não é desejada. E que está precisando tomar um banho."

As costas de minha mão roçavam nos jeans da menina. Estava descalça; nas unhas dos pés havia vestígios de esmalte cor de cereja e uma tira de esparadrapo envolvia seu dedão; mas, meu Deus, o que eu não daria para beijar ali mesmo aqueles pés de macaquinha, com seus ossos delicados e dedos longos! De repente, sua mão deslizou para dentro da minha e, sem que nossa dama de companhia visse, apertei e acariciei aquela ardente patinha durante todo o percurso. Tendo perdido ou consumido sua ração de pó-de-arroz, o nariz de nossa marlenesca motorista reluzia, enquanto ela desfiava um interessantíssimo monólogo sobre o trânsito local, e sorria de perfil, e fazia beicinho de perfil, e piscava de perfil os cílios pintados, ao mesmo tempo que eu rezava para que não chegássemos nunca à loja. Mas chegamos.

Nada mais tenho a relatar, exceto que: *primo*, a mamãe Haze fez a filhinha Haze sentar-se no banco de trás ao voltarmos para casa; e, *secundo*, a referida senhora decidiu guardar a Escolha de Humbert para usar atrás de suas próprias (e bem-feitas) orelhas.

Quinta-feira. Estamos pagando com chuvas de granizo e fortes ventanias pelos dias gloriosos que tivemos no começo do mês. Num volume da *Enciclopédia da juventude*, encontrei um mapa dos Estados Unidos que certa criança começara a copiar numa folha de papel fino, em cujo verso, bem na altura do contorno inacabado da Flórida e do golfo do México, havia uma lista mimeografada de nomes, evidentemente os de seus colegas de turma na escola de Ramsdale. Trata-se de um poema que já sei de cor.

> Angel, Grace
> Austin, Floyd
> Beale, Jack
> Beale, Mary
> Buck, Daniel
> Byron, Marguerite
> Campbell, Alice
> Carmine, Rose
> Chatfield, Phyllis
> Clarke, Gordon
> Cowan, John
> Cowan, Marion
> Duncan, Walter
> Falter, Ted
> Fantasia, Stella
> Flashman, Irving
> Fox, George
> Glave, Mabel
> Goodale, Donald

Green, Lucinda
Hamilton, Mary Rose
Haze, Dolores
Honeck, Rosaline
Knight, Kenneth
McCoo, Virgínia
McCrystal, Vivian
McKarma, Aubrey
Miranda, Anthony
Miranda, Viola
Rosato, Emil
Schlenker, Lena
Scott, Donald
Sheridan, Agnes
Sherva, Oleg
Smith, Hazel
Talbot, Edgar
Talbot, Edwin
Wain, Lull
Williams, Ralph
Windmuller, Louise

Um poema, deveras um poema! Quão estranho e quão maravilhoso descobrir essa "Haze, Dolores" (ela!) no meio daquele buquê especial de nomes, ladeada por duas rosas — uma princesa de conto de fadas entre suas damas de honor! Tento analisar o calafrio de prazer que me percorre a espinha quando vejo esse nome em meio a tantos outros. O que será que me emociona quase às lágrimas (as lágrimas quentes, grossas e opalescentes que os poetas e os amantes derramam)? O que será? O terno anonimato do nome sob seu manto formal ("Dolores") e a abstrata transposição de nome e sobrenome, tal qual um par de luvas novas de pelica ou uma máscara? Acaso será *máscara* a palavra-chave? Será por causa do encanto que sempre existe no mistério semitranslúcido, no diáfano véu levantino através do qual a carne e o olhar que só a você foi dado o privilégio de conhecer sorriem ao passar? Ou será porque posso imaginar tão precisamente o restante da variegada turma em volta de minha dolorosa Haze: Grace e suas espinhas maduras; Ginny, puxando pela perna; Gordon, o magro e abatido onanista; Duncan, o palhaço malcheiroso; Agnes e suas unhas roídas; Viola, com cravos no rosto e busto saltitante; a bela Rosaline; Mary Rose, a morena; a adorável Stella, que se deixou acariciar por estranhos; Ralph, que intimida os colegas e rouba as coisas deles; Irving, de quem sinto pena. E lá está ela, perdida entre os colegas, mordendo o lápis, detestada pelos professores, os olhos de todos os garotos fixados em seus cabelos e em seu pescoço, a *minha* Lolita.

Sexta-feira. Anseio por algum terrível desastre. Um terremoto. Uma explosão espetacular. Juntamente com todos os moradores das vizinhanças, sua mãe foi eliminada de forma esteticamente pavorosa, mas também instantânea e definitiva. Lolita soluça em meus braços. Liberado, a possuo em meio às ruínas. Sua surpresa, minhas explicações, protestos, uivos lancinantes. Fantasias vãs e idiotas! Um Humbert mais corajoso teria se aproveitado dela de forma abjeta (ontem, por exemplo, quando outra vez veio a meu quarto para mostrar o que fizera na aula de desenho); poderia tê-la subornado... e ficaria por isso mesmo. Um sujeito mais simples e prático teria sobriamente se limitado a empregar os vários sucedâneos comerciais — caso soubesse onde encontrá-los, o que não ocorre comigo. Apesar de minha aparência viril, sou terrivelmente tímido. Minha alma romântica começa a suar e a tremer diante da mera possibilidade de que me envolva em algum incidente escabroso. Aqueles devassos monstros marinhos a gritar: "Mais allez-y, allez-y!". Annabel pulando num pé só para vestir os shorts e eu, mareado de raiva, tentando encobri-la com meu corpo.

Mesmo dia, mais tarde, bem mais tarde. Acendi a luz para tomar nota de um sonho. Que tinha um antecedente óbvio. Durante o jantar, Haze proclamou com grande benevolência que, tendo o serviço de meteorologia previsto um fim de semana ensolarado, iríamos ao lago no domingo após a missa. Já deitado na cama, enquanto me permitia algumas elucubrações eróticas antes de tentar dormir, arquitetei um plano infalível para tirar vantagem do anunciado piquenique. Sabendo que Haze odiava minha queridinha porque ela estava caída por mim, planejei dedicar-me a agradar a mãe durante a jornada lacustre. Só falaria com ela, mas, no momento propício, diria que havia esquecido o relógio de pulso ou os óculos escuros numa clareira próxima — e mergulharia no mato com minha ninfeta. Nesse ponto, a realidade se despedia e a caça ao objeto perdido transformava-se numa tranqüila orgia com uma Lolita extraordinariamente sabida, alegre, licenciosa e submissa, agindo de uma forma que a razão bem sabia ser de todo impossível. Às três da manhã engoli uma pílula para dormir e, pouco depois, num sonho que não era uma continuação mas mera paródia da fantasia anterior, vi com significativa nitidez o lago que ainda não conhecia: cobria-o uma camada de gelo verde-esmeralda que um esquimó bexiguento tentava em vão quebrar com uma picareta, embora mimosas e espirradeiras florescessem em suas margens pedregosas. Tenho a certeza de que a dra. Blanche Schwarzmann me teria recompensado com um saco cheio de *schillings* por acrescentar a seus arquivos um sonho assim tão prenhe de libido. Infelizmente, todo o resto era demasiado eclético. A mamãe Haze e a filhinha Haze cavalgavam em volta do lago, e eu seguia atrás, o corpo subindo e descendo como manda o figurino, as pernas arqueadas conquanto não houvesse cavalo nenhum debaixo delas, mas apenas uma almofada de ar elástico — uma dessas pequenas omissões devidas à desatenção do distribuidor de sonhos.

Sábado. Meu coração continua a bater forte. A vergonha retrospectiva faz com que ainda me contorça na cadeira e fique gemendo baixinho.

Vista dorsal. Pedacinho de pele brilhante entre a camiseta e os shorts de ginástica brancos. Debruçada sobre o parapeito da janela, no ato de arrancar as folhas mais próximas de um choupo enquanto mantinha um diálogo torrencial com o entregador de jornais (o Kenneth Knight, acho eu), que acabara de fazer aterrissar na varanda, com um baque preciso, o *Diário* de Ramsdale. Comecei a engatinhar em direção a ela. Meus braços e pernas eram superfícies convexas entre as quais — e não sobre as quais — eu avançava lentamente por força de algum meio impessoal de locomoção: Humbert, a Aranha Ferida. Devo ter levado horas para chegar até ela: parecia que a estava vendo pelo lado errado de um telescópio à medida que me aproximava de seu pequeno e retesado traseiro como um paralítico, os membros frouxos e disformes, numa terrível concentração mental. Por fim, cheguei bem atrás dela; mas aí, para encobrir minha verdadeira tática, tive a infeliz idéia de bancar o engraçadinho — sacudindo-a pela nuca ou coisa assim —, e ela reagiu com um ganido agudo: "Pára com isso!". Foi tão rude a maneira de falar da safadinha que Humbert, o Humilde, o rosto arreganhado num sorriso medonho, bateu lugubremente em retirada enquanto ela continuava a despejar baboseiras pela janela.

Mas prestem atenção no que aconteceu depois. Terminado o almoço, instalei-me numa espreguiçadeira para tentar ler. De repente, duas mãozinhas voadoras cobriram meus olhos: ela havia se esgueira-do furtivamente por trás como se repetisse, numa seqüência de balé, minha manobra matinal. Na tentativa de tapar o sol, seus dedos se tingiam de um vermelho luminoso, e ela, em meio a risadas nervosas, saltitava daqui para ali enquanto eu tentava alcançá-la, os braços esti-cados para trás, sem levantar o corpo da cadeira. Minha mão roçou por suas pernas ágeis e brincalhonas, e o livro deslizou do meu colo como um trenó no momento exato em que a sra. Haze fez sua entra-da em cena, dizendo em tom indulgente: "Trate de lhe dar uma boa palmada se ela atrapalhar suas meditações intelectuais. Como eu gos-to desse jardim (nenhum ponto de exclamação em sua voz). Não é di-vino esse sol (também nenhum ponto de interrogação)". Com um suspiro de fingida satisfação, a odiosa criatura sentou no gramado e, apoiando-se sobre as mãos espalmadas, ergueu os olhos para o céu; nesse instante uma velha e cinzenta bola de tênis passou quicando por ela e se ouviu a voz insolente de Lô, vinda da sala: "*Pardonnez*, mamãe. Não estava mirando em *você*". Claro que não, minha meiga e fogosa Lolita.

12

Essa foi a última das vinte e poucas anotações que fiz no diário. Nelas se vê que, apesar de toda a inventividade do diabo, o esquema se repetia todos os dias: primeiro, ele me tentava — e depois arranjava um jeito de me frustrar, deixando-me com uma dor surda na raiz mes-ma de meu ser. Eu sabia exatamente o que queria fazer e como fazê-lo sem comprometer a castidade de uma criança. Afinal de contas, ao longo de toda uma vida de pedofilia, já adquirira uma *certa* experiên-cia, havendo possuído visualmente incontáveis ninfetas salpicadas de sol nos parques e me espremido, com depravada cautela, nos cantos mais quentes e apinhados de ônibus repletos de escolares. Mas, durante quase três semanas, todas as minhas patéticas maquinações haviam sido interrompidas. O agente dessas interrupções era geral-mente a tal da Haze (que, como o leitor terá observado, tinha mais re-ceio de que Lô derivasse algum prazer de mim do que eu dela). A pai-xão que eu passara a sentir por aquela ninfeta — a primeira que por fim estava ao tímido alcance de minhas desajeitadas e doloridas garras — sem dúvida me teria levado de volta a um sanatório caso o diabo não houvesse compreendido que precisava dar-me algum alívio, se é que desejava continuar a se divertir comigo por mais algum tempo.

O leitor terá também notado a curiosa Miragem do Lago. Teria sido lógico da parte de Aubrey McKarma (é esse o apelido que eu gostaria de dar a meu diabo) proporcionar-me um pequeno divertimento na praia prometida, na imaginada floresta. No entanto, a promessa feita pela sra. Haze não passara de um engodo: ela havia deixado de dizer que Mary Rose Hamilton (uma linda moreninha, cumpre reconhecer) iria também, e que as duas ninfetas ficariam cochichando à parte, brincando e se esbaldando a distância, enquanto a sra. Haze e seu bem-apanhado inquilino conversavam calmamente, em estado de seminudez, longe de olhares indiscretos. Aliás, não faltaram olhos indiscretos e línguas ferinas. Como é estranha a vida! O ser humano se apressa em afugentar o próprio destino que tenciona atrair. Antes que me visse em carne e osso, minha senhoria havia planejado trazer uma tal de srta. Phalen (velha solteirona cuja mãe trabalhara como cozinheira para sua família) a fim de ficar na casa com Lolita e comigo, enquanto ela, no fundo uma mulher pouco chegada às prendas domésticas, iria procurar algum emprego razoável na cidade mais próxima. A sra. Haze descortinara o futuro com grande clarividência; o curvado e míope Herr Humbert chegando com suas malas de imigrante, pronto para ficar mofando em seu cantinho por trás de uma pilha de velhos livros; a filhinha feiosa e desprezada submetida à firme disciplina da srta. Phalen, que no passado já tivera minha Lô sob suas asas de abutre (fazendo com que ela se lembrasse daquele verão de 1944 com um frêmito de indignação); e a própria sra. Haze empregada como recepcionista numa elegante metrópole. Mas um evento dos mais banais interferiu nesse programa. A srta. Phalen fraturou a bacia em Savannah, no estado da Geórgia, no mesmo dia em que cheguei a Ramsdale.

13

O domingo que se seguiu ao sábado descrito no diário foi tão ensolarado como o tinha previsto o serviço de meteorologia. Ao colocar a bandeja do café da manhã sobre uma cadeira do corredor, onde minha bondosa senhoria poderia recolhê-la quando fosse mais conveniente, ouvi vozes lá embaixo e aproximei-me silenciosamente do corrimão da escada em meus velhos chinelos (a única coisa velha entre meus pertences). Pude então recolher as seguintes informações. Tinha havido outra briga. A sra. Hamilton telefonara para dizer que sua filha estava com febre, diante do que a sra. Haze informou sua própria filha de que o piquenique teria de ser adiado. A pequena e calorosa Haze disse à grande e fria Haze que, sendo assim, não iria com ela à igreja. A mãe disse: "Muito bem" e foi embora.

Ao sair com a bandeja, tinha acabado de fazer a barba: havia ainda restos de espuma nos lóbulos de minhas orelhas e estava vestindo o pijama branco com desenhos de centáureas azuis (e não de lilases) nas costas. Voltando para o quarto, enxuguei o sabão de barba, perfumei o cabelo e as axilas, enfiei meu robe de chambre de seda escarlate e, cantarolando nervosamente, desci as escadas ao encalço de Lô.

Quero que meus doutos leitores participem da cena que vou recriar; quero que a examinem em todos os seus pormenores e verifiquem quão prudente, quão casto foi aquele episódio, apesar de seu sabor de vinho doce, desde que visto com o que meu advogado, numa conversa a dois, classificou de "simpatia imparcial". Tratemos de começar, não é fácil a tarefa que tenho pela frente.

Personagem principal: Humbert, o Cantarolador. Hora: manhã de domingo em junho. Lugar: sala de estar ensolarada. Acessórios: sofá velho de forro listrado, revistas, vitrola, bugigangas mexicanas (o falecido sr. Harold E. Haze — que Deus guarde sua alma virtuosa — havia engendrado minha querida na hora da sesta num quarto banhado de azul, e as lembranças dessa lua-de-mel em Vera Cruz, dentre as quais Dolores, estavam espalhadas por toda a sala). Ela estava usando um bonito vestido estampado que eu vira antes uma única vez: saia rodada, cintura justa, mangas curtas, tecido de fundo rosa com quadrados de um rosa mais escuro. Para completar o jogo de cores, ela havia pintado os lábios e segurava com ambas as mãos uma linda, banal e edenicamente rubra maçã. No entanto, não estava calçada para ir à igreja e a bolsa branca dos domingos fora abandonada perto da vitrola.

Meu coração batia como um tambor quando ela sentou a meu lado no sofá, a saia leve inflando-se como um balão para depois ir murchando lentamente. Jogou para o alto a fruta luzidia, no ar onde já dançavam cintilantes partículas de poeira, e a apanhou com as duas mãos, produzindo um som oco e seco.

Humbert Humbert apoderou-se da maçã.

"Me dá", ela suplicou, revelando o brilho marmóreo das palmas das mãos. Ofereci-lhe a maçã. Pegou-a num movimento veloz e deu-lhe uma mordida, meu coração derretendo-se como neve sob uma fina camada de pele carmesim. Com a agilidade simiesca que lhe era característica, a ninfeta arrancou de minhas mãos abstratas a revista que eu havia aberto (pena que nenhuma câmera tenha registrado a curiosa seqüência de nossos movimentos simultâneos e sobrepostos, qual um entrelaçamento de monogramas). Rapidamente, sem se deixar atrapalhar pela maçã desfigurada que apertava entre os dedos, Lô folheou com violência a revista à procura de algo que queria mostrar a Humbert. Por fim encontrou. Simulando interesse, cheguei a cabeça tão perto que seus cabelos tocaram minha têmpora e seu braço roçou por meu rosto quando ela limpou os lábios com as costas da mão. A névoa reluzente que pairava ante meus olhos fez com que eu tivesse dificuldade em focalizar a fotografia e, como tardasse em reagir, Lolita começou a esfregar impacientemente os joelhos nus um contra o outro. Aos poucos a cena foi se definindo: um pintor surrealista deitado tranqüilamente de costas numa praia, tendo a seu lado, também de costas, uma reprodução em gesso da Vênus de Milo semi-enterrada na areia. Foto da Semana, dizia a legenda. Varri da minha frente aquela obscenidade. No momento seguinte, fingindo que queria reaver a revista, Lolita se jogou em cima de mim. Agarrei seu pulso fino e ossudo. A revista caiu ao chão como uma ave assustada. Contorcendo o braço, ela se desvencilhou, recuou e deixou-se tombar no canto direito do sofá. E então, com absoluta simplicidade, a impudente criança pousou as pernas sobre meu colo.

A essa altura eu me encontrava num estado de excitação que beirava a insanidade, mas possuía também a astúcia dos loucos. Sentado ainda no sofá, consegui harmonizar, por meio de uma série de movimentos furtivos, minha recôndita lascívia com suas pernas inocentes. Não era fácil desviar a atenção da menina enquanto executava os obscuros ajustes necessários ao êxito de minha manobra. Falando depressa, ficando para trás de meu próprio fôlego, alcançando-o de novo, macaqueando uma repentina dor de dente para explicar as interrupções na arenga — ao mesmo tempo que meu olhar interior, com maníaca determinação, jamais se afastava de seu distante e luminoso objetivo —, cautelosamente aumentei a fricção mágica que pouco a pouco ia dissolvendo (num sentido alucinatório, se não factual) a textura fisicamente irremovível mas psicologicamente bastante friável do obstáculo material (pijama e robe) que se interpunha entre o peso de duas pernas bronzeadas de sol, atravessadas sobre meu colo, e o tumor oculto de uma terrível paixão. No curso de minha logorréia, ocorreu-me algo confortavelmente mecânico, e passei a recitar, deturpando-a aqui e ali, a letra de uma canção idiota que era muito popular na época: "Ó, minha Carmen, minha Carminha, sei lá o que aquele beijo, ao som do realejo, eu era teu, tu eras minha...". Continuei a repetir automaticamente aquela lengalenga, mantendo-a sob seu fascínio especial (especial por causa das deturpações), ao mesmo tempo que crescia em mim o medo mortal de que algum ato divino pudesse interromper-me, pudesse remover o fardo dourado em cujo peso todo o meu ser parecia concentrar-se, e essa ansiedade obrigou-me a trabalhar, durante um ou dois minutos, mais depressa do que seria compatível com um deleite finamente modulado. Pouco depois ela se apossou do triste beijo e do melodioso realejo, e ressuscitou a canção que eu vinha assassinando. Tinha uma voz afinada, com a ácida doçura de uma maçã. Ligeiras contrações percorriam suas pernas, esticadas sobre meu colo em chamas; acariciei-as de leve. E lá estava ela refestelada, esparramada no canto direito do sofá, Lola, a ginasiana pubescente, devorando sua fruta imemorial e cantando através de seu sumo, deixando cair um chinelo, expondo por inteiro a meia soquete que lhe descia pela canela, coçando o calcanhar nas revistas velhas empilhadas sobre o sofá à minha esquerda — e cada movimento seu, cada ondulação sua, ajudava-me a esconder e aperfeiçoar o sistema secreto de correspondência tátil entre a bela e a fera, entre a ferocidade amordaçada e prestes a explodir dentro de mim e a beleza das reentrâncias de seu corpo por baixo do inocente vestidinho de algodão.

Sob as pontas de meus dedos-bailarinos corria, imperceptivelmente eriçada, a pelugem de suas pernas. Deixei-me perder no calor acre mas saudável que subia de seu corpo como uma névoa de verão. Fica quieta, fica quietinha... Quando ela se retesou para jogar na lareira os restos da demolida maçã, seu jovem peso, suas pernas candidamente impúdicas e seu roliço traseiro agitaram meu colo tenso e torturado, imerso ainda em seu labor clandestino; e, de repente, uma misteriosa mudança se operou em meus sentidos. Penetrei num plano de existência onde nada mais importava senão a infusão de prazer que borbulhava dentro de meu corpo. O que de início era uma deliciosa distensão de minhas raízes mais profundas transformou-se num formigamento incandescente, que atingia, *agora*, aquele estado de absoluta segurança e irreversibilidade jamais encontrado na vida consciente. Confiante em que aquela doçura ardente e profunda rumava inexoravelmente para a convulsão final, achei que podia me dar mais tempo, prolongando o enlevo. Não havia nada a temer: Lolita fora devidamente solipsizada. Lá fora, o sol implícito continuava a pulsar nos pacientes choupos; estávamos fantástica e divinamente sós; eu a olhava, rósea, polvilhada de ouro, encoberta pelo véu de meu refreado ardor, sem dar-se conta dele, alheia, e o sol pincelava seus lábios, e seus lábios aparentemente ainda formavam as palavras da cantiga "Carminha-Carsua", mas minha consciência já não as registrava. Tudo agora estava pronto, os nervos do prazer inteiramente expostos. Os corpúsculos de Krause entravam na fase de agitação frenética. A menor pressão seria bastante para abrir todas as portas do paraíso. Eu deixara de ser Humbert, o Cão, o sarnento vira-lata de olhos tristes agarrado à bota que se prepara para enxotá-lo aos pontapés. Estava acima das amarguras do ridículo, fora do alcance de qualquer castigo. No serralho que eu próprio criara, era um turco radiante e robusto, a adiar, no irrestrito gozo de sua liberdade, o momento em que iria servir-se da mais jovem e frágil de suas escravas. Suspenso à beira daquele voluptuoso abismo (num rigoroso equilíbrio fisiológico só comparável a certas técnicas no campo das artes), continuava a repetir palavras ao acaso que se misturavam às dela — ah, minha Carminha, queridinha, minha Carmen, amen, ahahamen — como alguém que falasse e risse em pleno sono, enquanto minha bem-aventurada mão subia por sua perna ensolarada até o ponto em que a sombra da decência o permitia. No dia anterior ela havia colidido com o pesado armário do vestíbulo e eu dizia ofegante: "Olha, olha o que você fez, olha só como você se machucou", pois havia, eu juro, uma mancha amarela arroxeada em sua adorável coxa de ninfeta, que eu massageava e lentamente envolvia com minha manzorra cabeluda... e, como suas roupas de baixo eram tão sumárias, aparentemente nada impedia que meu musculoso polegar alcançasse o oco de sua virilha... assim como quem faz cosquinha e acaricia um bebê que se sacode de rir, apenas isso... e: "Ah, não foi nada!", ela exclamou num tom de voz repentinamente agudo e estremeceu, contorceu-se, atirou a cabeça para trás, seus dentes mordendo o úmido lábio inferior, o rosto agora voltado para o lado — e minha boca gemente, senhores membros do júri, quase tocou seu pescoço nu enquanto eu comprimia contra sua nádega esquerda os últimos espasmos do mais longo êxtase que qualquer homem ou monstro jamais conheceu.

Imediatamente depois (como se tivéssemos estado lutando e eu agora afrouxasse o golpe que a mantinha paralisada), ela rolou para fora do sofá e pôs-se de pé num salto (num pé só, para ser preciso) a fim de atender ao chamado aflitivamente alto do telefone, que, tanto quanto eu saiba, talvez já estivesse tocando havia séculos. E lá ficou ela, piscando, o rosto em brasa, os cabelos em desalinho, seus olhos passeando desatentos por cima de mim e dos móveis da sala; e, enquanto ouvia e falava (com sua mãe, que lhe estava dizendo para vir almoçar na casa dos Chatfield — nem Lô nem Hum sabiam ainda do plano que a intrometida Haze estava arquitetando), ela batucava na borda da mesinha com o chinelo que trazia na mão. Graças a Deus, não tinha desconfiado de nada!

Com um lenço de seda multicor, sobre o qual seus olhos divagantes pousaram de passagem, enxuguei o suor da testa e, imerso na euforia da liberação, rearrumei minhas vestes reais. Ela estava ainda ao telefone regateando com a mãe (minha Carminha queria ser apanhada de carro), quando, cantando cada vez mais alto, subi saltitante as escadas e fui provocar na banheira um ensurdecedor dilúvio de água fumegante.

A essa altura, talvez seja conveniente que eu reproduza por inteiro a letra daquela música de sucesso (ou pelo menos o que me vem à memória, pois acho que nunca a aprendi direito). Ei-la:

> Jamais esqueço aquele beijo,
> Ó minha Carmen, minha Carminha,
> Ao som do velho realejo,
> Quando eu era teu e tu eras só minha.
> Mas depois foram tantas agonias,
> Tantas traições, tamanha dor,
> Que, se hoje acabo com teus dias,
> Só o faço, minha Carmen, por amor.

(Pelo jeito, sacou a 32 automática e meteu uma bala na cabeça da bandida.)

14

Almocei na cidade — há anos não tinha tanta fome. Voltei andando sem pressa, mas a casa ainda estava vazia, Lô alhures. Passei a tarde meditando, maquinando planos, digerindo a bem-aventurada experiência da manhã.

Sentia-me orgulhoso de mim mesmo. Provara o mel de um espasmo sem comprometer as virtudes de uma menor. Não lhe causara nenhum dano. O prestidigitador despejara leite, melaço e champanhe espumante na bolsa branca de uma donzela — e eis que a bolsa estava intacta. Eu havia delicadamente dado vazão a meu sonho ignóbil, ardente e pecaminoso, mas Lolita estava sã e salva — e eu também. O que eu possuíra apaixonadamente não tinha sido ela, e sim minha própria criação, uma outra Lolita, uma Lolita inventada e talvez mais real que a de carne e osso, que se sobrepunha a ela, envolvendo-a, flutuando entre mim e ela — sem vontade e sem consciência, de fato sem vida própria.

A criança de nada soube. Não lhe fizera nada. E nada me impedia de repetir algo que a havia afetado tão pouco quanto se ela fosse uma imagem fotográfica ondulando na tela e eu um humilde corcunda a abusar de seu corpo no escuro da sala de projeção. A tarde corria mansa, em meio a um silêncio redondo, e as altas árvores, prenhes de seiva, pareciam partilhar de meu segredo; e o desejo, ainda mais forte do que antes, começou de novo a afligir-me. Que ela volte logo, suplicava a um Deus de empréstimo, e, enquanto mamãe estiver na cozinha, fazei com que se reproduza a cena do sofá, por favor, eu a adoro tanto, tão horrivelmente!

Não: *horrivelmente* não é a palavra correta. O júbilo que me causava a visão de novas delícias não era horrível, e sim patético. É a única qualificação possível: patético. Patético porque, malgrado o fogo insaciável de meu apetite venéreo, eu me propunha, com a mais fervorosa devoção e cuidado, proteger a pureza daquela menina de doze anos.

E agora vejam como fui recompensado por minhas penas. Lolita alguma voltou para casa — tinha ido ao cinema com os Chatfield. A mesa foi posta com uma elegância pouco comum: jantar à luz de velas, imaginem só! Envolta numa aura de repugnante sensualidade, a sra. Haze tocava delicadamente nos talheres de cada lado do prato como se fossem teclas de piano, e sorria ao explicar por que o prato permanecia vazio (estava de dieta), e dizia que esperava que eu houvesse gostado da salada (receita roubada de uma revista feminina). Esperava que eu também houvesse gostado dos frios. Tinha sido um dia perfeito. A sra. Chatfield era uma pessoa maravilhosa. Phyllis, sua filha, estava indo no dia seguinte para um acampamento de férias. Por três semanas. Lolita, tinha ficado decidido, iria na quinta-feira. Em vez de esperar até julho, como inicialmente planejado. E continuaria lá após a volta de Phyllis. Até o começo das aulas. Meu Deus, que belíssima perspectiva!

Ah, como fiquei arrasado... Não é que iria perder minha querida no momento mesmo em que secretamente a havia conquistado? À guisa de explicação para meu lúgubre estado de espírito, usei a mesma dor de dente que havia simulado pela manhã. Devia ser um enorme molar, com um abscesso do tamanho de um caroço de cereja.

"Temos um excelente dentista", disse Haze. "Na verdade, é nosso vizinho, o doutor Quilty. Tio ou sobrinho, não sei ao certo, do autor de peças de teatro. Acha que vai passar? Está bem, como quiser. No outono, ele vai colocar um aparelho de correção na Lô, um 'freio', como minha mãe costumava dizer. Talvez isso ajude a contê-la um pouco. Receio que ultimamente ela esteja incomodando muito o senhor. E ainda vamos ter que aturar uma ou duas cenas horrorosas antes que ela vá embora. Se recusou terminantemente a ir, e confesso que a deixei com os Chatfield porque não estava ainda com coragem de enfrentar a coisa. É capaz de ficar mais dócil depois do cinema. A Phyllis é muito boazinha, não há a menor razão para a Lô não gostar dela. Realmente, *monsieur*, fico com muita pena dessa sua dor de dente. Seria tão mais razoável que me deixasse telefonar para o Ivor Quilty amanhã de manhã, na primeira hora, se continuar doendo. E, o senhor sabe, acho que um acampamento de férias é muito mais saudável e... enfim, muitíssimo mais *razoável* do que ficar à toa em casa, apanhando sol no jardim, usando o batom da mãe, perseguindo um cavalheiro tão discreto e estudioso, tendo um ataque por qualquer motivo..."

"Tem certeza", perguntei finalmente, "que ela vai se sentir feliz lá?" (Fraco, lamentavelmente fraco!)

"É melhor que se sinta", respondeu Haze. "E também não vai ser só divertimento. A diretora do acampamento é a Shirley Holmes — o senhor sabe, aquela que escreveu *As mocinhas em volta da fogueira*. Esse acampamento vai ser útil para a Dolores em muitos aspectos — saúde, conhecimentos, maneira de se comportar. E principalmente um maior senso de responsabilidade com relação aos outros. Vamos pegar essas velas e sentar um pouco na *piazza*, ou o senhor prefere ir para a cama cuidar desse dente?"

Cuidar desse dente.

15

No dia seguinte elas foram de carro ao centro da cidade comprar as coisas necessárias para o acampamento: a aquisição de qualquer artigo de vestuário exercia um efeito milagroso sobre Lô. Durante o jantar, voltou a demonstrar o jeito sarcástico de sempre. Logo em seguida subiu para seu quarto e mergulhou na leitura das histórias em quadrinhos compradas para os dias de chuva no Acampamento Q (ao chegar a quinta-feira, ela já tinha feito tantas incursões nas revistas que as deixou para trás). Eu também me retirei para minha toca e escrevi algumas cartas. Meu plano, agora, era partir para a praia e só retomar minha existência na casa das Haze quando as aulas recomeçassem, pois já sabia que não podia viver sem a menina. Na terça-feira, saíram para fazer compras outra vez e foi-me pedido que atendesse o telefone se a diretora do acampamento ligasse enquanto estivessem fora. De fato ligou, e algumas semanas depois tivemos a oportunidade de rememorar nossa agradável conversa. Naquela terça, Lô jantou no quarto. Tinha chorado após uma de suas brigas rotineiras com a mãe e, como acontecera em outras ocasiões, não queria que eu a visse com os olhos inchados: tinha uma dessas peles delicadas que, depois de um bom choro, ficam manchadas e inflamadas — e por isso mesmo morbidamente sedutoras. Lamentei profundamente que se equivocasse acerca de minhas inclinações estéticas, porque simplesmente adoro aquele róseo matiz botticelliano, aquele rosa ainda mais vivo em torno dos lábios, aqueles cílios úmidos e emaranhados, de tal modo que sua obstinada pudicícia muitas vezes me privou da possibilidade de oferecer-lhe um capcioso consolo. No entanto, havia outras razões para sua ausência com que eu não havia atinado. Sentados na escuridão da varanda (um vento descortês apagara suas velas vermelhas), Haze, com uma risadinha chocha, confessou ter dito a Lô que seu querido Humbert aprovara inteiramente a idéia do acampamento, "e agora", acrescentou ela, "a menina está fazendo uma cena. Pretexto: nós dois queremos nos livrar dela; motivo verdadeiro: eu disse que amanhã vamos trocar por coisas mais simples as roupas de noite exageradamente vistosas que ela me obrigou a comprar para ela. O senhor compreende, *ela* se considera uma *starlet* de Hollywood, e *eu* a vejo como uma mocinha saudável e vigorosa, mas sem nenhum atrativo especial. Tenho a certeza de que aí está a causa de todos os nossos problemas".

Na quarta-feira, consegui pegar Lô de surpresa durante alguns segundos. Ela estava no patamar da escada, de camiseta e shorts brancos manchados de verde, remexendo num malão. Falei qualquer coisa que soasse amistosa e engraçada, mas ela se limitou a bufar, sem nem ao menos olhar para mim. Em desespero, o moribundo Humbert deu-lhe uma palmadinha desajeitada no cóccix, mas recebeu em troco uma dolorosa pancada com a fôrma de sapato do falecido sr. Haze. "Traidor", foi tudo o que ela disse, enquanto eu descia as escadas em passos lentos, esfregando o braço com grandes demonstrações de arrependimento. Não se dignou a jantar com mamãe e Hum: lavou os cabelos e foi ler na cama as ridículas histórias em quadrinhos. E, na quinta-feira, a imperturbável sra. Haze levou-a de carro para o Acampamento Q.

Como antes já o disseram autores mais talentosos do que eu: "Os leitores poderão imaginar..." etc. Mas, pensando melhor, acho que posso dar um pontapé no traseiro dessas imaginações. Sabia que me apaixonara por Lolita para sempre; mas sabia também que ela não seria Lolita para sempre. Faria treze anos no dia 1º de janeiro. Dentro de uns dois anos deixaria de ser uma ninfeta e se transformaria numa "mocinha", e depois — horror dos horrores — numa "estudante universitária". A palavra *sempre* referia-se apenas a minha própria paixão, à eterna Lolita tal como refletida em meu sangue. A Lolita cuja pélvis ainda não se alargara, a Lolita que hoje eu podia tocar e cheirar e ouvir e ver, a Lolita de voz estridente e fartos cabelos castanhos (ondeados nos lados, encaracolados atrás), a Lolita de pescoço cálido e pegajoso, de vocabulário vulgar — "chocante", "finésimo", "gatão" —, *aquela* Lolita, *minha* Lolita, que o pobre Catulo perderia para sempre. Sendo assim, como poderia permitir-me deixar de vê-la durante dois meses de verão, dois meses de insônia? Dois meses inteiros subtraídos aos dois anos de ninfescência que lhe restavam! Quem sabe deveria disfarçar-me numa melancólica e antiquada moçoila, uma desengonçada mlle. Humbert, e armar minha barraca do lado de fora do Acampamento Q, na esperança de que as ruivas ninfetas exclamassem em coro: "Vamos adotar essa refugiada de voz grossa", e arrastassem para junto de sua rústica fogueira a tristonha Berthe *au Grand Pied*, que sorria timidamente. Berthe vai dormir com a Dolores Haze!

Sonhos áridos e vãos. Dois meses de beleza, dois meses de ternura seriam desperdiçados para sempre, e não havia nada que eu pudesse fazer para impedi-lo, nada mesmo, *mais rien.*

Aquela quinta-feira, no entanto, guardava uma gota de raríssimo mel em sua pequena taça. Haze iria levá-la para o acampamento de manhã cedinho. Quando os sons de partida subiram até meu quarto, rolei para fora da cama e me debrucei na janela. Sob os choupos, o carro já esperava, ronronando impaciente. Na calçada, Louise cobria os olhos com a mão, como se a pequena viajante já se afastasse contra o sol baixo da manhã. O gesto comprovou-se prematuro. "Anda logo", gritou Haze. Minha Lolita, que já estava com meio corpo dentro do carro e ia bater a porta, baixar o vidro e acenar para Louise e para os choupos (que ela jamais voltaria a ver), interrompeu a marcha do destino: levantou os olhos... e disparou para dentro de casa (seguida pelos gritos furiosos de sua mãe). Um momento depois ouvi minha querida subindo as escadas às carreiras. Meu coração expandiu-se com tanta força que quase perdi os sentidos. Puxei para cima as calças do pijama e abri a porta de um golpe: no mesmo instante Lolita chegou, na sua roupa dominical, pisando forte, ofegante, e de repente estava em meus braços, sua boca inocente derretendo-se sob a feroz pressão de ávidas mandíbulas masculinas, ah, minha palpitante amada! Um segundo depois a ouvi — sã e salva, inviolada — descer barulhentamente pelas escadas. O destino retomou seu curso. A perna loura foi puxada para dentro, a porta do carro batida com estrondo, mais uma vez batida, e a motorista, seus lábios de borracha vermelha contorcendo-se para formar palavras raivosas e inaudíveis, puxou violentamente o volante e levou embora meu amor, enquanto, de sua varanda coberta de trepadeiras, a velha inválida da casa em frente fazia débeis acenos ritmados que nenhuma delas sequer percebeu.

16

Na palma de minha mão sentia ainda o marfim de Lolita — a curva pré-adolescente de suas costas, a pele rija e lisa que eu havia acariciado através do vestido leve enquanto a tivera em meus braços. Caminhei para seu quarto desarrumado, abri com um repelão a porta do armário e mergulhei numa pilha de roupas amarfanhadas que haviam tocado seu corpo. No meio delas escondia-se algo especial, uma pecinha cor-de-rosa, tênue, esgarçada, com um cheiro ligeiramente acre na costura. Nela enrolei o enorme e ingurgitado coração de Humbert. Dentro de mim crescia uma emoção torrencial, mas tive de abandonar tudo e recompor-me às pressas ao perceber que a voz aveludada da empregada me chamava baixinho da escada. Tinha uma mensagem para mim, ela disse; e, rebatendo meu agradecimento automático com um amável "não há de quê", a boa Louise depositou em minha mão trêmula um envelope sem selo, curiosamente imaculado.

Esta é uma confissão: eu o amo [assim começava a carta e, por um insano momento, confundi os rabiscos histéricos com as garatujas de uma ginasiana]. No último domingo, na igreja — malvado, não quis ir ver nossos lindos vitrais novos! —, isso mesmo, meu caro, quando perguntei ao Senhor no domingo o que devia fazer, foi-me dito que fizesse o que estou fazendo agora. Como vê, não há alternativa. Amei-o desde o primeiro minuto em que o vi. Sou uma mulher apaixonada e solitária, e o senhor é o amor de minha vida.

Agora, meu caro, meu caríssimo, *mon cher, cher monsieur*, tendo lido estas linhas, já sabe de tudo. Por isso, faça as malas, por favor, e parta *imediatamente*. Essa é uma ordem de sua senhoria. Estou despedindo um inquilino, estou pondo-o na rua. Vá embora! Suma! *Departez!* Se eu fizer uma média de cento e vinte na ida e na volta e não sofrer nenhum acidente (mas que importância isso teria?), devo estar de volta na hora do jantar e não quero encontrá-lo em casa. Por favor, por favor, vá embora logo, *agora*, nem leia este bilhete absurdo até o fim. Vá. *Adieu*.

A situação, *chéri*, é muito simples. Naturalmente, tenho *a mais absoluta certeza* de que não sou nada para o senhor, nada mesmo. Ah, sim, o senhor tem prazer em conversar comigo (e zombar um pouquinho de mim), passou a gostar de nossa casa acolhedora, dos livros que eu aprecio, de meu simpático jardim, até mesmo dos modos barulhentos de Lô — mas eu não sou nada para o senhor. Certo? Certo. Não significo absolutamente nada para o senhor. *Mas*, se após ler esta "confissão", o senhor decidir, com seu romantismo sombrio de europeu, que eu sou suficientemente atraente para que se sinta autorizado a fazer-me alguma proposição amorosa, então o senhor seria um criminoso — pior do que um seqüestrador que viola uma criança. Veja bem, *chéri*.

Se decidir ficar, se encontrá-lo em casa (o que eu sei que não acontecerá e só por isso me permito escrever dessa forma), o *fato* de sua permanência só poderia significar uma coisa: que o senhor me quer tanto quanto eu o quero, como uma companheira para toda a vida, e que está disposto a unir sua vida à minha para todo o sempre e ser um pai para minha filhinha.

Deixe-me divagar e delirar ainda por alguns breves momentos, meu querido, porque sei que a essa altura o senhor já rasgou a carta, e seus pedaços [algumas palavras ilegíveis] no turbilhão da privada. Meu querido, *mon très, très cher*, que mundo de amor construí a seu redor neste junho milagroso! Sei quão reservado o senhor é, quão "britânico". Sua reticência de homem do Velho Mundo, seu senso de decoro talvez se sintam chocados com a impetuosidade de uma americana. O senhor, que tão bem sabe esconder seus sentimentos mais profundos, deve achar que sou uma bobinha sem-vergonha, para abrir assim meu pobre e machucado coração. Ao longo dos anos sofri muitas decepções. O sr. Haze era uma pessoa esplêndida, uma alma maravilhosa, mas tinha vinte anos mais do que eu e... bem, de nada serve remoer o passado. Meu querido, sua curiosidade deve estar bem satisfeita se ignorou meu pedido e leu esta carta até o amargo fim. Não importa. Trate de destruí-la e vá embora. Não esqueça de deixar a chave sobre a escrivaninha de seu quarto. E também seu endereço, para que eu possa devolver os doze dólares que sobram do aluguel deste mês. Adeus, querido. Reze por mim — se é que costuma rezar.

C. H.

O que reproduzo aqui é o que me lembro da carta, e tudo o que me lembro é absolutamente fiel (inclusive o pavoroso francês). Era pelo menos duas vezes mais longa. Omiti uma passagem lírica, lida por alto na ocasião, referente ao irmão de Lolita que morreu quando tinha dois anos (e ela quatro) e de quem eu gostaria tanto. Que mais posso dizer? Sim, é possível que o "turbilhão da privada" (onde a carta deveria terminar seus dias) seja uma contribuição de meu espírito prosaico. Ela provavelmente suplicou-me que a queimasse numa pira especial.

Minha primeira reação foi de asco e fuga. A segunda foi como se um amigo pousasse a mão no meu ombro, dizendo-me que parasse para pensar. Foi o que fiz. Ao sair do meu estado de estupefação, encontrava-me ainda no quarto de Lô. Um anúncio de página inteira havia sido arrancado de uma dessas revistas pretensiosas e pregado na parede, acima da cama, entre a cara de um cantor famoso e os cílios de uma estrela de cinema. Representava um marido ainda jovem, com traços irlandeses, de cabelos pretos e olhar extenuado. Vestia um magnífico robe de chambre (criação de fulano de tal) e segurava uma imensa bandeja em forma de ponte (criação de sicrano de tal), trazendo o café da manhã para dois. A legenda, de autoria do rev. Thomas Morell, chamava-o de "heróico conquistador". A dama tão arrasadoramente conquistada não aparecia no desenho, mas provavelmente estava se recostando na cabeceira para receber sua metade da bandeja. Não era fácil imaginar como o seu companheiro de cama se enfiaria por baixo da ponte sem provocar um grave acidente. Lô traçara uma seta brincalhona apontando para o fatigado rosto do galã e acrescentara em letras maiúsculas: H. H. E, na verdade, apesar de uma diferença de alguns anos, a semelhança era notável. Debaixo desse havia outro anúncio colorido. Um célebre autor teatral fumava solenemente um cigarro Drome. Ele sempre fumava cigarros Drome. A semelhança era bastante ligeira. Debaixo disso tudo estava o casto leito de Lô, juncado de revistas de histórias em quadrinhos. Aqui e ali já desaparecera o esmalte que cobria a armação da cama, deixando marcas pretas e arredondadas sobre o fundo branco. Tendo confirmado que Louise já fora embora, deitei-me na cama de Lô e reli a carta.

17

Senhores membros do júri! Não posso negar que certas emanações da matéria sob exame — se me permitem tal expressão — haviam anteriormente visitado meus pensamentos. Minha mente não as retivera de forma lógica e nem mesmo estavam relacionadas a momentos precisos, relembrados com nitidez; mas não posso negar — permitam-me que o repita — que as houvesse entrevisto (para cunhar outra expressão original) nos desvãos do cérebro, nas trevas da paixão. Talvez tenha havido ocasiões — certamente houve ocasiões, se bem conheço meu amigo Humbert — em que ele examinara imparcialmente a idéia de casar com uma viúva madura (digamos, Charlotte Haze), sem nenhum parente neste vasto e cinzento mundo, apenas para ter acesso desimpedido a sua filha (Lô, Lola, Lolita). Disponho-me até a dizer a meus algozes que talvez tenha lançado um ou outro olhar de fria avaliação sobre os lábios de coral, os cabelos bronzeados e o decote perigosamente baixo de Charlotte, tentando vagamente encaixá-la em devaneios plausíveis. Isso eu confesso sob tortura. Tortura imaginária, é verdade, mas por isso mesmo muito mais horrível. Eu gostaria de poder fazer aqui uma digressão e contar-lhes algo sobre o *pavor nocturnus* que me acometia cruelmente quando, altas horas da noite, evocava expressões colhidas ao azar em minhas leituras de menino, tais como *peine forte et dure* (que Gênio da Dor terá inventado isto!) ou certas misteriosas, terríveis e insidiosas palavras, como *trauma, acontecimento traumático* e até mesmo *tramóia*. Mas meu relato já é suficientemente confuso.

Passado algum tempo, destruí a carta e fui para meu quarto, onde fiquei ruminando, passando os dedos pelos cabelos, alisando o robe cor de púrpura, gemendo entre os dentes cerrados, até que, de repente — *de repente*, senhores membros do júri —, senti que um sorriso dostoievskiano (através do próprio ricto que contorcia meus lábios) despontava como um sol distante e terrível. Imaginei (agora com perfeita visibilidade) todas as carícias fortuitas com que o marido de sua mãe poderia generosamente presentear a filhinha. Poderia abraçá-la três vezes ao dia, todos os dias. Meus males se dissipariam, eu seria um homem saudável. "Aconchegar-te docemente sobre um joelho macio e depor sobre tua tenra face um beijo paternal..." Ah, Humbert e suas copiosas leituras!

Depois, com toda a cautela possível — caminhando, por assim dizer, na ponta dos pés da imaginação —, procurei visualizar Charlotte no papel de uma possível companheira. Incrível, mas me via perfeitamente levando para ela o grapefruit cortado ao meio por razões de economia, o café da manhã sem açúcar.

Humbert Humbert, suando sob a luz crua, pisoteado por policiais também banhados em suor, está pronto agora para fazer mais um "depoimento" (*quel mot!*), virando a consciência pelo avesso e revelando seu tecido mais profundo. Não planejava casar-me com Charlotte para eliminá-la de alguma forma vulgar, repulsiva e perigosa, colocando, por exemplo, cinco tabletes de bicloreto de mercúrio no seu xerez antes do jantar, ou coisa parecida; mas um pensamento farmacológico, sutilmente relacionado com aquele, de fato tilintou em meu cérebro ressonante e enevoado. Por que limitar-me às tímidas carícias dissimuladas que já experimentara? Outras visões libidinosas se apresentaram diante de mim, bailando sorridentes. Vi-me administrando um potente sonífero tanto à mãe quanto à filha, para poder acarinhar a menina noite adentro com total impunidade. A casa vibrava com os roncos de Charlotte, enquanto Lolita mal respirava em seu sono, tão quieta como se fosse uma pintura. "Mamãe, juro que o Kenny nem me *tocou*." "Ou você está mentindo, Dolores Haze, ou então foi um íncubo." Não, eu jamais iria tão longe.

E assim Humbert, o Cubo, planejava e sonhava — enquanto o rubro sol do desejo e da decisão (as duas coisas que conferem vida ao mundo) subia cada vez mais alto, enquanto incontáveis libertinas numa infinidade de balcões erguiam suas taças reluzentes num brinde à beatitude de noites passadas e futuras. E então quebrei figurativamente minha taça e imaginei com toda a ousadia (pois a essa altura, embriagado por tais visões, subestimei a delicadeza de minha personalidade) como eventualmente poderia chantagear — não, a palavra é forte demais —, massagear a mamãe Haze a fim de que me deixasse desfrutar da filhinha Haze, ameaçando gentilmente abandonar a pobre e amorosa Pomba-Mor se ela tentasse impedir-me de brincar com minha enteada legal. Em suma, diante dessa Oferta Excepcional, diante de horizontes tão vastos e variados, sentia-me tão indefeso quanto o pobre Adão ao assistir à avant-première dos primórdios da história do Meio-Oriente em meio à miragem de seu pomar de macieiras.

E agora tomem nota desta importante observação: o artista em mim revelou-se mais forte do que o gentleman. Foi à custa de muita força de vontade que consegui imprimir a essas recordações o mesmo estilo do diário que mantive quando a sra. Haze nada mais era para mim do que um estorvo. Aquele diário já não existe, mas meu dever de artista exigiu que eu sustentasse o mesmo tom, por mais falso e brutal que me pareça hoje em dia. Felizmente, minha história atingiu agora um ponto em que posso deixar de insultar a pobre Charlotte por conta da verossimilhança retrospectiva.

Desejoso de poupar à coitadinha duas ou três horas de angustiosa expectativa numa estrada cheia de curvas (e quem sabe evitando uma colisão frontal que estilhaçaria nossos respectivos sonhos), fiz uma tentativa bem-intencionada, embora vã, de alcançá-la pelo telefone no acampamento. Já havia partido fazia meia hora e, como passaram a chamada para Lô, disse-lhe com voz trêmula (transbordando de orgulho pelo controle que exercia sobre o destino) que ia casar com sua mãe. Tive de repetir duas vezes porque algo a impedia de me ouvir com atenção. "Puxa, que legal", ela disse, rindo. "Quando é o casamento? Espera aí um instante, o cachorro... O cachorrinho aqui pegou minha meia. Escuta...", e acrescentou que, pelo jeito, ia divertir-se a valer. Compreendi, ao desligar, que tinham bastado umas duas horas no acampamento para que novas impressões apagassem, no espírito de Lolita, a sedutora imagem de Humbert Humbert. Mas que importava isso agora? Após o casamento, eu a teria de volta tão logo houvesse transcorrido um período de tempo minimamente decente. Antes mesmo que "sobre o túmulo feneçam as flores de laranjeira", como o teria dito um poeta. Mas não sou nenhum poeta. Não passo de um memorialista muito conscencioso.

Depois que Louise foi embora, inspecionei a geladeira e, julgando-a demasiado puritana, caminhei até a cidade e comprei os alimentos mais requintados que lá havia. Comprei também boas bebidas e dois ou três tipos de vitaminas. Com a ajuda desses estimulantes e de meus recursos naturais, estava convencido de que poderia evitar qualquer contratempo, provocado por minha indiferença, caso fosse chamado a dar prova de um ardor tão forte quanto impaciente. Repetidamente, o engenhoso Humbert visualizou Charlotte através do buraco de fechadura de uma imaginação viril. Ela se vestia bem e tinha um bom corpo, isso cumpria reconhecer, além de ser a irmã mais velha de minha Lolita... Talvez fosse capaz de valer-me dessa noção, desde que não evocasse com excesso de realismo as pesadas ancas, os joelhos roliços, os seios maduros, a pele áspera e avermelhada do pescoço ("áspera" quando comparada com o mel e a seda) e tudo o mais que entra na composição dessa coisa melancólica e entediante que é uma mulher bonita.

O sol ia completando seu giro habitual em torno da casa à medida que a tarde se transmudava em noite. Tomei um drinque. Depois outro. E outro mais. Gim e suco de abacaxi — "abacagim" —, minha mistura predileta, garantia de energia redobrada. Decidi cuidar de nosso gramado, tão carente de bons tratos. *Une petite attention.* Estava infestado de dentes-de-leão, e um maldito cachorro — odeio os cachorros — havia conspurcado as pedras onde outrora se erguera um relógio solar. Quase todos os dentes-de-leão, pequenos sóis no início do verão, se haviam transformado em diminutas luas. O gim e Lolita dançavam dentro de mim, e por pouco não caí sobre as cadeiras de armar que tentava afastar do caminho. Zebras encarnadas! Arrotos há que soam como vivas — pelo menos soltei um que assim me pareceu. Uma velha cerca no fundo do jardim separava-nos das latas de lixo e dos lilases do vizinho; mas nada havia entre a frente de nosso gramado (que descia em rampa suave de um lado da casa) e a rua. Assim, com o sorriso idiota de quem está prestes a fazer uma boa ação, eu podia observar perfeitamente a chegada de Charlotte: esse dente precisa ser extraído sem demora. Enquanto a máquina de cortar grama avançava e recuava aos solavancos, pedaços de relva pipilando oticamente na luz baixa do sol, eu não tirava os olhos daquele trecho de rua suburbana. Ela fazia uma curva sob um arco de frondosas árvores e descia celeremente até nós, numa ladeira íngreme, até alcançar a casa de tijolos coberta de hera da vizinha da frente (cujo gramado, apesar de sua forte inclinação, era muito mais bem cuidado do que o nosso) e por fim desaparecer atrás de nossa varanda (que eu não podia ver do lugar onde arrotava e labutava com igual entusiasmo). Os dentes-de-leão estavam sendo dizimados. O cheiro de seiva misturava-se aos eflúvios de abacaxi. Duas garotinhas, Marion e Mabel, cujas idas e vindas eu vinha acompanhando mecanicamente havia algum tempo (mas quem poderia substituir minha Lolita?), subiam em direção à avenida onde desembocava nossa rua do Gramado, uma delas empurrando a bicicleta, a outra se empanturrando com o conteúdo de um saco de papel, ambas usando a plenos pulmões suas ensolaradas vozes. Leslie, o jardineiro e chofer da velha inválida, um preto muito simpático e atlético, sorriu de longe para mim e gritou, regritou e confirmou por gestos que eu estava impressionantemente ativo naquele fim de tarde. O cachorro imbecil do vizinho, próspero comerciante de ferro-velho, correu atrás de um carro azul — mas não o de Charlotte. A mais bonita das duas garotas (Mabel, acho eu), de shorts, frente-única sem muito a ocultar e cabelos claros — uma genuína ninfeta, por Pan! —, voltou correndo e amassando o saco de papel, até que a frente da residência do casal Humbert subtraiu-a das vistas deste bode todo salpicado de verde. Uma caminhonete destacou-se das sombras vegetais da avenida, arrastando algumas delas em seu teto até que a luz do sol voltasse a se afirmar, e passou por mim a uma velocidade alucinante, o chofer em mangas de camisa abraçando o teto com a mão esquerda, o cachorro do vendedor de ferro-velho apostando corrida com o carro. Houve uma pausa sorridente e, de repente, com o coração batendo descompassado, presenciei o retorno do

Carro Azul. Acompanhei-o enquanto deslizava ladeira abaixo e desaparecia atrás da casa. Entrevi o perfil calmo e pálido de Charlotte. Ocorreu-me que, antes de subir ao primeiro andar, ela não saberia se eu tinha ou não ido embora. Um minuto depois, com uma expressão de grande angústia no rosto, ela me viu da janela do quarto de Lô. Grimpando os degraus de dois em dois, consegui alcançá-la antes que saísse de lá.

18

Quando a noiva é viúva e o noivo viúvo; quando ela vive na Grande Cidade Pequena há uns dois anos, e ele há cerca de um mês; quando o monsieur quer se ver livre da chatura o mais depressa possível, e a madame cede com um sorriso tolerante — então, meu caro leitor, o casamento em geral pode ser algo bastante "simples". A noiva talvez abra mão da grinalda de flores de laranjeira que prenderia o véu e até deixe de carregar uma orquídea branca em seu livro de orações. Bem que a filhinha da noiva poderia abrilhantar a cerimônia da união de H. e H. com um vívido toque carmesim; mas, sabendo que não deveria ainda arriscar-me a ser demasiado carinhoso com minha acuada Lolita, concordei em que não valia a pena arrancar a criança de seu tão amado Acampamento Q.

Na vida cotidiana, minha *soi-disant* sonhadora e solitária Charlotte era prosaica e gregária. Além disso, descobri que, embora incapaz de controlar seus gritos e impulsos emocionais, era uma mulher de princípios. Tão logo se tornou mais ou menos minha amante (apesar dos estimulantes, seu "nervoso mas impetuoso *chéri*" — um heróico *chéri*! — teve algumas dificuldades iniciais, que, no entanto, compensou amplamente graças a uma fantástica exibição de carícias do Velho Mundo), a boa Charlotte inquiriu-me acerca de minhas relações com Deus. Podia ter respondido que, nesse terreno, tinha a mente aberta; em vez disso, pagando tributo a um chavão hipócrita, disse que acreditava num espírito cósmico. Baixando os olhos para examinar as unhas, perguntou-me então se na minha família havia algum traço de uma certa raça estranha. Retruquei indagando se ela ainda desejaria casar-se comigo caso o avô materno de meu pai tivesse sido, por exemplo, um turco. Respondeu que não faria a menor diferença mas que, se algum dia descobrisse que eu não acreditava em

Nosso Deus Cristão, aí então se suicidaria. Disse isso com tal solenidade que me causou um arrepio. Foi quando compreendi que realmente se tratava de uma mulher de princípios.

Ah, ela era muito distinta: dizia "perdão" sempre que um arrotinho interrompia o curso fluente de suas palavras, nunca errava nas concordâncias e, ao falar com as amigas, referia-se a mim como o "senhor Humbert". Achei que a agradaria se entrasse na sociedade local com uma aura de sofisticação. No dia de nosso casamento, a coluna social do *Diário* de Ramsdale publicou uma pequena entrevista comigo, acompanhada de uma fotografia de Charlotte em que ela aparecia com uma das sobrancelhas bem erguidas e seu nome empastelado ("Hazer"). Apesar desse *contretemps*, a publicidade aqueceu seu coração de porcelana — e fez com que meus chocalhos de cascavel vibrassem com horrenda alegria. Tendo se dedicado durante os últimos vinte meses às obras da paróquia, além de se dar com as mães "bem" das colegas de Lô, Charlotte conseguira alcançar uma posição na comunidade que, se não chegava a ser proeminente, era ao menos razoável. Mas nunca antes aparecera naquela emocionante coluna, e quem a pôs lá fui eu — o sr. Edgar H. Humbert (pespeguei o "Edgar" por puro gozo), "escritor e explorador". O irmão de McCoo, ao tomar nota do que lhe dizia, perguntou-me quais os livros que eu havia escrito. O que quer que tenha respondido saiu publicado como "várias obras sobre Peacock, Rainbow e outros poetas". Constava também que nós nos conhecíamos havia muitos anos e que eu era um parente distante de seu primeiro marido. Dei a entender que tínhamos tido um caso amoroso treze anos antes, mas isso não foi registrado em letra de fôrma. Expliquei a Charlotte que as colunas sociais nunca seriam tão chiques se não contivessem uma porção de erros desse tipo.

Mas prossigamos com este curioso relato. Será que, ao ser chamado a desfrutar de minha promoção de inquilino a amante, só experimentei amargura e repulsão? Não. O sr. Humbert confessa ter sentido sua vaidade afagada, uma vaga ternura e até mesmo um frêmito de remorso a percorrer delicadamente o aço de seu punhal conspiratório. Jamais imaginara que a sra. Haze — tão ridícula quanto bonita, com aquela fé inquebrantável nas virtudes de sua igreja e de seu clube literário, com aqueles maneirismos verbais, com aquela atitude ríspida, fria e desdenhosa para com sua adorável filhinha de doze anos e braços aveludados — pudesse transformar-se numa criatura tão comovedora e indefesa a partir do momento em que a tomei em meus braços, o que aconteceu no umbral do quarto de Lolita, enquanto ela recuava, trêmula, repetindo: "Não, não, por favor, não".

A transformação tornou-a mais bela. Seu sorriso, antes tão artificial, passou a exibir o brilho da mais absoluta adoração — um brilho que tinha algo de suave e úmido, no qual eu reconhecia, embevecido, certa semelhança com o olhar perdido, adoravelmente fútil, com que Lô agraciava um novo tipo de sundae ou silenciosamente admirava meus ternos caros, sempre feitos sob medida. Profundamente fascinado, ficava observando Charlotte enquanto ela discorria junto com outras matronas sobre as agruras maternais e fazia aquela careta nacional de resignação feminina (os olhos voltados para cima, a boca retorcida para o lado) que, em sua forma infantil, eu já vira no rosto da própria Lô. Com a ajuda do uísque que tomávamos antes de deitar, eu conseguia evocar a filha ao acariciar a mãe. Naquele ventre branco minha ninfeta havia sido um peixinho todo encurvado em 1934. Aqueles cabelos cuidadosamente pintados, tão estéreis para meus sentidos de tato e olfato, adquiriam, sob o dossel da cama e em certos ângulos da luz do abajur, se não a textura, ao menos o matiz dos cachos de Lolita. Enquanto manuseava aquela esposa novinha em folha e de tamanho família, ficava me repetindo que, em termos biológicos, estava tão próximo de Lolita quanto jamais estaria; que, com a idade da Lolita, a Lotte havia sido uma colegial tão desejável quanto sua filha, assim como o seria algum dia a filha de Lolita. Fiz com que minha esposa desencavasse de sob uma coleção de sapatos (aparentemente, o sr. Haze era maluco por sapatos) um álbum de fotografias de trinta anos atrás, para que eu pudesse ver como era Lotte em criança; e, apesar da luz defeituosa e dos vestidos sem graça, pude vagamente perceber a primeira versão do corpo, das pernas, das maçãs do rosto, do nariz arrebitado de Lolita. Lottelita, Lolitchen.

Assim, tratei de dar algumas olhadas furtivas por sobre as sebes dos anos, através de pálidas vidraças. Mas quando, por força de carícias pateticamente ardentes e ingenuamente lascivas, a Charlotte de nobres mamilos e coxas maciças me preparava para o desempenho de meu dever noturno, era ainda um rastro de ninfeta que eu procurava captar em desespero, enquanto me lançava, ganindo, através da vegetação rasteira de sombrias florestas em decomposição.

Simplesmente não tenho palavras para dizer quão gentil, quão comovedora minha pobre esposa se revelou. Ao tomarmos o café da manhã na claridade deprimente da cozinha — com seus cintilantes metais cromados, sua folhinha de loja de ferragens e seu "cantinho aconchegante" (imitando o nicho do restaurante chinfrim onde, nos tempos de universidade, Charlotte e Humbert costumavam namorar) —, ela ficava sentada, envolta num peignoir vermelho, o cotovelo fincado no tampo de fórmica da mesa, o rosto pousado sobre a mão, olhando-me com intolerável ternura enquanto eu consumia meus ovos com bacon. O rosto de Humbert podia estar contorcido por conta de alguma nevralgia, mas aos olhos dela rivalizava, em beleza e animação, o sol e as sombras das folhas que se agitavam na alva superfície da geladeira. Minha exasperação solene era, para ela, o silêncio do amor. Minha pequena renda, acrescida à sua (ainda menor), impressionava-a como se fosse uma fabulosa fortuna; não só porque a quantia resultante dava agora para cobrir as necessidades normais de um casal de classe média, mas porque até mesmo meu dinheiro brilhava a seus olhos com a magia de minha virilidade, e ela via nossa conta conjunta como uma dessas avenidas tropicais que, ao meio-dia, têm uma calçada mergulhada em densas sombras e a outra totalmente banhada em sol, seguindo assim até um ponto distante onde montanhas cor-de-rosa assomam no horizonte.

Charlotte comprimiu, nos cinqüenta dias em que coabitamos, as atividades de muitos anos. A pobre mulher dedicou-se de corpo e alma a uma infinidade de coisas que havia muito desistira de fazer ou nas quais nunca tivera maior interesse, como se eu (para prolongar esses ecos proustianos), ao casar com a mãe da criança que amava, houvesse permitido que Charlotte adquirisse por procuração um novo sopro de juventude. Com o entusiasmo banal de qualquer jovem esposa, ela começou a "embelezar o lar". Conhecendo de cor, como conhecia, cada canto — desde aqueles tempos em que, de minha cadeira, eu traçava mentalmente o percurso de Lolita através de todos os aposentos —, eu havia criado uma espécie de relação emocional com a casa, com sua própria feiúra e falta de higiene, e agora quase podia sentir a coitadinha encolher-se de horror diante do banho de decoração e reformas que Charlotte planejava dar-lhe. Graças a Deus, ela nunca chegou até esse ponto, mas gastou um bocado de energia lavando as cortinas e encerando as venezianas, para depois comprar novas cortinas e venezianas, devolvendo-as à loja e substituindo-as por outras, e assim por diante, num constante *chiaroscuro* de rostos sorridentes e cenhos franzidos, de certezas e decepções. Vivia às voltas com amostras de chita e de cretone. Mudou as cores do sofá — o sofá sagrado em que uma bolha de paraíso havia um dia estourado dentro de mim em câmera lenta. Rearrumou os móveis, e ficou contente ao descobrir, num tratado sobre prendas domésticas, que "não é obrigatório manter de cada lado do sofá mesinhas e abajures idênticos". Seguindo os ensinamentos da autora de *Seu lar é você*, passou a odiar as cadeirinhas de encosto inclinado e as mesas de pés de palito. Achava que um aposento com amplas janelas e paredes ricamente cobertas de *boiserie* constituía o tipo perfeito de ambiente masculino, enquanto o tipo feminino era caracterizado por janelas estreitas e painéis mais leves de madeira. Os romances que costumava ler quando eu cheguei tinham sido substituídos por catálogos ilustrados e manuais de decoração. De uma firma situada no número 4640 da avenida Roosevelt, na Filadélfia, encomendou para nossa cama de casal um "colchão adamascado, com trezentos e doze molas" — embora o velho me parecesse bastante elástico e durável para o que quer que tivesse de suportar.

Nascida no Meio-Oeste, como também seu ex-marido, ela não tinha vivido na recatada Ramsdale, essa pérola incrustada num estado do Leste, o tempo suficiente para se dar com todas as pessoas de gabarito social. Conhecia ligeiramente o jovial dentista que morava numa espécie de castelo de madeira, quase em ruínas, atrás de nosso gramado. Encontrara num chá paroquial a esposa "metida a besta" do comerciante de ferro-velho, proprietário da pavorosa mansão branca, em estilo supostamente colonial, que se erguia na esquina da avenida. Vez por outra fazia uma "visitinha" à velha que morava na casa em frente. Mas as matronas mais aristocráticas que ela visitava, ou encontrava em festas beneficentes ou para quem telefonava — figuras elegantes como as sras. Glave, Sheridan, McCrystal e Knight, entre outras —, raramente vinham à casa de minha enjeitada Charlotte. Na verdade, as únicas pessoas com quem ela mantinha relações realmente cordiais, destituídas de qualquer *arrière-pensée* ou interesses secundários, eram os Farlow, que regressaram de uma viagem de negócios ao Chile a tempo de assistir a nosso casamento, juntamente com os Chatfield, os McCoo e outros mais (mas não a sra. Ferro-Velho ou a ainda mais presunçosa sra. Talbot). John Farlow era um homem de meia-idade, tranqüilo, tranqüilamente atlético, tranqüilamente bem-sucedido como comerciante de artigos esportivos, cujo escritório ficava em Parkington, a uns sessenta quilômetros de distância; foi ele quem me arranjou as balas para aquele Colt e, certo domingo, me mostrou como usá-lo durante um passeio que fizemos no campo; como dizia sorrindo, era também advogado nas horas vagas e já cuidara de alguns negócios de Charlotte. Jean, sua esposa (e também sua prima irmã), era mais moça que ele, uma mulher de pernas e braços longos, óculos em forma de máscara de arlequim, com dois cachorros boxer, dois seios pontudos e uma grande boca vermelha. Pintava — paisagens e retratos — e lembro-me vividamente de haver elogiado, enquanto tomávamos coquetéis, o retrato que ela fez de uma sobrinha sua, a pequena Rosaline Honeck, uma belezinha rosada em uniforme de bandeirante, boina de lã verde, cinto trançado também verde, cachos encantadores que caíam até os ombros. John tirou o cachimbo da boca e declarou que era uma pena que Dolly (minha Dolita) e Rosaline não se dessem bem na escola, embora tivesse a esperança de que as coisas iriam melhorar quando ambas voltassem de seus respectivos acampamentos. Conversamos sobre a escola. Tinha seus defeitos, mas também suas virtudes. "Naturalmente, aqui na cidade há um número grande demais de comerciantes italianos", disse John, "mas, por outro lado, até agora fomos poupados da presença de..." "Eu bem que gostaria", interrompeu Jean com uma risada, "que a Dolly e a Rosaline estivessem passando o verão juntas." Subitamente imaginei Lô voltando do acampamento — bronzeada, ardente, sonolenta, entorpecida — e por pouco não chorei de paixão e de impaciência.

19

Algumas palavras mais acerca da sra. Humbert enquanto tudo vai bem (muito em breve ocorrerá um grave acidente). Sempre soube que o temperamento dela era possessivo, mas nunca imaginei que Charlotte pudesse ter tantos ciúmes de tudo em minha vida que não se relacionasse com ela. Mostrava uma curiosidade intensa e insaciável a respeito de meu passado. Queria que eu ressuscitasse todos os meus antigos amores apenas para obrigar-me a insultá-los, pisoteá-los, abjurá-los numa apostasia total e definitiva, destruindo assim meu passado. Forçou-me a falar sobre meu casamento com Valéria, que era na verdade uma criatura extraordinariamente risível; mas também tive de inventar, ou enfeitar com mentiras atrozes, uma longa série de romances para satisfazer a curiosidade mórbida de Charlotte. A fim de contentá-la, apresentei um catálogo ilustrado dessas amantes, todas cuidadosamente diferenciadas segundo as regras estabelecidas por aqueles anúncios americanos em que qualquer grupo de estudantes deve sempre refletir uma sutil dosagem de raças, de tal modo que um deles — só um, mas sempre muito engraçadinho — é um menino cor de chocolate, de olhos bem redondos, sentado quase no centro da primeira fila. Assim fiz desfilar minhas mulheres — a loura langorosa, a morena escaldante, a ruiva sensual —, todas sorrindo e se rebolando como se estivessem se exibindo num bordel. Quanto mais vulgares as fazia parecer, mais a sra. Humbert apreciava o espetáculo.

Nunca em minha vida confessei tanto e ouvi tantas confissões. A sinceridade e candura com que ela discutia o que chamava de sua "vida amorosa", desde os primeiros beijos até o vale-tudo conubial, contrastavam fortemente, do ponto de vista ético, com minhas torrenciais invencionices, mas tecnicamente tinham uma origem comum — novelas radiofônicas, psicanálise e romances baratos —, na qual eu ia buscar minhas personagens e ela seu modo de expressão. Diverti-me consideravelmente com certos notáveis hábitos sexuais do falecido Harold Haze, mas Charlotte condenou minha hilaridade. Fora disso, sua autobiografia era tão desprovida de interesse quanto o poderia ser sua autópsia. Nunca vi mulher mais saudável do que ela, apesar das dietas para emagrecer.

Raramente ela se referia a minha Lolita — mais raramente, de fato, do que falava do bebê louro, de traços indistintos, cuja fotografia, com exclusão de qualquer outra, adornava nosso despojado quarto de dormir. Num de seus devaneios de mau gosto, predisse que a alma do menininho morto voltaria à terra sob a forma da criança que ia nascer de nossa união. E, embora eu não sentisse nenhuma ânsia especial de acrescentar à linhagem dos Humbert uma reprodução da obra de Harold (com um frêmito incestuoso, eu passara a considerar Lolita como *minha* filha), ocorreu-me que um longo trabalho de parto numa boa maternidade, seguido de uma bela cesariana e outras complicações, bem poderia permitir que, na próxima primavera, eu ficasse a sós com minha Lolita durante várias semanas — e entupisse a impotente ninfeta de pílulas para dormir.

Ah, ela simplesmente detestava a filha! O que eu considerava ainda mais odioso é que se dava ao trabalho de responder com grande afinco aos questionários de um livro imbecil que havia na casa (*Guia para o desenvolvimento de seu filho*, publicado em Chicago). A besteirada cobria vários anos e a mãezinha devia preencher um tipo de inventário a cada aniversário de seu rebento. No décimo segundo de Lô, no dia 1º de janeiro de 1947, Charlotte Haze, *née* Becker, havia sublinhado os seguintes dez adjetivos entre os quarenta disponíveis sob a rubrica "A personalidade de seu filho": agitada, agressiva, argumentadora, desatenta, desconfiada, impaciente, inquisitiva, irritadiça, negativista (sublinhado duas vezes) e teimosa. Havia ignorado os trinta outros adjetivos, dentre os quais constavam alegre, ativa, cooperativa, e assim por diante. Era realmente enlouquecedor. Com uma brutalidade que, em outras ocasiões, nunca transparecia no temperamento suave de minha amorosa esposa, ela atacava e enxotava os pequenos pertences de Lô que vagavam pela casa e se deixavam ficar num ou noutro canto como coelhinhos hipnotizados. Mal sabia a boa senhora que certa manhã, quando uma indisposição gástrica (resultado de meus esforços para melhorar seus molhos) me impedira de acompanhá-la à igreja, eu a traí com uma das soquetes de Lolita. E nem falo de sua atitude com relação às saborosas cartas de minha querida!

Mamãe e Papai queridos,
    Espero que vocês estejam bem. Obrigada pelas balinhas. Eu [alguma coisa riscada e escrita de novo] perdi minha suéter nova no mato. Tem feito frio aqui nos últimos dias. Tenho me muito. Beijos.

Dolly

"A idiota", disse a sra. Humbert, "esqueceu de escrever uma palavra antes de 'muito'. Aquela suéter era de pura lã, e gostaria que você não mandasse balas para ela sem antes me consultar."

20

A alguns quilômetros de Ramsdale há um lago no meio da floresta e, durante uma grande onda de calor no final de julho, íamos até lá de automóvel todos os dias. Devo agora descrever, com pormenores enfadonhos, a última vez que nadamos juntos naquele lago, numa manhã tropical de terça-feira.

Deixamos o carro num estacionamento próximo da estrada e seguimos rumo ao lago por uma picada aberta na floresta de pinheiros. No caminho, Charlotte contou-me que Jean Farlow, à procura de efeitos de luz especiais (ela pertencia à velha escola de pintura), tinha visto o Leslie dando um mergulho "vestido de ébano" (a piada era de John) às cinco horas da manhã do domingo anterior.

"A água", comentei, "devia estar um bocado fria."

"Não é essa a questão", disse minha racional e condenada esposa. "Você sabe, ele é retardado. E", continuou, com aquele jeito meticuloso de escolher as palavras que já estava começando a abalar minha saúde, "tenho a nítida sensação de que nossa Louise está apaixonada por aquele débil mental."

Sensação. "Temos a sensação de que Dolly não está obtendo resultados" etc. (extraído de um boletim escolar).

O casal Humbert continuou seu caminho, ambos de sandálias e roupões de banho.

"Sabe de uma coisa, Hum? Eu tenho um sonho muito ambicioso", declarou lady Hum, curvando a cabeça sob o peso de tão grandiloqüente sonho e comunicando-se com o chão amarelado. "Eu adoraria conseguir uma criada realmente de classe, como aquela moça alemã de quem os Talbot falaram. E que dormisse lá em casa."

"Não tem lugar", comentei.

"Ora", ela disse com seu melhor sorriso enigmático, "certamente, *chéri*, você está subestimando as possibilidades de nossa casa. A empregada ficaria no quarto de Lô. De qualquer maneira, estou pensando em transformar aquele buraco num quarto de hóspedes. É mesmo o mais frio e mais acanhado de toda a casa."

"Que é que você está dizendo?", perguntei, a pele de meu rosto se retesando (só me dou ao trabalho de anotar isso porque a pele de minha filha reagia da mesma forma quando ela sentia o que eu estava sentindo: incredulidade, repugnância, irritação).

"Você está preocupado com alguma recordação romântica?", indagou minha esposa, aludindo a sua primeira rendição.

"Claro que não", exclamei. "Só quero saber onde é que você vai pôr sua filha quando chegar o hóspede ou a empregada."

"Oh", disse a sra. Humbert, sorrindo com ar sonhador, prolongando o "Oh" enquanto ao mesmo tempo erguia uma sobrancelha e deixava escapar um leve sopro. "Receio muito que a Lô não faça parte de meus planos, nem um pouquinho. A Lô sai direto do acampamento para um bom colégio interno, onde haja uma disciplina rigorosa e um sólido ensino religioso. E daí para a Universidade Beardsley. Já planejei tudo, não precisa se preocupar."

Acrescentou que teria de vencer sua preguiça habitual e escrever para a irmã da srta. Phalen, que dava aulas na Escola de Santa Algebra. O lago apareceu, reluzente. Disse que havia esquecido meus óculos no carro e que me encontraria com ela logo depois.

Sempre pensei que "torcer as mãos" fosse um gesto só encontrado em obras de ficção — quem sabe o obscuro vestígio de algum ritual da Idade Média; mas, ao entrar na mata para uns minutos de desespero e de desesperada meditação, era esse o gesto ("Vede, Senhor, estes grilhões!") que melhor expressaria sem palavras meu estado de espírito.

Caso se tratasse de Valéria, em vez de Charlotte, eu saberia como manejar a situação, e *manejar* é a palavra exata que desejo. Nos velhos e bons tempos, bastava uma ligeira torção no frágil pulso da gorda Valechka (o que se quebrara num tombo de bicicleta) para que ela mudasse de idéia instantaneamente; mas qualquer coisa do gênero era impensável com relação a Charlotte. A suave Charlotte, com seu jeito tranqüilo de americana, me assustava. O sonho frívolo de controlá-la por meio de sua paixão por mim era inteiramente falso. Não ousava fazer nada que conspurcasse a imagem que fizera de mim e sobre a qual baseava sua adoração. Eu a havia bajulado quando era a cruel governanta de minha querida, e algo de rastejante persistia em minha atitude para com ela. O único trunfo de que dispunha era sua ignorância acerca do monstruoso amor que eu tinha por Lô. O fato de que Lô gostava de mim a irritava, mas os meus próprios sentimentos ela não podia adivinhar. A Valéria eu poderia ter dito: "Olha aqui, sua gorda idiota, *c'est moi qui décide* o que é bom para a Dolores Humbert". Para Charlotte, não podia nem ao menos dizer (com uma calma insinuante): "Desculpe-me, querida, não estou de acordo. Vamos dar mais uma chance à menina. Deixe que eu seja o tutor dela por um ou dois anos. Você mesma me disse um dia...". Na verdade, não podia dizer coisa alguma a Charlotte sobre a criança sem me trair. Ah, os senhores não podem imaginar (como eu nunca imaginara) o que são essas mulheres de princípios! Charlotte, que era incapaz de perceber a falsidade de todas as convenções e regras de comportamento usadas no cotidiano — a falsidade dos alimentos, dos livros, das pessoas a quem amava —, distinguiria de imediato uma entonação espúria em qualquer coisa que eu pudesse dizer a fim de manter Lô junto a mim. Ela era como um desses músicos que, no dia-a-dia, revela-se um indivíduo abominavelmente vulgar, destituído de tato e de bom gosto, mas que notará com diabólica precisão a menor nota falsa de uma orquestra. Para dobrar a vontade de Charlotte, teria de partir-lhe o coração. Se partisse seu coração, a imagem que fazia de mim também se partiria. Se lhe dissesse: "Ou bem faço o que quiser com a Lolita e você me ajuda a manter a coisa em segredo, ou nos separamos nesse instante", ela teria ficado tão pálida quanto uma estatueta de vidro leitoso e teria respondido lentamente: "Muito bem, mesmo que você acrescente ou retire qualquer palavra, está tudo acabado". E estaria mesmo acabado.

Era essa a enrascada em que eu estava metido. Lembro que cheguei ao estacionamento e bombeei do poço um punhado de água com gosto de ferrugem, que bebi avidamente como se ela pudesse me oferecer, num passe de mágica, sabedoria, juventude, liberdade e uma minúscula concubina. Durante algum tempo, envolto nas vestes purpurinas, os pés balançando, fiquei sentado na borda de uma das rústicas mesas, sob os pinheiros arquejantes. Duas meninas de shorts e bustiê saíram de uma cabana salpicada de sol cuja porta anunciava "Mulheres". Mascando chicletes, Mabel (ou sua sósia) trepou laboriosamente, distraidamente, na bicicleta e Marion, sacudindo os cabelos por causa das moscas, montou na garupa, as pernas bem abertas; balançando de um lado para o outro, lentamente, distraidamente, fundiram-se na luz e na sombra. Lolita! Pai e filha dissolvendo-se naqueles bosques! A solução natural era dar cabo da sra. Humbert. Mas como?

Homem nenhum pode cometer o crime perfeito, mas o acaso pode fazê-lo. Tomemos como exemplo o célebre assassinato de uma certa mme. Lacour, em Arles, no Sul da França, em fins do século passado. Um desconhecido barbudo, de um metro e oitenta e tantos (que mais tarde se presumiu fosse amante da referida senhora), acercou-se dela numa rua cheia de gente, pouco após seu casamento com o coronel Lacour, e a matou com três punhaladas nas costas, enquanto o coronel, um homenzinho atarracado como um buldogue, ferrava os dentes no braço do assassino. Por uma bela e miraculosa coincidência, no exato instante em que o bandido estava prestes a livrar-se das mandíbulas do enfurecido esposo (e quando muitos passantes já se aproximavam do grupo), um italiano excêntrico, que morava na casa mais próxima ao local do crime, acionou acidentalmente uma carga de explosivos que estava manipulando naquele momento e transformou a rua num pandemônio de fumaça, tijolos cadentes e pessoas em fuga. A explosão não feriu ninguém (tendo apenas jogado ao chão nosso bravo coronel Lacour), mas o vingativo amante correu quando os outros correram... e viveu feliz para sempre.

Agora vejam o que acontece quando a própria parte interessada planeja uma remoção perfeita.

Caminhei de volta para o lago. O lugar onde nós e alguns outros casais "finos" nos banhávamos (os Farlow, os Chatfield) era uma espécie de pequena enseada, que minha querida Charlotte costumava chamar de "nossa praia particular". A principal área de natação (ou "de afogamento", como o *Diário* de Ramsdale teve ocasião de dizer) ficava do lado esquerdo do lago (a leste), não podendo ser vista de nossa prainha. À direita, os pinheiros cedo davam lugar a uma zona pantanosa, que formava uma larga curva até voltar a ser substituída pela floresta no lado oposto.

Sentei tão silenciosamente junto a minha esposa que ela tomou um susto.

"Vamos cair?", ela perguntou.

"Daqui a um minuto. Estou completando um pensamento."

Pensei. Passou-se mais de um minuto.

"Muito bem. Vamos."

"Eu fazia parte desse pensamento?"

"Claro que sim."

"Espero que sim", disse Charlotte, entrando na água, que logo atingiu a pele arrepiada de suas grossas coxas; e então, juntando as mãos estendidas, fechando bem a boca, o rosto sem encantos sob a touca preta de borracha, Charlotte atirou-se para a frente com grande estardalhaço.

Nadamos lentamente rumo ao centro reluzente do lago.

Na margem oposta, pelo menos a mil passos de distância (supondo que alguém pudesse andar sobre as águas), dava para distinguir as minúsculas figuras de dois homens que trabalhavam como castores no seu trecho de praia. Sabia exatamente quem eram eles: um policial aposentado de origem polonesa e um encanador, também aposentado, a quem pertencia a maior parte da madeira existente naquele lado do lago. E também sabia que, pelo simples e melancólico prazer de fazer alguma coisa, eles estavam construindo um embarcadouro.

O som das marteladas que vinha até nós era totalmente despropor-
cional aos braços e ferramentas dos dois anõezinhos; na verdade,
tinha-se a impressão de que o encarregado daqueles efeitos acrossôni-
cos não se entendia bem com o responsável pelo teatro de marionetes,
sobretudo porque o robusto som de cada diminuta martelada chegava depois de sua versão visual.

A estreita faixa de areia branca de "nossa" praia — da qual já nos
tínhamos afastado um bom pedaço para atingir as águas mais profundas — ficava vazia nos dias de semana. Não havia ninguém à volta,
exceto aquelas duas pequenas e atarefadas figuras na margem oposta e
um aviãozinho particular, vermelho-escuro, que zuniu por cima de
nossas cabeças e desapareceu no azul. O cenário era realmente perfeito para um rápido e borbulhante assassinato, com uma vantagem
adicional: o agente da lei e o homem da água estavam suficientemente
próximos para testemunhar um acidente e suficientemente distantes
para não observar um crime. Suficientemente próximos para ouvir
um banhista desesperado espadanando água e gritando para que alguém viesse ajudá-lo a salvar sua mulher que se afogava; e suficientemente distantes para não perceber (se por acaso olhassem cedo demais) que o banhista, o qual nada tinha de desesperado, estava apenas
prendendo sua mulher com as pernas debaixo d'água. Eu não havia
chegado ainda a esse estágio: só desejo mostrar a facilidade do ato, a
excelência do local! E ali estava minha Charlotte, nadando com apli-
cação e pouco estilo (era uma sereia medíocre), mas não sem um certo prazer solene (afinal de contas, tinha um tritão a seu lado). Com a
lucidez total de uma reminiscência futura (os senhores sabem, quando se tenta ver as coisas tal como a gente se lembrará de tê-las visto),
contemplando a brancura luzidia de seu rosto respingado de água, tão
pouco bronzeado apesar de todas as horas passadas sob o sol, os lábios
pálidos, a testa convexa sob a touca justa, o pescoço carnudo e molhado, eu sabia que bastava ficar um pouco para trás, respirar fundo e
agarrá-la pelos tornozelos, mergulhando rapidamente com meu
cadáver cativo. Digo cadáver porque a surpresa, o pânico e a inexperiência fariam com que ela imediatamente ingerisse um volume letal
de lago, enquanto eu poderia permanecer pelo menos um minuto debaixo d'água, com os olhos bem abertos. O gesto fatal cruzou o negrume do imaginado crime como o rastro de uma estrela cadente. Era
como um terrível balé silencioso, o bailarino segurando sua parceira
pelo pé e com ela varando a líquida penumbra. Eu poderia subir à

tona para tomar ar enquanto a mantinha presa dentro d'água, mergulhando de volta tantas vezes quantas fossem necessárias, e só me permitindo gritar por socorro depois que a cortina descesse de vez para ela. E, quando uns vinte minutos depois as duas marionetes, cada vez maiores, se aproximassem num bote a remo pintado apenas pela metade, a pobre sra. Humbert Humbert, vítima de uma cãibra ou de um ataque cardíaco, ou de ambos, estaria boiando de cabeça para baixo no fundo lodoso, uns dez metros abaixo da sorridente superfície do lago.

Simples, não? Mas e daí? A verdade, minha gente, é que eu não era capaz de fazer a coisa.

Ela nadava a meu lado, uma foca confiante, desajeitada, e toda a lógica da paixão urrava em meus ouvidos: é agora! E, no entanto, minha gente, não me sentia em condições de fazê-lo. Sem nada dizer, voltei em direção à margem e obedientemente, gravemente, ela voltou também, enquanto os demônios continuavam a aconselhar-me aos berros. Mas eu não era capaz de afogar a pobre, escorregadia e volumosa criatura. Os berros foram se tornando mais e mais remotos à medida que me dava conta do fato melancólico de que nem amanhã, nem na sexta-feira, nem em qualquer outro dia ou outra noite, eu encontraria forças para matá-la. Ah, era capaz de me visualizar esbofeteando Valéria até que seus seios saíssem do alinhamento, ou a ferindo de qualquer outra maneira, assim como podia me ver, não menos claramente, dando um tiro no ventre de seu amante e obrigando-o a sentar-se com um "akh!". Mas não podia matar Charlotte — especialmente quando a situação talvez não fosse assim tão desesperadora quanto me havia parecido à primeira vista naquela miserável manhã. Se a pegasse pelos pés, que batiam com força na água; se visse seu olhar de espanto e ouvisse sua voz lancinante; se ainda assim fosse até o fim da provação, seu fantasma me perseguiria pelo resto da vida. Se estivéssemos em 1447, e não em 1947, quem sabe eu teria tapeado minha natureza pacífica e lhe administrado algum veneno clássico, guardado num anel de ágata, ou algum filtro de efeito lento e fatal. Mas, em nossa era pequeno-burguesa e intrometida, a coisa não teria se passado como nos suntuosos palácios de outrora. Nos dias de hoje, para ser um assassino é preciso ser antes um cientista. Não, não, eu não era uma coisa nem outra. Senhoras e senhores membros do júri, quase todos os pervertidos sexuais que anseiam por uma latejante relação com alguma menininha (sem dúvida pontuada de ternos gemidos, mas não chegando necessariamente ao coito) são seres inofensivos, inadequados, passivos e tímidos, que apenas pedem à comunidade que lhes permita entregar-se a seu comportamento supostamente aberrante mas praticamente inócuo, que lhes deixe executar seus pequenos, úmidos e sombrios atos privados de desvio sexual sem que a polícia e a sociedade os persigam. Não somos tarados! Não cometemos estupros, como o fazem muitos bravos guerreiros! Somos seres infelizes, meigos, de olhar canino, suficientemente bem integrados para saber controlar nossos impulsos na presença de adultos, mas prontos a trocar anos e anos de vida pela oportunidade de acariciar uma ninfeta. Positivamente, não somos assassinos: os poetas nunca matam. Ah, minha pobre Charlotte, não me odeie no seu paraíso eterno, em meio a uma eterna alquimia de asfalto, borracha, metal e pedra — mas, graças a Deus, sem uma gota d'água, sem uma única gota d'água!

Não obstante, para ser muito objetivo, a coisa ficou por um triz. E, como não podia faltar, chegamos agora à moral da parábola do crime perfeito.

Sentamos sobre nossas toalhas debaixo do sol sedento. Ela olhou a seu redor, desatou o sutiã do maiô de duas peças e deitou-se de bruços, a fim de permitir que suas costas se regalassem. Disse que me amava. Deu um fundo suspiro. Esticou o braço e remexeu no bolso do roupão à procura dos cigarros. Sentou-se e fumou. Examinou o ombro direito. Beijou-me pesadamente, a boca aberta ainda cheirando a fumo. De repente, de sob os arbustos e pinheiros a nossas costas, rolou pela ribanceira uma pedra, e depois outra.

"Ah, são esses garotos cretinos e bisbilhoteiros", disse Charlotte, apertando o amplo sutiã contra os seios e voltando a deitar-se de barriga para baixo. "Vou ter que falar sobre isso com o Peter Kriestovski."

Da boca da picada veio um farfalhar de ramos, um ruído de passos e Jean Farlow desceu até nós com seu cavalete e seu material de pintura.

"Você nos pregou um susto", disse Charlotte.

Jean explicou que se instalara lá em cima, num esconderijo verde, espionando a natureza (os espiões costumam ser fuzilados), tentando terminar uma paisagem, mas a coisa não ficou boa, ela não tinha mesmo talento nenhum (o que era a pura verdade). "E você, Humbert, já tentou pintar alguma vez?" Charlotte, que tinha um pouco de ciúmes de Jean, queria saber se John também viria.

Sim, viria. Vinha almoçar em casa. Tinha-a deixado lá a caminho de Parkington e a pegaria de volta dentro de alguns minutos. Que manhã maravilhosa! Sempre achava que era uma traição deixar o Cavall e o Melampus amarrados num dia assim tão bonito. Sentou-se sobre a areia branca, entre mim e Charlotte. Estava de shorts. Suas pernas longas e trigueiras me atraíam tanto quanto as de uma égua alazã. Mostrava as gengivas ao sorrir.

"Eu quase pus vocês no meu lago", ela disse. "Até notei uma coisa que vocês não repararam. Você", continuou, dirigindo-se a Humbert, "estava usando seu relógio de pulso, estava mesmo, sim senhor!"

"À prova d'água", disse Charlotte mansamente, fazendo uma boca de peixe.

Jean pousou meu pulso sobre seu joelho e examinou o presente de Charlotte, recolocando depois a mão de Humbert sobre a areia, palma para cima.

"Quer dizer que de lá você podia ver tudo", observou Charlotte com um jeito faceiro.

Jean suspirou. "Uma vez vi duas crianças, um menino e uma menina, tendo relações aqui mesmo, na hora do pôr-do-sol. As sombras deles eram gigantescas. Sem falar no senhor Tomson, bem cedinho de manhã. Da próxima vez sou capaz de ver o gordo Ivor vestido de marfim. Ele é realmente uma figura, aquele homem. Outro dia me contou uma história absolutamente indecente sobre seu sobrinho. Parece..."

"Olá, pessoal", disse John se aproximando.

21

Meu hábito de ficar em silêncio quando estou aborrecido — ou, mais exatamente, a fria e escamosa qualidade de minha irritação silenciosa — costumava deixar Valéria apavorada. Choramingava e gemia, dizendo: "Ce qui me rend folle, c'est que je ne sais à quoi tu penses quand tu es comme ça". Tentei fazer o mesmo com Charlotte, mas ela simplesmente continuava a chilrear ou me dava um tapinha debaixo do queixo. Era uma mulher incrível! Eu escapava para meu antigo quarto, agora transformado num verdadeiro "studio", murmurando que, afinal de contas, tinha um trabalho sério a fazer, e Charlotte continuava alegremente a embelezar a casa, a gorjear no telefone, a escrever cartas. De minha janela, através do brilho laqueado das folhas dos choupos, pude vê-la atravessar a rua e pôr na caixa de correio, com ar de grande satisfação, a carta para a irmã da srta. Phalen.

A semana de chuvas e sombras esparsas que se seguiu a nossa última visita às areias imóveis do lago foi uma das mais tristes de que tenho memória. Depois surgiram dois ou três pálidos raios de esperança, antes do derradeiro fulgor do sol.

Ocorreu-me que eu possuía um excelente cérebro, em perfeito estado de funcionamento, e que bem podia utilizá-lo. Se não ousava intrometer-me nos planos que minha mulher fazia com respeito a sua filha (cada dia mais ardente e bronzeada sob a luz esplêndida da irremediável distância), eu certamente podia encontrar alguma maneira genérica de afirmar-me perante ela, esperando a oportunidade de aplicar essa nova postura a algum objetivo específico. Certa noite, a própria Charlotte ofereceu-me uma chance.

"Tenho uma surpresa para você", ela disse, lançando-me um olhar carinhoso por sobre a colher cheia de sopa. "No outono, nós dois vamos à Inglaterra."

Engoli *minha* colherada de sopa, limpei os lábios com um papel cor-de-rosa (ah, o frescor dos ricos guardanapos do Hotel Mirana!) e disse:

"Também tenho uma surpresa para você, minha querida. Nós dois não vamos à Inglaterra."

"Por quê, qual é o problema?", ela perguntou, com mais surpresa do que eu esperava, olhando para minhas mãos (eu estava involuntariamente dobrando, rasgando, amassando e rasgando de novo o inocente guardanapo cor-de-rosa). No entanto, meu rosto risonho fez com que ela se acalmasse um pouco.

"O problema é muito simples", respondi. "Mesmo nos lares mais harmoniosos, como é o nosso, nem todas as decisões são tomadas pela dona de casa. Há certas coisas que compete ao marido decidir. Posso imaginar como você, uma saudável moça americana, ficaria feliz em cruzar o Atlântico no mesmo navio em que estivesse viajando a lady Bumble — ou Sam Bumble, o Rei da Carne Congelada, ou alguma vagabunda de Hollywood. E não duvido que você e eu poderíamos aparecer num belo anúncio de qualquer agência de viagens se nos fotografassem contemplando — você, com os olhos cintilantes de excitação, eu reprimindo minha invejosa admiração — os Sentinelas do Palácio, ou os Guardas Escarlates, ou os Comedores de

Castores, ou o que quer que se chamem. Mas acontece que eu sou alérgico à Europa, incluindo a velha e divertida Albion. Como você bem sabe, só tenho recordações muito tristes desse Velho Mundo apodrecido. E nenhum anúncio colorido nessas suas revistas vai mudar a situação."

"Meu querido", disse Charlotte. "Eu realmente..."

"Não, espere um minuto. Este assunto é meramente incidental. O que me preocupa é uma tendência geral. Quando você quis que eu passasse as tardes tomando sol no lago, em vez de trabalhar no meu livro, concordei tranqüilamente e me transformei, só para lhe dar prazer, num atleta bronzeado, ao invés de continuar a ser um intelectual e, digamos, um educador. Quando você me leva para jogar bridge e beber bourbon com o encantador casal Farlow, eu vou obedientemente. Não, por favor, espere. Quando você trata de decorar sua casa, não me meto com seus planos. Quando você decide... quando você decide uma porção de outras coisas, eu posso não concordar com algumas e até estar em total desacordo, mas não digo nada. Deixo passar as questões particulares. Mas não posso ignorar a tendência geral. Gosto muito de ser mandado por você, mas todos os jogos têm suas regras. Não estou zangado. Nem um pouquinho zangado. Não faça isso. Mas sou metade desse casal e, por menos que manifeste minhas vontades, mereço ter uma voz própria."

Dando a volta à mesa, ela se ajoelhara e, agarrada às minhas calças, balançava a cabeça lentamente mas com grande veemência. Disse que nunca havia imaginado. Que eu era seu mestre e senhor. Que Louise já tinha ido embora, que eu a possuísse ali mesmo. Disse que morreria se eu não a perdoasse.

Esse pequeno incidente encheu-me de alegria. Disse-lhe com toda a serenidade que não se tratava de pedir perdão, mas de corrigir sua maneira de ser. Resolvi aproveitar minha vantagem e passar um bom tempo distante e taciturno, trabalhando em meu livro — ou pelo menos fingindo que trabalhava.

A cama de armar de meu antigo quarto havia muito tinha revertido à condição de sofá (o que, no íntimo, sempre fora sua vocação), e Charlotte desde o início de nossa coabitação me avisara que o aposento se transformaria num verdadeiro "refúgio intelectual". Poucos dias após o Incidente Britânico, estava sentado numa nova e confortável poltrona, com um grande volume no colo, quando Charlotte bateu à porta com o dedo do anel e entrou compassadamente. Quão diferentes eram seus movimentos dos de minha Lolita, quando *ela* vinha visitar-me em seus jeans sujos, cheirando a pomares da ninfetolândia, desajeitada e aérea, vagamente depravada, a parte de baixo da blusa desabotoada. Mas há algo que cumpre reconhecer. Por trás da impetuosidade da pequena Haze e dos gestos comedidos da grande Haze, corria um riachinho de vida que tinha o mesmo sabor, o mesmo murmúrio. Um célebre médico francês disse certa feita a meu pai que, entre parentes próximos, os mais leves roncos gástricos possuem a mesma "voz".

Assim, Charlotte entrou compassadamente. Sentia que as coisas não iam bem entre nós. Nas duas últimas noites eu havia fingido cair no sono tão logo me deitara, levantando-me ao nascer do sol.

Perguntou, com toda a ternura, se não estava "interrompendo".

"No momento, não", respondi, virando de lado o volume C da *Enciclopédia das moças* para melhor inspecionar uma fotografia.

Charlotte caminhou até uma mesinha de madeira imitando mogno, com uma só gaveta, e pôs as mãos sobre ela. Sem dúvida a mesinha era feia, mas não lhe tinha feito nenhum mal.

"Eu sempre quis perguntar", ela disse (num tom seco, sem nada de faceiro), "por que essa gaveta vive trancada. Você quer mesmo que a mesa fique aqui no quarto? Ela é um horror."

"Deixa ela em paz", respondi. A essa altura eu estava acampando na Escandinávia.

"Você tem a chave?"

"Escondida."

"Ah, bom..."

"Cartas de amor que ninguém pode ler."

Ela me lançou um daqueles olhares de animal ferido que tanto me irritavam e depois, sem saber ao certo se eu estava falando a sério ou como continuar a conversa, ficou de pé durante várias páginas (Caminhadas, Canadá, Canivete, Canoagem) olhando para a janela, e não através dela, tamborilando na vidraça com suas afiadas unhas cor-de-rosa e amêndoa.

Mais tarde (em Cantil ou Caravana), aproximou-se devagar e sentou pesadamente, com a saia de tweed, no braço da poltrona, inundando-me com o mesmo perfume que minha primeira mulher costumava usar. "Vossa Excelência gostaria de passar o outono *aqui*?", perguntou, apontando com o dedo mínimo a fotografia de uma paisagem outonal num dos estados mais conservadores da costa leste.

"Por quê?" (isso dito com voz clara e pausada). Ela deu de ombros. (Provavelmente Harold tirava férias nessa época. Temporada de caça. Um reflexo condicionado da parte dela.)

"Acho que conheço esse lugar", ela disse, apontando ainda. "Lembro que há um hotel chamado Os Caçadores Encantados. Nome pitoresco, não é mesmo? A comida é divina. E ninguém chateia ninguém."

Roçou o queixo em minha têmpora. Valéria bem cedo havia desistido de fazer isso.

"Querido, você quer alguma coisa especial para o jantar? O John e a Jean vão passar por aqui mais tarde."

Respondi com um resmungo. Ela beijou meu lábio inferior e, declarando animadamente que ia fazer um bolo (subsistia a tradição, vinda de meus dias de inquilino, de que eu gostava de seus bolos), deixou-me entregue à ociosidade.

Colocando com cuidado o livro no lugar onde ela se sentara (ele tentou fechar-se numa grande onda, mas um lápis inserido entre as páginas travou o movimento), verifiquei o esconderijo da chave, aninhada envergonhadamente sob o caro aparelho de barba que eu usava antes que Charlotte me desse outro, bem melhor e mais barato. Seria aquele o esconderijo ideal — debaixo do aparelho, na ranhura do estojo forrado de veludo? O estojo ficava num pequeno malão, junto com papéis de negócio. Será que haveria um lugar melhor? Parece incrível, mas não é fácil esconder alguma coisa — sobretudo quando a mulher da gente tem mania de mexer nos móveis.

22

Acho que foi exatamente uma semana após nosso último mergulho no lago que chegou pelo correio a resposta da segunda srta. Phalen. Dizia que tinha acabado de regressar à Santa Algebra depois do enterro de sua irmã. "Eufêmia nunca voltou a ser a mesma depois que fraturou a bacia." Com respeito à filha da sra. Humbert, lamentava informar que já era tarde demais para matriculá-la naquele ano, mas estava praticamente certa de que, se o sr. e a sra. Humbert levassem Dolores lá em janeiro, seria possível conseguir sua admissão na escola.

No dia seguinte, depois do almoço, fui ver "nosso" doutor, um sujeito afável cuja simpatia no trato com os doentes e absoluta confiança em alguns poucos remédios ocultavam adequadamente sua ignorância (e desinteresse) em matéria de ciência médica. O fato de que Lô teria de voltar para Ramsdale era um tesouro de expectativa. Queria estar totalmente preparado para tal evento. Na verdade, havia iniciado minha campanha mais cedo, antes mesmo que Charlotte tivesse tomado aquela decisão cruel. Precisava estar seguro de que, após a volta de minha querida criança e até que a Santa Algebra a roubasse de mim, eu teria condições de, noite após noite, pôr duas criaturas para dormir tão profundamente que nenhum som ou toque as despertasse. Durante a maior parte do mês de julho eu havia feito uma série de experiências com vários soníferos, aplicando-os em Charlotte, que era uma grande consumidora de pílulas. A última dose que lhe dera (ela pensou que era uma coisinha leve apenas para acalmar os nervos) a havia derrubado por quatro horas consecutivas. Liguei o rádio a todo o volume. Focalizei sobre seu rosto uma fálica lanterna elétrica. Empurrei-a, belisquei-a, cutuquei-a — e nada havia perturbado o ritmo de sua respiração calma e profunda. No entanto, bastou que fizesse uma coisa tão simples quanto beijá-la para que ela acordasse imediatamente, tão fresca e forte quanto um polvo (escapei por pouco). Achei que assim não dava, tinha de arranjar algo mais seguro. De início, o dr. Byron não pareceu acreditar quando lhe disse que o último soporífero que me receitara não era páreo para minha insônia. Sugeriu que o experimentasse outra vez, e por um momento distraiu-me a atenção mostrando fotografias de sua família. Ele tinha uma filha fascinante, da idade de Dolly, mas percebi seu truque e insisti em que me receitasse a pílula mais potente que existisse no mercado. Ele sugeriu que eu jogasse golfe, mas por fim concordou em me dar algo que, segundo suas palavras, era "tiro e queda"; apanhou num armário um frasco de cápsulas roxas com uma banda cor de púrpura nas extremidades, as quais acabavam de ser lançadas e não se destinavam a esses neuróticos a quem um simples gole d'água administrado na hora certa é capaz de acalmar, mas aos grandes artistas insones, que necessitam morrer durante algumas horas a fim de viverem durante séculos. Adoro enganar os médicos e, embora vibrasse por dentro, guardei o vidro no bolso com um cético encolher de ombros. Incidentalmente, precisava tomar cuidado com ele. Certo dia, durante outra consulta, cometi um lapso estúpido e, havendo mencionado o nome de meu último sanatório, fiquei com a impressão de que as pontas de suas orelhas haviam estremecido. Não tendo o menor desejo de que Charlotte ou qualquer outra pessoa soubesse daquele período de minha vida, apressei-me em explicar que havia feito algumas pesquisas com doentes mentais para um romance que estava escrevendo. Mas não faz mal: o simpático charlatão sem dúvida tinha uma filhinha das mais adoráveis.

Saí do consultório em estado de graça. Dirigindo com um único dedo o carro de minha mulher, segui feliz para casa. Afinal de contas, até que Ramsdale tinha seu charme. As cigarras cantavam, um carro-pipa havia acabado de passar lavando a avenida. Suavemente, quase sedosamente, o carro dobrou nossa íngreme ruazinha. Tudo parecia perfeito naquele dia. Tão azul e verde. Sabia que o sol estava brilhando porque a chave da ignição se refletia no pára-brisa; e sabia que eram exatamente três e meia porque a enfermeira que todas as tardes vinha massagear a velha da casa em frente descia saltitante, com suas meias e sapatos brancos, pela calçada estreita. Como sempre, o histérico setter do sr. Ferro-Velho atacou o carro enquanto ele deslizava ladeira abaixo e, como sempre, o jornal local se achava na varanda, onde Kenny havia pouco o jogara.

Como no dia anterior eu havia terminado o regime de frieza que me impusera, ao abrir a porta da sala de visitas anunciei minha chegada com uma jovial saudação. A nuca branca e o coque cor de bronze voltados para mim, Charlotte, vestindo a blusa amarela e as calças marrons que usava no dia em que a conheci, estava sentada diante da escrivaninha de canto escrevendo uma carta. Segurando ainda a maçaneta, repeti meu caloroso alô. Sua mão parou de escrever. Ela ficou imóvel durante alguns segundos e depois virou-se lentamente na cadeira, apoiando o cotovelo sobre o espaldar curvo. Seu rosto, deformado pela emoção, não era algo bonito de se ver; com os olhos baixos, cravados em minha perna, ela disse:

"A mamãe Haze, a cadela gorda, a gata velha, a desmancha-prazeres, a... a idiota não está mais aqui para ser enganada por você. Ela pegou... ela pegou..."

Minha imparcial acusadora parou de falar, engolindo seu veneno e suas lágrimas. O que Humbert Humbert disse — ou tentou dizer — não é relevante. Ela continuou:

"Você é um monstro. Você é um impostor nojento, abominável, um criminoso. Se você chegar perto de mim, vou gritar pela janela. Saia daqui!"

Aqui também, creio eu, pode-se omitir o que quer que H. H. tenha murmurado.

"Vou embora essa noite mesmo. Tudo isso aqui é seu. Só que você nunca mais, mas nunca mais, vai ver aquela garota miserável outra vez. Sai dessa sala!"

Leitor, pois foi o que fiz. Subi para o ex-semi-studio. Com as mãos nos quadris, fiquei parado algum tempo na porta, inspecionando com toda a serenidade a mesinha violada e sua gaveta aberta, uma chave dependurada na fechadura, outras quatro espalhadas sobre o tampo. Atravessei o corredor, entrei no quarto de casal e calmamente retirei meu diário de sob o travesseiro de Charlotte, enfiando-o no bolso. Comecei então a descer as escadas, mas parei no meio: ela estava falando ao telefone, que ficava bem ao lado da porta da sala de visitas. Queria ouvir o que estava dizendo: cancelou uma encomenda qualquer e voltou para a sala. Controlei a respiração, atravessei o vestíbulo e entrei na cozinha, onde abri uma garrafa de uísque. Ela nunca resistia a um uísque. Caminhei até a sala de jantar e, através da porta entreaberta, contemplei as largas costas de Charlotte.

"Você está arruinando minha vida e a sua", disse com voz tranqüila. "Vamos nos comportar como pessoas civilizadas. Tudo isso não passa de uma alucinação sua. Você está maluca, Charlotte. As anotações que você encontrou fazem parte de um romance. Seu nome e o dela estão ali por mero acaso. Apenas porque estavam disponíveis. Pense bem. Vou lhe trazer um drinque."

Ela não respondeu nem se voltou em minha direção, continuando a escrever a todo o vapor. Aparentemente, uma terceira carta (em cima da escrivaninha já havia dois envelopes selados). Voltei para a cozinha.

Peguei dois copos (um brinde a Santa Algebra? a Lô?) e abri a geladeira. Ela rugiu furiosamente enquanto eu arrancava o gelo de seu coração. Reescreva tudo. Deixe-a ler outra vez. Não vai se lembrar dos detalhes. Modifique o texto, falsifique um novo. Escreva um pedaço e mostre para ela, ou deixe à vista. Por que as torneiras às vezes gemem de modo tão horrível? Realmente, uma situação horrível. Os blocos de gelo, em forma de travesseiro — travesseiros para o ursinho polar de pelúcia, Lô —, emitiram sons ásperos, crepitantes, torturados sob a água quente que os desprendia de suas celas. Empurrei um copo para junto do outro. Despejei o uísque e um pouco de soda. Ela havia proibido terminantemente minha bebida predileta, meu "abacagim". A geladeira continuou a latir e a se sacudir com estrondo. Carregando os dois copos, atravessei a sala de jantar e falei através da porta da sala de visitas, que estava quase encostada, não permitindo nem mesmo que eu enfiasse o cotovelo pela frincha.

"Preparei um drinque para você."

A maluca nem se dignou a responder e eu pousei os copos sobre o aparador, perto do telefone que havia começado a tocar.

"Quem fala aqui é o Leslie. Leslie Tomson", disse Leslie Tomson, aquele que apreciava um mergulho de manhãzinha. "A dona Charlotte acabou de ser atropelada e acho bom o senhor vir depressa para cá."

Respondi, talvez com certa irritação, que minha mulher estava sã e salva. Sem largar o receptor, empurrei a porta e disse:

"Tem um sujeito aqui dizendo que você foi morta, Charlotte."

Mas não havia mais nenhuma Charlotte na sala de visitas.

23

Corri para fora. O outro lado de nossa íngreme ruazinha apresentava um espetáculo insólito. Um grande e reluzente Packard preto subira no gramado em declive da vizinha da frente, formando um ângulo com a calçada (onde se via uma manta escocesa), e lá se deixara ficar, brilhando ao sol, as portas abertas como asas, as rodas dianteiras encravadas num renque de verdes arbustos. À direita anatômica do carro, sobre a grama recém-aparada, um senhor idoso de bigodes brancos, bem vestido — jaquetão cinza, gravata-borboleta de bolinhas —, estava deitado de costas, suas longas pernas bem juntas, parecendo uma estátua de cera. Tenho de reproduzir o impacto daquela visão instantânea por meio de uma seqüência de palavras, mas seu acúmulo físico na página faz com que se perca a nitidez da percepção global: a manta amarfanhada, o carro, o manequim sobre a grama, a enfermeira correndo com um copo semivazio de volta à varanda, onde se poderia imaginar que a decrépita senhora, aprisionada em meio aos travesseiros que lhe sustentavam o corpo, estivesse soltando gritos lancinantes, mas não suficientemente fortes para abafar os latidos ritmados do setter que corria de um lado para o outro — dos vizinhos que já se agrupavam na calçada em volta da manta axadrezada para o carro que ele enfim conseguira conquistar, e daí para outro grupo no gramado, composto de Leslie, dois policiais e um homem atarracado com óculos de aros de tartaruga. Caberia aqui explicar alguns pontos: o rápido aparecimento dos policiais, pouco mais de um minuto após o acidente, se devia ao fato de que estavam multando os carros estacionados irregularmente numa ruela transversal, a dois quarteirões de distância; o sujeito de óculos chamava-se Frederick Beale, Jr., e era quem dirigia o Packard; seu pai, de setenta e nove anos, que a enfermeira acabara de regar no barranco gramado onde se achava estendido — a bem dizer, um banqueiro desbancado —, não estava à beira da morte, mas, pelo contrário, se recuperava confortável e metodicamente de um ligeiro ataque cardíaco ou da mera possibilidade de tal ataque; e, por fim, a manta na calçada (de cujas rachaduras esverdeadas Charlotte muitas vezes se queixara para mim) escondia os restos mutilados da sra. Humbert, que havia sido atropelada e arrastada alguns metros pelo carro de Beale ao atravessar a rua correndo para pôr três cartas na caixa de correio, que ficava diante do gramado da vizinha da frente. As cartas foram apanhadas do chão e entregues a mim por uma linda menina, que usava um enxovalhado vestido cor-de-rosa. Livrei-me delas rasgando-as em pedacinhos dentro do bolso da calça.

Pouco depois, três médicos e o casal Farlow entraram em cena e tomaram conta da situação. O viúvo, um homem de nervos de aço, não chorou nem se desesperou. Cambaleou um pouco, é verdade; mas só abriu a boca para dar as informações e instruções que eram estritamente necessárias para a identificação, exame e remoção do corpo, cujo topo da cabeça se transformara num mingau de ossos, massa cinzenta, cabelos cor de bronze e sangue. O sol ainda era uma bola vermelha e ofuscante no céu quando seus dois amigos, o atencioso John e a Jean de olhos úmidos, fizeram-no deitar-se na cama de Dolly, enquanto eles próprios, para não deixá-lo sozinho, foram dormir no quarto dos Humbert — embora, creio eu, talvez não tenham passado uma noite tão casta quanto o exigia a solenidade da ocasião.

Não tenho nenhum motivo para estender-me, nestas memórias tão especiais, acerca das formalidades pré-funerárias que tiveram de ser cumpridas, ou mesmo do enterro, que foi tão discreto quanto o tinha sido o casamento. No entanto, cabe relatar alguns eventos ocorridos nos quatro ou cinco dias que se seguiram à singela morte de Charlotte.

Eu estava tão bêbado na minha primeira noite de viuvez que dormi tão profundamente quanto a criança que costumava ocupar aquela cama. De manhã, apressei-me a examinar os pedaços de carta que tinham ficado em meu bolso. Estavam tão misturados que era impossível separá-los em três conjuntos completos. Presumi que "...e é melhor que você trate de achá-la, porque não posso comprar..." pertencia a uma carta endereçada a Lô; outros fragmentos pareciam indicar que Charlotte tencionava fugir com Lô para Parkington, ou até mesmo de volta para Pisky, a fim de impedir que o abutre se abatesse sobre seu precioso cordeirinho. Outras tiras e retalhos (nunca pensei que tivesse garras tão afiadas) claramente se referiam a um pedido de matrícula, não em Santa Algebra, mas num outro colégio interno cujos métodos eram tão rígidos, tão sombrios e deprimentes (conquanto oferecesse às alunas o privilégio de jogarem croqué sob os olmos), que era conhecido como "Reformatório de Moças". Finalmente, a terceira missiva sem dúvida havia sido dirigida a mim, pois havia frases do gênero "...após um ano de separação, nós poderemos..." e "...ah, meu adorado, ah, meu..." e "...pior do que se tivesse sido uma amante sua..." e "...ou talvez eu morra...". De modo geral, porém, esses pequenos achados não faziam muito sentido: os vários fragmentos daquelas três cartas escritas às pressas estavam tão embaralhados na palma de minha mão como o haviam estado na cabeça da pobre Charlotte.

Naquele dia, John tinha de encontrar-se com um freguês e Jean precisava dar comida aos cachorros, razão pela qual eu deveria ficar temporariamente privado da presença deles. Meus bons amigos achavam que eu podia suicidar-me caso ficasse sozinho e, como não havia mais ninguém disponível (a velha da frente estava incomunicável, os McCoo encontravam-se ocupados na construção de uma nova casa a vários quilômetros dali e os Chatfield haviam sido recentemente chamados ao Maine para resolver um problema de família), Leslie e Louise foram encarregados de me fazer companhia sob o pretexto de ajudar-me a separar e empacotar um monte de coisas orfanadas. Num momento de suprema inspiração, mostrei ao bondoso e crédulo casal Farlow (estávamos esperando que Leslie chegasse para seu encontro amoroso remunerado com Louise) um pequeno retrato de Charlotte que encontrara entre seus papéis. Encarapitada no topo de uma pedra, ela sorria através dos cabelos revoltos pelo vento. A foto havia sido tirada em abril de 1934 — uma primavera memorável. Durante uma visita de negócios aos Estados Unidos, eu tivera ocasião de passar vários meses em Pisky. Lá nos encontramos — e vivemos uma paixão avassaladora. Infelizmente, eu era casado e ela estava noiva do Harold Haze, mas, depois que voltei para a Europa, nos correspondemos em segredo por intermédio de uma amiga, já falecida.

Murmurando que ouvira alguns rumores sobre isso, Jean examinou a foto e, olhando-a ainda, passou-a às mãos de John, que tirou o cachimbo da boca para melhor contemplar a bela e impetuosa Charlotte Becker antes de entregar-me o instantâneo. Depois disso, ausentaram-se durante algumas horas. No porão, a bem-aventurada Louise já estava arrulhando e ralhando com seu namorado.

Os Farlow mal haviam saído quando chegou um padre de queixo azulado. Procurei fazer com que a conversa fosse tão breve quanto possível sem ferir seus sentimentos ou despertar suspeitas. Sim, dedicaria toda a minha vida ao bem-estar da criança. Aliás, aqui está o pequeno crucifixo que Charlotte Becker me deu quando éramos jovens. Eu tinha uma prima em Nova York, uma senhora solteirona de excelente formação. Lá encontraríamos um bom colégio particular para a Dolly. Ah, o Humbert era mesmo um espertalhão!

Na certeza de que Leslie e Louise a relatariam a John e Jean, simulei, em voz altíssima e com grandes recursos cênicos, uma longa ligação interurbana com Shirley Holmes. Ao regressarem, caíram como patinhos quando lhes contei, de forma deliberadamente confusa e nervosa, que Lô tinha partido para uma excursão de cinco dias com um grupo de meninas e não poderia ser contatada até sua volta.

"Meu Deus", disse Jean, "o que é que vamos fazer?"

John disse que era muito simples: pediria que a polícia de Climax localizasse o grupo de excursionistas, o que não tomaria nem uma hora. De fato, ele conhecia a região e...

"Olha", continuou, "eu sigo de carro para lá agora mesmo e você pode dormir com a Jean..." (na verdade, não foi isso que ele disse, mas Jean apoiou com tal entusiasmo sua idéia que o resto poderia estar implícito).

Fingi que estava desesperado. Implorei a John que deixasse as coisas como estavam. Disse que não agüentaria ver a menina vagando pela casa, soluçando, agarrando-se a mim, ela era tão sensível, a experiência poderia marcá-la pelo resto da vida, os psiquiatras conhecem bem esses casos... Houve uma pausa repentina.

"Bem, você é o doutor", disse John com certa rispidez. "Mas, afinal de contas, eu era o amigo e conselheiro de Charlotte. Seria bom saber, de qualquer modo, o que você pensa fazer com a menina."

"John", exclamou Jean, "ela é filha dele, e não do Harold Haze. Será que você não entendeu? O Humbert é o verdadeiro pai da Dolly."

"Entendi", disse ele. "Desculpe-me. Está bem, agora entendi. Não tinha me dado conta. Claro, isso simplifica muito as coisas. Você mesmo é que tem de decidir o que vai fazer."

O perturbado pai disse então que apanharia sua delicada filha logo depois do enterro, e que faria todo o possível para que ela se distraísse em algum ambiente bem diferente, quem sabe uma viagem ao Novo México ou à Califórnia — obviamente, desde que ele sobrevivesse àquela dor.

Personifiquei com tamanho brio artístico a calma que nasce do mais profundo desespero, o silêncio que precede a explosão de demência, que os impecáveis Farlow me levaram para a casa deles. Tinham uma boa adega, tanto quanto são boas as adegas neste país, e isso foi útil, pois eu temia a visita da insônia e de um fantasma.

Cumpre agora explicar as verdadeiras razões pelas quais preferia manter Dolores afastada. De início, naturalmente, quando Charlotte foi eliminada e voltei para casa na condição de pai liberado, bebendo de um gole os dois uísques com soda que havia preparado, além de meio litro de meu "abacagim", e fugindo depois para o banheiro a fim de escapar dos vizinhos e amigos, uma única coisa ocupava minha mente e minhas artérias: a idéia de que, dentro de poucas horas, vertendo lágrimas que eu beijaria antes que elas tivessem tempo de marejar seus olhos, a cálida Lolita de cabelos castanhos, a minha e só minha Lolita estaria em meus braços. Mas, enquanto me encontrava postado diante do espelho, de olhos arregalados e rosto afogueado, John Farlow bateu de leve na porta para perguntar se eu estava bem — e imediatamente compreendi que seria uma loucura de minha parte tê-la em casa com toda essa gente intrometida a andar daqui para ali e a fazer planos para arrancá-la de mim. A própria Lô — quem sabe? — poderia demonstrar alguma desconfiança absurda, uma súbita aversão, um medo vago de mim — e eu perderia o troféu mágico na hora mesma do triunfo.

Por falar em intrometidos, tive outra visita — a do amigo Beale, o sujeito que havia eliminado minha esposa. Solene e enfadonho, parecendo um assistente de carrasco com suas bochechas de buldogue, seus olhinhos pretos, seus óculos de aro grosso e suas narinas conspícuas, foi trazido até mim pelo John, que depois, fechando a porta com grande tato, nos deixou a sós. Declarando com voz suave que seus dois filhos gêmeos eram colegas de escola de minha enteada, meu grotesco visitante desenrolou um enorme diagrama que fizera do acidente. Como teria dito minha enteada, era "superbacana", com setas impressionantes e linhas pontilhadas de várias cores. A trajetória da sra. H. H. era ilustrada por uma série de silhuetas femininas usadas como ajuda visual em quadros estatísticos. De maneira absolutamente clara e decisiva, essa trajetória cruzava com uma linha sinuosa, de traçado forte, que representava duas mudanças bruscas de direção: a primeira quando Beale desviou-se do cachorro do sr. Ferro-Velho (o cachorro não estava indicado por nenhuma figurinha apropriada), e a segunda, praticamente uma continuação exagerada da anterior, quando ele tentou evitar a tragédia. Uma cruz em tinta preta marcava o lugar em que a pequena silhueta finalmente fora parar na calçada. Procurei alguma marcação semelhante que mostrasse o local do gramado onde a grande estátua de cera do pai de meu visitante ficara estendida, mas não constava do diagrama. Não obstante, o referido senhor havia assinado o documento, na qualidade de testemunha, debaixo dos nomes de Leslie Tomson, da vizinha da frente e de algumas outras pessoas.

Com seu lápis voando para lá e para cá acima do papel, tal qual um ágil e delicado beija-flor, Frederick demonstrou sua absoluta inocência e a imprudência de minha esposa: enquanto ele tentava desviar-se do cachorro, ela escorregara no asfalto recém-molhado e caíra para a frente, quando deveria ter se jogado para trás (Fred mostrou o que ela devia ter feito, contorcendo o torso aumentado pelas ombreiras do paletó). Concordei em que ele certamente não era culpado, e o inquérito policial confirmou minha opinião.

Resfolegando fortemente através de suas negras e tensas narinas, ele sacudiu a cabeça e apertou-me a mão; depois, com um ar de impecável savoir-vivre e cavalheiresca generosidade, ofereceu-se para pagar as despesas da casa funerária. Esperava que eu recusasse o oferecimento, mas o aceitei com um soluço alcoolizado de gratidão. Apanhado de surpresa, repetiu lentamente, incredulamente, o que havia dito. Agradeci de novo, ainda mais efusivamente do que antes.

Essa estranha conversa aliviou, por um momento, o torpor que pesava sobre minha alma. E não era para menos! Eu acabara de encontrar-me face a face com o agente do destino. Tinha tocado a própria carne do destino — assim como suas ombreiras. Uma mutação brilhante e monstruosa se produzira repentinamente, e ali estava seu instrumento. Em meio à complexidade da trama (dona de casa apressada, uma peste de cachorro, ladeira íngreme, carro grande, orangotango ao volante), podia discernir vagamente minha própria e infame contribuição. Se eu não tivesse sido tão idiota — ou um gênio tão intuitivo — a ponto de guardar aquele diário, os fluidos produzidos pela ira vingativa e pela vergonha escaldante não haveriam cegado Charlotte em sua corrida rumo à caixa de correio. Mas, mesmo se a tivessem cegado, talvez nada houvesse acontecido se o destino meticuloso, esse fantasma sincronizador, não tivesse misturado em seu alambique o carro e o cachorro, o sol e a sombra, o fraco e o forte, a pedra e a pressa. Adeus, Marlene! O cerimonioso e balofo aperto de mão do destino (tal como encenado por Beale antes de sair da sala) arrancou-me de meu torpor, e comecei a chorar. Senhoras e senhores membros do júri — eu chorei.

24

Quando olhei a meu redor pela última vez, uma súbita rajada de vento despenteava as copas dos olmos e dos choupos, sobre a branca torre da igreja de Ramsdale pairava uma nuvem prenhe de chuva. Rumo a aventuras desconhecidas, eu estava deixando a lívida casa onde alugara um quarto havia apenas dez semanas. As cortinas de bambu — práticas e baratas — já tinham sido baixadas. Como dizia o anúncio, na varanda ou dentro de casa, sua rica textura representa um toque moderno de elegância. Sem elas, a mansão celestial deve parecer bastante nua. Um pingo de chuva caiu sobre meus dedos. Enquanto John punha as malas no carro, por alguma razão entrei de novo na casa, e então aconteceu uma coisa engraçada. Não sei se nestas trágicas memórias acentuei suficientemente o efeito peculiar que a bela aparência do autor — pseudocéltica, atraentemente simiesca, juvenilmente máscula — exercia sobre as mulheres de qualquer idade ou meio social. Evidentemente, declarações desse tipo feitas na primeira pessoa podem soar ridículas. Mas, vez por outra, sou obrigado a recordar ao leitor minha aparência assim como um escritor de segunda categoria, que deu a uma personagem determinado maneirismo ou um cachorro, continua a evocar esse cachorro ou aquele maneirismo sempre que a personagem reaparece ao longo do livro. Talvez, neste caso, haja razões mais relevantes. Toda esta história só pode ser compreendida se meus traços sombrios e atraentes forem levados em conta. O que a púbere Lô sentiu diante dos encantos de Humbert só era comparável ao que sentia ao ouvir aquelas músicas sincopadas; a adulta Lotte amou-me com uma paixão madura e possessiva, que hoje eu deploro e respeito mais do que ouso admitir. Jean Farlow, que tinha trinta e um anos e era absolutamente neurótica, aparentemente também havia caído por mim. Ela era bonita, como pode ser bonito um índio esculpido em madeira, com sua tez de terra de Siena queimada. Seus lábios eram como enormes pólipos encarnados e, quando soltava sua risada especial (que lembrava um latido), punha à mostra os dentões opacos e as pálidas gengivas.

Era muito alta, usava slacks com sandálias ou saias largas com sapatilhas, tomava bebidas fortes em quantidades industriais, fizera dois abortos, escrevia histórias sobre animais, pintava (como bem sabe o leitor) paisagens lacustres, já trazia dentro de si o câncer que a mataria aos trinta e três anos, e não me atraía nem um pouquinho. Imaginem, pois, meu espanto quando, poucos segundos antes que eu partisse (estávamos ambos no vestíbulo), Jean, com seus dedos permanentemente trêmulos, pegou-me pelas têmporas e, com lágrimas nos brilhantes olhos azuis, tentou, sem êxito, colar-se a meus lábios.

"Cuide bem de você", ela disse, "e beije sua filha por mim."

Um trovão reboou pela casa, e ela acrescentou:

"Talvez algum dia, em algum lugar, numa ocasião menos triste, nós vamos nos encontrar outra vez." (Jean, onde quer que você esteja, o que quer que você seja, num espaço-tempo negativo ou num tempo-alma positivo, perdoe-me por tudo isso, inclusive pelo parêntese.)

E, alguns instantes depois, eu estava apertando as mãos dos dois na calçada da íngreme ruazinha, e tudo rodopiava e voava diante da aproximação do dilúvio branco, e um caminhão com um colchão da Filadélfia rodava confiantemente ladeira abaixo rumo a uma casa vazia, e a poeira corria e revoluteava sobre aquela laje de pedra onde, quando alguém levantou a manta escocesa para que eu a visse, Charlotte surgira toda encolhida, seus olhos intactos, os cílios negros ainda úmidos e emaranhados — como os seus, Lolita.

25

Seria de supor que, removidos todos os obstáculos, diante da perspectiva de beatitudes delirantes e ilimitadas, eu me houvesse acomodado mentalmente, com um suspiro de prazeroso alívio. *Eh bien, pas du tout!* Em vez de aquecer-me sob os raios do Destino sorridente, sentia-me perseguido por um sem-número de dúvidas e receios puramente éticos. Por exemplo: não causaria espécie o fato de que Lô era sistematicamente impedida de participar das funções festivas e fúnebres que envolviam seus familiares mais próximos? Lembrem-se de que ela não assistira a nosso casamento. Outra coisa: mesmo se admitindo que fora o longo e cabeludo braço do Acaso que eliminara uma mulher inocente, não seria possível que, num rompante de idolatria, sua irmã gêmea, a Coincidência, houvesse entregue a Lô uma mensagem prematura de pêsames? Na verdade, o acidente só fora noticiado pelo *Diário* de Ramsdale — nada havendo aparecido na *Gazeta* de Parkington ou na *Tribuna* de Clímax, uma vez que o Acampamento Q ficava em outro estado e as mortes locais não costumam ter projeção nacional; mas não podia deixar de imaginar que, de uma forma ou de outra, Dolly Haze já houvesse sido informada e, no momento mesmo em que ia apanhá-la no acampamento de férias, estivesse sendo levada de carro para Ramsdale por amigos que eu desconhecia. Mais inquietantes ainda que todas essas conjeturas e preocupações era o fato de que Humbert Humbert, um imigrante de obscuras origens européias que só recentemente se tornara cidadão norte-americano, não havia tomado qualquer providência para obter a tutela legal da filha de sua falecida esposa, embora a menina tivesse apenas doze anos e sete meses. Será que eu algum dia ousaria fazê-lo? Sentia um calafrio cada vez que me imaginava inteiramente nu, cercado por misteriosos estatutos, sob o brilho fulgurante do direito consuetudinário.

Meu plano era uma obra-prima de arte primitiva: iria às pressas para o Acampamento Q, diria a Lolita que sua mãe estava prestes a ser submetida a uma grave operação num hospital imaginário, e depois circularia com minha sonolenta ninfeta de hotel em hotel enquanto sua mãe se recuperava lentamente, até que, certo dia, anunciaria que ela havia morrido de repente. No entanto, à medida que me aproximava do acampamento de férias, minha ansiedade só fazia crescer. Não podia suportar o pensamento de que ela já tivesse partido — ou, pelo contrário, que encontraria uma outra Lolita, amedrontada, implorando pela presença de algum velho amigo da família: não o casal Farlow, graças a Deus, porque mal os conhecia, mas quem sabe haveria outras pessoas de que eu nunca tivesse ouvido falar. Por fim, decidi fazer a chamada interurbana que tão bem simulara alguns dias antes. Chovia torrencialmente quando parei num subúrbio lamacento de Parkington, um pouquinho antes da bifurcação onde se tomava a estrada que fazia o contorno da cidade e, cruzando uma serra, levava ao lago Clímax e ao Acampamento Q. Desliguei o motor e fiquei sentado um bom minuto atrás do volante, tomando coragem para fazer a chamada e contemplando a chuva, a calçada cheia de poças, um hidrante: na verdade, um monstro horrível, que estendia os tocos de seus braços vermelhos para que a chuva os fizesse brilhar, enquanto gotas estilizadas de sangue tombavam sobre suas correntes prateadas. Não surpreende que haja um tabu proibindo as pessoas de estacionarem ao lado desses aleijões aterradores. Dirigi até um posto de gasolina. Uma surpresa me esperava depois que a última das moedas tilintou satisfatoriamente no fundo do aparelho e permitiu que uma voz respondesse à minha.

Holmes, a diretora do acampamento, informou-me que Dolly saíra na segunda-feira (estávamos na quarta) para uma excursão com seu grupo e só voltaria naquela tarde. Será que eu me incomodaria de chegar amanhã, e qual era mesmo o motivo... Sem entrar em pormenores, disse que sua mãe tinha sido hospitalizada, que seu estado era grave, que a menina não devia saber que era grave e que deveria estar pronta para partir comigo na tarde do dia seguinte. As duas vozes se despediram numa explosão de calorosa simpatia e, devido a alguma falha mecânica, todas as moedas caíram de volta com o barulhinho metálico de quem ganhou no caça-níqueis. Quase caí na risada, malgrado a decepção de ter de adiar minha felicidade. Dá para pensar se aquela repentina descarga, aquele reembolso espasmódico, não estava de certa forma correlacionada, na mente do sr. McKarma, com o fato de que eu tinha inventado a pequena excursão antes mesmo de saber que ela estava sendo realizada.

Que fazer, então? Segui para o centro comercial de Parkington e passei toda a tarde (o céu se havia limpado, a cidade, ainda molhada, brilhava como se fosse feita de prata e de cristal) comprando coisas bonitas para Lô. Deus meu, que compras mais malucas Humbert foi compelido a fazer graças à patética predileção que tinha, naquela época, por tecidos em padrão escocês, algodões de cores vivas, babados, mangas curtas e bufantes, pregas suaves, corpetes justos e saias generosamente rodadas! Ah, Lolita, você é a minha namorada, como Virgínia o foi de Poe e Beatriz de Dante — e qual a menininha que não amaria sair por aí rodopiando com uma calcinha de algodão e uma saia axadrezada? Vozes persuasivas me perguntavam se eu tinha alguma coisa especial em mente. Maiôs? Temos de todas as cores. Rosa-sonho, água-marinha gelada, malva-glande, vermelho-tulipa, preto-u-lá-lá. Que tal calções de esporte? Combinações? Nada de combinações: Lô e eu tínhamos horror a combinações.

Uma das coisas que me orientavam nesse terreno eram as anotações antropométricas feitas por sua mãe quando Lô completou doze anos (o leitor lembrar-se-á do livro *Guia para o desenvolvimento de seu filho*). Tinha a impressão de que Charlotte, movida por obscuros impulsos de inveja e antipatia, acrescentara alguns centímetros aqui, meio quilo acolá; mas, como a ninfeta sem dúvida havia crescido ao longo dos últimos sete meses, achei que podia confiar na maior parte das medidas de janeiro: quadris, setenta e quatro centímetros; coxas (logo abaixo do sulco glúteo), quarenta e três; batata da perna e pescoço, vinte e oito; busto, sessenta e nove; braço, vinte; cintura, cinqüenta e oito; altura, um metro e quarenta e cinco; peso, trinta e cinco quilos e quatrocentos gramas; silhueta, linear; QI, 121; apêndice vermiforme presente, graças a Deus.

Obviamente, mesmo sem a ajuda daquelas medidas eu era capaz de visualizar Lolita com uma lucidez alucinatória. Sentia ainda, no esterno, um formigamento naquele ponto em que, por uma ou duas vezes, o topo sedoso de sua cabeça me tocara na altura do coração. Como também sentia o peso cálido de seu corpo em meu colo (de modo que, em certo sentido, eu estava sempre "grávido de Lolita" tal qual uma mãe está grávida de seu futuro rebento), não é de surpreender que meus cálculos mais tarde se revelassem bastante corretos. Além disso, tendo estudado um catálogo de modas de verão, foi com ar de grande conhecedor que examinei uma infinidade de artigos de vestuário, sapatos esporte, tênis e mocassins de pelica para garotas apaixonadas. A moça supermaquiada e vestida de preto que me ajudou a satisfazer aquelas urgentes necessidades aquisitivas transformava a erudição paterna e as descrições precisas em eufemismos comerciais, do tipo "corte bem moderninho". Outra vendedora — muito mais velha, ainda mais pesadamente maquiada, mas vestida de branco — parecia estranhamente impressionada com meu conhecimento de modas juvenis. Quem sabe minha amante era uma anã... Por isso, quando me mostraram uma saia com dois bolsos "adoráveis" na frente, eu propositadamente fiz uma ingênua pergunta masculina e fui recompensado com uma demonstração sorridente de como funcionava o zíper na parte de trás da saia. Depois disso, diverti-me intensamente com uma série de calcinhas e calções — pequenos fantasmas de Lolita dançando, caindo e se despetalando em cima do balcão. Completamos a compra com uns castos pijamas de algodão. Humbert, insigne defensor da castidade.

Há um toque de mitologia e encantamento nessas enormes lojas onde, segundo os anúncios, uma jovem secretária pode comprar tudo o que precisa para o trabalho e o lazer, e onde sua irmãzinha pode sonhar com o dia em que sua suéter de lã vai deixar babando os garotões sentados no fundo da sala de aula. Crianças de matéria plástica em tamanho natural, com narizes arrebitados e rostos verde-oliva salpicados de marrom, flutuavam como faunos a meu redor. Dei-me conta de que era o único freguês naquele lugar algo sinistro, onde me movia como um peixe em glauco aquário. Pressenti estranhos pensamentos na mente das lânguidas senhoras que me escoltavam de um balcão para o outro, de um rochedo escarpado para as algas marinhas, e os cintos e pulseiras que escolhia pareciam tombar das mãos de sereias na água transparente. Comprei finalmente uma valise elegante, mandei que pusessem dentro dela todas as minhas preciosas aquisições e segui para o hotel mais próximo, plenamente satisfeito com meu dia.

Por algum motivo, sem dúvida relacionado com aquela tranqüila e poética tarde de meticulosas compras, lembrei-me do hotel de nome sedutor — Os Caçadores Encantados — mencionado por Charlotte pouco antes de minha libertação. Com a ajuda de um guia turístico, localizei-o numa cidadezinha afastada de tudo, Briceland, a quatro horas de carro do acampamento de Lô. Poderia ter telefonado, mas, receando que não pudesse controlar minha voz e acabasse tartamudeando num inglês arrevesado, decidi mandar um telegrama reservando um quarto com duas camas para a noite seguinte. Estava me saindo um Príncipe Encantado dos mais cômicos, bisonhos e hesitantes! Meus leitores certamente haverão de rir se lhes contar como foi difícil escrever aquele telegrama! O que deveria dizer? Humbert e sua filha? Humberg e sua filhinha? Homberg e menina impúbere? Homburg e menor de idade? O curioso erro — o *g* no fim de meu nome —, que finalmente constou da mensagem, talvez fosse um eco telepático de minhas hesitações.

E depois, nas trevas aveludadas daquela noite de verão, minhas ruminações sobre o filtro que tinha em meu poder! Ah, como era avarento esse tal de Hamburg! Pois acaso não havia se transformado, ao deliberar sobre a caixinha de munições mágicas, num verdadeiro

Caçador Encantado? Para afugentar o dragão da insônia, não deveria ele próprio tentar uma daquelas cápsulas de ametista? Havia quarenta delas — ou seja, quarenta noites com uma frágil menina a dormir junto a meu corpo latejante. Seria eu capaz de me privar de uma única dessas noites a fim de dormir? Certamente não: era muito mais valiosa cada minúscula ameixa, cada planetário microscópico com sua poeira de estrelas. Ah, permitam-me que eu seja repugnantemente sincero ao menos esta vez! Estou cansado de ser cínico.

26

Preocupa-me a dor de cabeça diária no ar opaco dessa prisão tumular, mas tenho de perseverar. Escrevi mais de cem páginas e não cheguei ainda a lugar nenhum. As datas se confundem em minha memória. Isso deve ter acontecido por volta de 15 de agosto de 1947. Acho que não posso continuar. Coração, cabeça... tudo. Lolita, Lolita, Lolita, Lolita, Lolita, Lolita, Lolita, Lolita, Lolita. Tipógrafo, repita, por favor, até preencher toda a página.

27

Ainda em Parkington. Finalmente, consegui cochilar durante uma hora, sendo despertado por uma absurda e horrivelmente cansativa relação sexual com um minúsculo hermafrodita cabeludo que jamais vira em toda a minha vida. A essa altura, já eram seis horas da manhã e ocorreu-me de repente que seria uma boa idéia chegar ao acampamento mais cedo do que anunciara. De Parkington até o acampamento ainda havia uns cento e sessenta quilômetros a percorrer, e bem mais do que isso para atravessar a serra e chegar a Briceland. Só havia dito que apanharia Dolly à tarde porque minha imaginação insistia em que a noite misericordiosa deveria descer o mais cedo possível sobre minha impaciência. Mas agora antevia mal-entendidos de todo tipo e tremia de medo ao pensar que meu atraso poderia permitir que ela, por falta do que fazer, desse uma chamada para Ramsdale. No entanto, quando tentei partir às nove e meia, deparei-me com uma bateria descarregada, e o sol já ia a pino quando por fim disse adeus a Parkington.

Cheguei a meu destino lá pelas duas e meia; estacionei o carro num bosque de pinheiros, onde um solitário rapazola ruivo, de camisa verde e jeito endiabrado, jogava ferraduras com um ar de poucos amigos; segui suas lacônicas indicações e bati à porta do escritório, situado numa casinha revestida de estuque; quase morto de angústia, tive de aturar durante vários minutos a comiseração inquisitiva da diretora do acampamento, uma mulher gasta e relaxada, de cabelos cor de ferrugem. Ela disse que Dolly havia arrumado suas coisas e estava pronta para partir. Sabia que sua mãe estava doente, mas desconhecia a gravidade da situação. O sr. Haze, perdão, o sr. Humbert gostaria de conversar com os supervisores do acampamento? Ou dar uma olhada nos dormitórios das meninas (cada qual dedicado a uma das personagens de Walt Disney)? Ou visitar a sala de jogos? Ou preferia que Charlie fosse buscá-la imediatamente? As meninas estavam acabando de arrumar o refeitório para um baile. (E, mais tarde, talvez ela diria a alguém: "O infeliz parecia um fantasma".)

Permitam-me que me detenha por um momento naquela cena, com todos os seus pormenores triviais e fatídicos: a decrépita Holmes emitindo um recibo, coçando a cabeça, puxando uma gaveta, despejando umas moedas em minha mão impaciente e, por fim, cobrindo-a cuidadosamente com uma nota, acompanhada de um sonoro: "...e cinco!"; fotografias de meninas; uma vistosa borboleta ou mariposa, ainda viva, espetada firmemente na parede ("estudo da natureza"); o diploma emoldurado da nutricionista do acampamento; minhas trêmulas mãos; uma ficha apresentada pela eficiente Holmes com um relatório sobre o comportamento de Dolly Haze no mês de julho ("de regular para bom; interessada em natação e canoagem"); o som de árvores e passarinhos; as batidas fortes de meu coração... Eu estava de pé, as costas voltadas para a porta, e de repente senti que o sangue me subia à cabeça aos borbotões quando ouvi sua respiração e sua voz atrás de mim. Ela chegou arrastando e batendo sua pesada mala. "Oi!", ela disse, e ficou parada, olhando-me com um olhar ao mesmo tempo furtivo e alegre, os lábios macios entreabertos num sorriso algo tolo mas maravilhosamente encantador.

Ela estava mais magra e mais alta, e por um segundo seu rosto pareceu-me menos bonito do que a imagem mental que eu guardara com tanto carinho por mais de um mês: as maçãs do rosto estavam mais salientes e um excesso de sardas camuflava seus traços rústicos e rosados. Aquela primeira impressão (um brevíssimo intervalo humano entre duas pulsações de tigre feroz) indicava claramente que tudo o que o pobre viúvo Humbert Humbert devia fazer, queria fazer ou iria fazer era proporcionar àquela orfãzinha de ar abatido (apesar do bronzeado do sol), *aux yeux battus* (pois mesmo as sombras plúmbeas sob seus olhos eram pontilhadas de sardas), uma boa educação, uma infância sadia e feliz, um lar asseado, alegres companheiras de sua idade dentre as quais (se as divindades se dignassem recompensar-me) eu poderia encontrar, quem sabe, uma encantadora *Mägdlein* que só pertenceria ao Herr *Doktor* Humbert. Mas, "num piscar de olhos", como dizem os alemães, essa linha de conduta angélica se apagou e eu alcancei minha presa (o tempo é mais rápido do que nossas fantasias!), e ela voltou a ser minha Lolita — na verdade, mais minha Lolita do que nunca. Deixei que minha mão pousasse sobre seus cálidos cabelos castanhos e apanhei a mala. Ela era toda rosa e mel, no seu mais luminoso vestido de algodão com pequenos desenhos de maçãs rubras, e seus braços e pernas eram cor de bronze dourado, com arranhões que mais pareciam linhas pontilhadas de rubis coagulados, e as soquetes brancas estavam dobradas na altura de sempre, e — por causa de seu andar infantil ou porque em minha memória ela sempre usava sandálias e sapatilhas — os sapatos escolares me pareceram um pouco grandes, os saltos demasiadamente altos para ela. Adeus, Acampamento Q, admirável Acampamento Q. Adeus, comida insossa e pouco saudável, adeus, meu amiguinho Charlie. Ela sentou a meu lado no carro aquecido pelo sol e afastou com um tapa uma mosca insolente que havia pousado em seu adorável joelho; depois, mascando vigorosamente um chiclete, baixou com rápidos movimentos o vidro do seu lado e voltou a recostar-se no assento. O carro atravessou ligeiro a floresta raiada e salpicada de sol.

"Como está mamãe?", ela perguntou por dever de ofício.

Disse que os médicos ainda não sabiam exatamente qual era o problema. Seja como for, alguma coisa abdominal. Abominável? Não, abdominal. Íamos ter de ficar fora de casa por algum tempo. O hospital ficava no campo, perto de uma interessante cidadezinha chamada Lepingville, onde um grande poeta havia morado no início do século XIX e onde veríamos todos os filmes. Ela achou a idéia "legal" e indagou se chegaríamos a Lepingville antes das nove da noite.

"Devemos chegar a Briceland na hora do jantar", respondi, "e amanhã vamos até Lepingville. Como foi a excursão? Você se divertiu muito no acampamento?"

"Hum-hum."

"Ficou com pena de ir embora?"

"Hum-hum."

"Fala, Lô — não fica resmungando. Conta alguma coisa."

"Contar o quê, papai?" (ela deixou que a palavra se expandisse com deliberada ironia).

"Ora, qualquer coisa."

"Está bem se eu te chamar assim?" (sem tirar os olhos da estrada).

"Muito bem."

"É só de mentirinha, você sabe. Quando é que você começou a gostar da mamãe?"

"Algum dia, Lô, você vai compreender muitas emoções e situações, como por exemplo a harmonia, a beleza da amizade espiritual."

"Bah!", disse a cínica ninfeta.

Breve pausa na conversa, preenchida pela paisagem.

"Olha, Lô, aquelas vacas no morro."

"Se eu tiver que ver mais uma vaca, vou vomitar."

"Você sabe, Lô, senti muita saudade de você."

"Pois eu não. Para dizer a verdade, fui muito infiel a você, mas não faz mal, porque você não gosta mesmo mais de mim. Puxa, você corre muito mais do que a minha mãe."

Reduzi a velocidade, de uns cegos cento e dez para uns míopes oitenta.

"Lô, por que é que você acha que eu não gosto mais de você?"

"Bom, você ainda nem me beijou, beijou?"

Morrendo por dentro, gemendo por dentro, avistei adiante um acostamento razoavelmente largo e parei aos solavancos, o carro meio inclinado sobre o capim da beira da estrada. Lembre-se que ela não passa de uma criança, lembre-se que ela só tem...

O carro mal havia parado quando Lolita literalmente se jogou em meus braços. Não ousando, não ousando abandonar-me a meus impulsos — não ousando nem mesmo imaginar que aquilo (úmida ternura, trêmula chama) era o começo de uma vida inefável que, com a ajuda do destino, eu finalmente havia transformado em realidade —, não ousando de fato beijá-la, toquei com o máximo de reverência os lábios quentes que se abriam, em minúsculos sorvos, sem qualquer lascívia; mas ela, num repelão impaciente, apertou com tamanha força sua boca contra a minha que senti a pressão de seus grandes dentes da frente e compartilhei do gosto de hortelã de sua saliva.

Naturalmente, eu sabia que para ela se tratava apenas de uma brincadeira inocente, a imitação juvenil de algum simulacro de romance barato, e já que (como lhe dirá qualquer psiquiatra ou qualquer estuprador) os limites e regras desses jogos de menina são fluidos, ou ao menos tão infantilmente sutis que não podem ser compreendidos pelo parceiro adulto, eu estava terrivelmente receoso de que pudesse ir longe demais e fazê-la recuar, tomada de repugnância, e terror. E, como acima de tudo eu estava tremendamente ansioso para introduzi-la em segredo na hermética reclusão dos Caçadores Encantados e ainda tínhamos pela frente mais de cem quilômetros, de repente, movido por uma bendita intuição, afastei-a de mim — não mais do que um segundo antes que um carro de patrulha parasse a nosso lado.

Rubicundo, de sobrancelhas hirsutas, o guarda olhou para mim:

"Por acaso viu algum carro azul, da mesma marca do seu, que o ultrapassou antes do cruzamento?"

"Não, não vi."

"Não vimos, não", disse Lô, debruçando-se impetuosamente por cima de mim, a mão inocente pousada sobre minha perna, "mas tem certeza que era azul? Porque..."

O guarda (que sombra de nós ele estaria perseguindo?) recompensou a colegial com seu melhor sorriso e fez uma curva em U.

Retomamos o caminho.

"Que trouxa!", Lô comentou. "Ele devia ter pegado era *você*."

"Por que logo eu?"

"Ora, a velocidade máxima nesse estadinho vagabundo é oitenta e... Não, não precisa ir mais devagar, seu bobo. Ele já foi embora."

"Ainda temos um bocado de estrada pela frente", disse eu, "e quero chegar lá antes de escurecer. Por isso, seja uma menina boazinha."

"Garotinha má, pestinha", disse Lô em tom calmo. "Delinqüente juvenil, mas muito sincera e agradável. Aquele sinal estava vermelho. Nunca vi ninguém dirigir tão mal."

Atravessamos em silêncio uma silenciosa cidadezinha.

"Escuta, mamãe ia ficar uma fera se descobrisse que nós éramos amantes, não ia?"

"Pelo amor de Deus, Lô, isso não é coisa que se diga."

"Mas nós *somos* amantes, não somos?"

"Não que eu saiba. Acho que vem aí mais chuva. Você não deseja me contar as travessuras que fez no acampamento?"

"Você fala igual a um livro, *papai*."

"O que é que você andou fazendo? Insisto em que você me diga."

"Você fica chocado com facilidade?"

"Não. Pode falar."

"Então pára num canto quieto que eu conto para você."

"Lô, peço seriamente que você não se faça de tola. Está bem?"

"Bom... participei de todas as atividades que o acampamento oferecia."

"Ensuíte?"

"*Ansuíte*, aprendi a viver em harmonia e felicidade com os outros, e a desenvolver uma personalidade positiva. Virar um anjinho, se é que você quer mesmo saber."

"Eu sei. Li alguma coisa desse tipo no folheto do acampamento."

"Adorávamos cantar em volta da grande lareira de pedra ou de uma titica de uma fogueira sob a luz das estrelas, porque aí as vozes de todas as meninas se juntavam num coro de felicidade comum."

"Sua memória é excelente, Lô, mas acho bom você moderar a linguagem. Alguma outra coisa?"

"Adotei o lema das bandeirantes", disse Lô em tom entusiástico. "Vou dedicar minha vida a fazer boas ações, tais como... bom, deixa isso para lá. Meu dever é... servir ao próximo. Sou amiga de todos os animais do sexo masculino. Obedeço às ordens. Sou alegre. Lá vai outro carro da polícia. Sou econômica e absolutamente suja nos meus pensamentos, palavras e ações."

"Você é uma menina muito espirituosa, mas espero que isso seja tudo."

"É isso. É tudo. Não... espera. Cozinhamos num fogão solar. Não é sensacional?"

"Bom, já me parece melhor."

"Lavamos um zilhão de pratos. Você sabe, não é? 'Zilhão' é a gíria das professoras para uma quantidade enorme. Ah, uma última coisa, mas não menos importante, como mamãe gosta de dizer... O que era mesmo? Já sei: fizemos teatro de sombras, projetadas numa tela. Puxa, é genial!"

"C'est bien tout?"

"C'est. Menos uma coisinha, que simplesmente não posso contar para você sem ficar toda corada."

"Você me conta isso depois?"

"Se sentarmos no escuro e você me deixar falar baixinho, aí eu conto. Você ainda dorme no quarto antigo ou agora está embolado com a mamãe?"

"No quarto antigo. Sua mãe talvez tenha que se submeter a uma operação muito séria."

"Pára o carro naquela confeitaria", disse Lô.

Empoleirada num tamborete alto, com uma faixa de sol cruzando seu antebraço bronzeado, Lolita pediu um sorvete complicadíssimo, coberto de um xarope artificial. Encarregou-se da obra um rapagão com a cara cheia de espinhas e uma engordurada gravata-borboleta, que ficou olhando para a frágil criança, no seu vestido leve de algodão, com despudorada lascívia. Minha impaciência de chegar a Briceland e aos Caçadores Encantados estava se tornando insuportável. Felizmente, ela despachou o troço com sua costumeira rapidez.

"Quanto dinheiro você tem?", perguntei.

"Nem um tostão", respondeu, erguendo as sobrancelhas e mostrando o fundo vazio do porta-níqueis.

"Vamos resolver esse problema oportunamente", comentei em tom matreiro. "Podemos ir?"

"Será que aqui tem um banheiro?"

"Aqui, não", disse com firmeza. "Deve ser uma imundície. Vamos embora."

De modo geral, ela era uma garota obediente e, quando voltamos para o carro, dei-lhe um beijo no pescoço.

"*Pára* com isso", ela disse, olhando para mim com genuína surpresa. "Vê se não fica me babando toda, seu sujo."

Esfregou o pescoço com o ombro levantado.

"Desculpe", murmurei. "Gosto muito de você, só isso."

Sob um céu ameaçador, subimos por uma estrada cheia de curvas e depois iniciamos uma longa descida.

"Bem, também gosto um pouquinho de você", disse Lolita lentamente, com uma voz suave. Soltou uma espécie de suspiro e chegou-se mais para perto de mim.

(Ah, minha Lolita, assim jamais chegaremos lá!)

O crepúsculo já tomava conta da pequena e simpática Briceland, com suas casas de estilo pseudocolonial, suas lojas de recordações e suas árvores frondosas trazidas de outras paragens, quando cruzamos as ruas fracamente iluminadas em busca dos Caçadores Encantados. O ar, embora salpicado por uma garoa persistente, era quente e verde, e uma fila de pessoas, na maioria crianças e velhos, já se formara diante da bilheteria de um cinema, jóias de néon brilhando na fachada.

"Oba, quero ver esse filme. Vamos logo depois do jantar. Ah, vamos?"

"Talvez", cantarolou Humbert — sabendo perfeitamente, o astuto e tumescente demônio, que por volta das nove, quando começaria a *sua* sessão, ela estaria morta em seus braços.

"Cuidado!", gritou Lô, inclinando-se para a frente quando um maldito caminhão, com seus carbúnculos traseiros flamejando, parou diante de nós num cruzamento.

Senti que, se não chegássemos ao hotel logo, imediatamente, milagrosamente, no quarteirão seguinte, eu perderia o controle sobre o calhambeque de Charlotte, com seus limpadores de pára-brisa ineficientes e seus freios pouco confiáveis; mas os transeuntes a quem pedia informações também eram de fora ou perguntavam, franzindo a testa: "Caçadores o *quê*?", como se eu fosse algum maluco; ou se lançavam em explicações tão complicadas, com gestos geométricos, generalidades geográficas e precisões estritamente locais ("...então vira para o Sul depois de chegar ao tribunal..."), que era impossível deixar de perder-me no labirinto daquela bem-intencionada algaravia. Lô, cujas adoráveis entranhas prismáticas já haviam digerido a montanha de sorvete, só pensava agora numa lauta refeição e começava a ficar impaciente. Quanto a mim, embora havia muito tempo me tivesse acostumado ao fato de que uma espécie de destino secundário (se quiserem, o incompetente secretário do sr. McKarma) interferia mesquinhamente nos planos magníficos de seu generoso patrão, aquele zanzar às cegas pelas ruas de Briceland foi talvez a mais exasperante provação de toda a minha vida. Meses depois, até achava graça de minha inexperiência ao lembrar a obstinação juvenil com que me concentrei naquele hotel de nome extravagante, quando, ao longo das estradas, centenas de motéis proclamavam dispor de vagas em letras garrafais de néon, prontos a acolher caixeiros-viajantes, fugitivos da lei, velhos impotentes e grupos familiares, bem como os mais corruptos e vigorosos casais. Oh, gentis motoristas que rodam pelas negras noites de verão, que semvergonhices, que malabarismos de luxúria vocês poderiam ver de suas impecáveis estradas se todos aqueles motéis de repente perdessem sua pigmentação e se tornassem tão transparentes como caixotes de vidro!

O milagre pelo qual eu ansiava enfim aconteceu. Um homem e uma moça, mais ou menos entrelaçados nas sombras de um carro estacionado sob as árvores gotejantes, nos disseram que estávamos no meio do parque e que bastava que virássemos no próximo sinal para chegar lá. Não vimos nenhum sinal de tráfego — na verdade, o parque era tão tenebroso como os pecados que ocultava —, mas, logo depois de ceder ao fascínio de uma curva longa e suave, os viajantes entreviram através da neblina um colar de diamantes, depois o brilho de um lago — e lá estava ele, maravilhoso e inexorável, sob as árvores fantasmagóricas, no topo de uma alameda de cascalhos, o pálido palácio dos Caçadores Encantados.

Uma fileira de carros estacionados em frente à entrada, como porcos diante de um cocho, parecia à primeira vista impedir o acesso; mas de repente, como num passe de mágica, um gigantesco conversível, resplandecendo tal qual um rubi na chuva iluminada, pôs-se em movimento — deu marcha à ré energicamente, conduzido por um homem de costas largas — e nós, agradecidos, penetramos no espaço que ele vagara. Imediatamente lamentei minha pressa, pois notei que meu predecessor se aproveitara de um abrigo bem próximo que servia de garagem e onde ainda havia amplo espaço para outro carro. Mas eu estava impaciente demais para seguir seu exemplo.

"Puxa! Parece superelegante", comentou minha vulgar amiguinha apreciando a fachada de estuque, enquanto se esgueirava para fora do carro na garoa crepitante e, com um gesto infantil, liberava a dobra da saia que ficara presa na fenda do pêssego (para citar Robert Browning). Sob as luzes feéricas, réplicas ampliadas de folhas de castanheiro se agitavam sobre as colunas brancas. Abri o porta-malas. Um preto corcunda e grisalho, vestindo uma espécie de uniforme, pegou nossas malas e levou-as lentamente num carrinho até o saguão, repleto de clérigos e senhoras idosas. Lolita se pôs de cócoras a fim de afagar um cocker spaniel de focinho pálido, manchas azuladas e orelhas negras, que se desmanchou no tapete florido quando ela o tocou — mas quem não o faria, Deus meu? —, enquanto eu, pigarreando, abri caminho em meio à turba para chegar ao balcão. Lá, um velho careca e porcino — todo mundo era velho naquele velho hotel — examinou meu rosto com um sorriso cortês, depois tranqüilamente localizou meu (truncado) telegrama, lutou com algumas dúvidas sombrias e finalmente disse que sentia muito, havia mantido a reserva do quarto de duas camas até as seis e meia, mas agora ele já tinha sido tomado. Uma convenção religiosa coincidira com uma exposição de flores em Briceland e... "O nome", disse eu com frieza, "não é

Humberg nem Humbug, mas Herbert, quer dizer Humbert, e qualquer quarto serve, desde que ponham uma cama de armar para minha filhinha. Ela tem dez anos e está muito cansada."

O rosado ancião lançou uma olhada bondosa em direção a Lô — ainda agachada, ouvindo de perfil, com os lábios entreabertos, o que a dona do cachorro, uma velhíssima senhora envolta em véus roxos, lhe dizia do fundo de uma poltrona forrada de cretone.

Quaisquer que fossem as dúvidas que o obsceno ancião alimentava, elas foram dissipadas por aquela visão primaveril. Disse que talvez ainda tivesse um quarto, sim, de fato ainda havia um... com cama de casal. Quanto à cama de armar...

"Senhor Potts, ainda temos alguma cama de armar disponível?" Potts, também calvo e rosado, com tufos de cabelos brancos saindo das orelhas e de outros orifícios, iria ver o que podia ser feito. Voltou e falou enquanto eu desatarraxava a caneta-tinteiro. Ah, Humbert, como você era impaciente!

"Nossas camas de casal na verdade dão para três pessoas", disse Potts, mentalmente acomodando, a mim e à minha filhinha, debaixo do mesmo cobertor. "Num dia em que o hotel estava muito cheio, três senhoras e uma menina como a sua dormiram na mesma cama. Acho que uma delas era um homem disfarçado de mulher [a hipótese corre por conta do Humbert]. Seja como for, será que não temos uma caminha de sobra no 49, sr. Porcínio?"

"Acho que foi posta no quarto da família Swoon", disse o sr. Porcínio, o palhaço inicial.

"Não faz mal, vamos dar um jeito", disse eu. "É possível que minha mulher venha se juntar a nós mais tarde, mas, assim mesmo, acho que podemos dar um jeito."

Os dois porquinhos rosados contavam-se agora entre meus melhores amigos. Com a lenta e nítida caligrafia de um criminoso, escrevi: "Dr. Edgar H. Humbert e filha, rua do Gramado, 342, Ramsdale". Potts apanhou uma chave (número 342!), pareceu que ia entregá-la a mim (tal qual um mágico que mostra o objeto que fará desaparecer) e deu-a ao Pai Tomás. Lô, abandonando o cachorro como um dia me abandonaria, pôs-se de pé; uma gota de chuva caiu na sepultura de Charlotte; uma jovem e bonita preta abriu a porta do elevador e a criança condenada entrou, acompanhada do pai que ainda pigarreava e do caranguejo que levava as malas.

Paródia de um corredor de hotel. Paródia de silêncio e de morte.

"Olha, é o número da nossa casa", exclamou Lô alegremente.

Havia uma cama de casal, um espelho, uma cama de casal refletida no espelho, um closet com um espelho na porta, outro espelho na porta do banheiro, uma janela azul-noite, o reflexo da cama na vidraça, idem no espelho do closet, duas cadeiras, uma mesa com tampo de vidro, duas mesinhas-de-cabeceira, uma cama de casal: para ser exato, uma cama dupla de cabeceira alta, com uma colcha de chenille rosa da Toscana, ladeada por dois abajures de cúpula cor-de-rosa e babados nas bordas.

Senti-me tentado a colocar uma nota de cinco dólares naquela palma cor de sépia, mas pensei que tal generosidade poderia ser mal interpretada, e por isso pus apenas uma moeda de vinte e cinco centavos. Acrescentei outra. Ele se retirou. Clique. *Enfin seuls.*

"Nós vamos dormir no *mesmo* quarto?", Lô perguntou, seu rosto reagindo de forma dinâmica — não com ar de zanga ou de repugnância (embora, claramente, muito perto disso), mas de forma simplesmente dinâmica —, como o fazia sempre que desejava dar maior ênfase a uma pergunta.

"Pedi que eles pusessem uma cama de armar. Onde, se você quiser, eu mesmo vou dormir."

"Você está maluco", disse Lô.

"Por quê, minha querida?"

"Porque, meu *querrido*, quando minha *querrida* mãezinha descobrir, vai se divorciar de você e me estrangular."

Simplesmente dinâmica. Não levando a coisa muito a sério.

"Escuta aqui, Lô", disse, sentando-me, enquanto ela continuava de pé, a poucos passos de distância, contemplando-se com satisfação, agradavelmente surpresa com sua própria aparência, enchendo com seu brilho rosado o surpreso e agradecido espelho do closet.

"Presta atenção, Lô. Vamos deixar isso claro de uma vez por todas. Para todos os fins práticos, eu sou o seu pai. Tenho por você um sentimento de imensa ternura. Na ausência de sua mãe, sou o responsável pelo seu bem-estar. Não somos ricos e, enquanto estivermos viajando, seremos obrigados... vamos ter que ficar juntos muito tempo. Duas pessoas que dividem um quarto inevitavelmente entram numa espécie de... como direi... uma espécie de..."

"A palavra é *incesto*", disse Lô — e entrou no closet, voltou para o quarto com uma dourada risadinha juvenil, abriu a porta contígua e, receando enganar-se outra vez, examinou cuidadosamente o interior com seus estranhos olhos enfumaçados antes de afinal entrar no banheiro.

Abri a janela, arranquei minha camisa ensopada de suor, vesti outra, verifiquei se o vidrinho de pílulas continuava no meu bolso, destranquei...

Ela saiu com passos lentos. Tentei abraçá-la: despreocupadamente, só um carinhozinho antes do jantar.

Ela disse: "Olha, vamos parar com essas bobagens e arranjar alguma coisa para comer".

Foi então que revelei minha surpresa.

Ah, que belezinha! Ela caminhou em direção à valise aberta como um animal que segue sua presa de longe, em câmera lenta, sem tirar os olhos da distante arca do tesouro colocada sobre o suporte de malas. (Haveria alguma coisa de errado com aqueles seus grandes olhos cinza, ou estávamos ambos imersos na mesma névoa encantada?) Ela se aproximou, levantando bem alto seus sapatos de saltos demasiado altos, dobrando os belos joelhos de menino enquanto avançava através do espaço que se dilatava, com a lentidão de quem anda debaixo d'água ou tenta fugir num pesadelo. Depois, ergueu pelos ombros um colete cor de cobre, bastante caro e bonito, abrindo-o muito lentamente entre suas mãos silenciosas, como um caçador estupefato que prende a respiração diante de um pássaro incrível que abateu e agora segura pelas pontas das asas flamejantes. Então (enquanto eu esperava por ela), puxou de dentro da valise, qual langorosa serpente, um cintilante cinto, que colocou em volta da cintura.

Por fim, radiante, serena, aconchegou-se em meus braços, acariciando-me com seus olhos ternos, misteriosos, impuros, indiferentes e crepusculares — comportando-se, de fato, como a mais reles das prostitutas. Pois são elas que as ninfetas imitam — enquanto gememos e morremos por dentro.

"Não be dá um meijo?", sussurrei (já incapaz de controlar as palavras) em seus cabelos.

"Se quer mesmo que eu diga, você não sabe beijar."

"Então me mostra como é."

"Cada coisa em sua hora", disse a professoreta.

Seva ascendes, pulsata, brulans, kitzelans, dementissima. Elevator tinintans, pausa, tinintans, populus in corridoro. Hanc nisi mors mihi adimet nemo! Juncea puellula, jo pensavo fondissime, nobserva nihil quidquam; mas, naturalmente, um minuto mais e eu poderia ter cometido um erro terrível; felizmente, ela retornou à arca do tesouro.

Do banheiro, onde levei um tempão para voltar ao estado em que pudesse satisfazer uma necessidade prosaica, ouvi — de pé, gota a gota, prendendo a respiração — os "ohs" e "ahs" de minha Lolita em seu êxtase juvenil.

Ela só havia usado o sabonete porque era cortesia do hotel.

"Bom, vamos embora, minha querida, se é que você está com tanta fome quanto eu."

E lá fomos pelo corredor, a filha balançando sua velha bolsa branca, o pai caminhando na frente (*nota bene*: nunca atrás, ela não passa de uma criança). Enquanto esperávamos pelo elevador (agora lado a lado), ela jogou a cabeça para trás, bocejou abertamente e sacudiu os cachos.

"A que horas vocês tinham que acordar lá no acampamento?"

"Seis e..." (abafou outro bocejo) "...meia..." (agora o bocejo foi irresistível e ela tremeu de cima a baixo). "Seis e meia", repetiu, a garganta se expandindo novamente.

O salão de jantar recebeu-nos com um cheiro de fritura e um sorriso desbotado. Era um vasto e pretensioso aposento, com murais piegas que representavam caçadores encantados em várias posturas e diferentes estados de encantamento, em meio a uma mixórdia de pálidos animais, dríades e árvores. Umas poucas senhoras idosas, dois clérigos e um homem de paletó esporte terminavam suas refeições em silêncio. O salão de jantar fechava às nove, e as moças vestidas de verde e de caras patibulares que serviam as mesas, para minha grande felicidade, estavam doidas para se ver livres de nós o mais rápido possível.

"Você não acha que ele é a cara, mas a cara mesmo, do Quilty?", perguntou Lô em voz baixa, seu cotovelo ossudo e moreno, se não apontando, ao menos louco de vontade de apontar na direção do homem de paletó axadrezado em cores berrantes que jantava sozinho no fundo do salão.

"Parecido com aquele nosso dentista gordo de Ramsdale?"

Lô prendeu na boca a água que havia acabado de tomar e pôs sobre a mesa o copo periclitante.

"Claro que não!", disse com uma pequena explosão de riso. "Estou falando do escritor, o sujeito que aparece no anúncio dos cigarros Drome."

Oh, Fama! Oh, Femina!

Quando a sobremesa foi servida com um baque — para a mocinha uma imensa fatia de torta de cereja e para seu protetor um sorvete de baunilha, cuja maior parte ela transferiu prontamente para seu prato —, tirei do bolso o vidrinho que continha as Pílulas Purpúreas do Papai. Quando me recordo daqueles murais nauseabundos, daquele estranho e monstruoso momento, só posso explicar minha conduta nessa noite pelo vácuo onírico dentro do qual giram as mentes ensandecidas; mas, naquele instante, tudo me parecia bastante simples e inevitável. Olhei a meu redor, certifiquei-me de que o último hóspede já saíra, removi a tampa e, sem qualquer hesitação, despejei o filtro mágico na palma de minha mão. Tinha treinado cuidadosamente, diante do espelho, o gesto de levar a mão vazia à boca aberta e engolir uma pílula imaginária. Como eu esperava, ela rapidamente pegou o vidrinho com as roliças e coloridas cápsulas que continham o Sono da Bela Adormecida.

"São azuis!", exclamou. "Não, cor de violeta. Que que tem dentro?"

"O céu no verão", respondi, "e ameixas, e figos, e sangue dos imperadores."

"Não, de verdade... por favor."

"São apenas Purpílulas. Vitamina T. Faz a gente ficar forte como um touro ou um tigre. Quer uma?"

Lolita estendeu a mão, sacudindo vigorosamente a cabeça.

Minha esperança era a de que o remédio agisse rápido. E, quanto a isso, não houve dúvida. Ela tivera um dia muito, muito longo, remara de manhã com a Bárbara, cuja irmã era diretora de esportes aquáticos... tudo isso minha adorável e acessível ninfeta começava agora a me contar, entre bocejos velados que lhe distendiam o céu da boca e outros ainda mais ruidosos — ah, como funcionava rápido a poção mágica! —, e também se havia dedicado a outras atividades. Quando saímos do salão de jantar, suas pernas tão pesadas como se ela estivesse caminhando com água pelos joelhos, o filme com que antes sonhara já tinha sido havia muito esquecido. No elevador, ela se apoiou em mim com um sorrisinho tênue — "Você não quer que eu te conte?" —, semicerrando as pálpebras sombrias. "Soninho, hem?", disse o Pai Tomás, que levava para cima o taciturno cavaleiro franco-irlandês e sua filha, além de duas senhoras murchinhas, especialistas em rosas. Elas olharam com simpatia meu botão de flor — frágil, bronzeado, cambaleante, entorpecido. Quase tive de carregá-la para dentro do quarto. Lá, ela sentou-se na beira da cama, o corpo balançando um pouco, falando em tom arrastado, num arrulho monotônico: "Se eu te contar... se eu te contar, você promete..." (sonolenta, tão sonolenta — a cabeça pendendo para a frente, os olhos se apagando) "...promete que não vai ficar zangado comigo?"

"Depois, Lô. Agora vai para a cama. Vou sair um pouco, e você trata de dormir. Vou te dar dez minutos."

"Ah, eu fiz umas coisas muito feias", ela continuou, sacudindo os cabelos, retirando com dedos lentos uma fita de veludo. "Deixa eu te contar..."

"Amanhã, Lô. Agora vai para a cama, vai para a cama — pelo amor de Deus, trata de dormir."

Botei a chave no bolso e desci pelas escadas.

28

Senhoras membros do júri! Tenham paciência comigo! Permitam-me que roube só um instantinho de seu precioso tempo! Chegara, pois, *le grand moment*. Havia deixado minha Lolita ainda sentada na beira daquela cama abissal, levantando modorrentamente o pé para desatar o laço do sapato e mostrando, ao fazê-lo, a parte de baixo da coxa até a forquilha das calcinhas — ela sempre fora particularmente distraída, ou despudorada, ou ambas as coisas, quando se tratava de expor as pernas. Era essa, portanto, a visão hermética de Lô que eu acabara de trancar no quarto — depois de verificar que a porta não tinha um ferrolho interno. A chave, com seu número gravado no penduricalho de madeira, transformou-se a partir de então no maciço Sésamo que me abriria um futuro fabuloso e frenético. Ela era minha, era parte de minha ardente e cabeluda mão cerrada. Dentro de poucos minutos — digamos, vinte, meia hora, *sicher ist sicher*, como costumava dizer meu tio Gustave — eu penetraria naquele "342" e encontraria minha ninfeta, minha namorada, minha noiva, aprisionada em seu sono de cristal. Membros do júri! Se minha felicidade falasse, teria enchido o distinto hotel com um urro ensurdecedor. E, hoje, só me arrependo de não ter depositado tranqüilamente a chave do "342" na portaria e deixado a cidade, o país, o continente, o hemisfério — de fato, o globo — naquela mesma noite.

Deixem-me explicar. Não me perturbavam maiormente suas insinuações auto-acusadoras. Continuava firmemente disposto a salvaguardar sua pureza, só agindo na calada da noite e, ainda assim, sobre um corpinho de todo anestesiado. Moderação e respeito eram ainda meu lema — mesmo se a tal "pureza" (aliás, totalmente negada pela ciência moderna) tivesse sido ligeiramente avariada por alguma experiência de erotismo juvenil, sem dúvida de caráter homossexual, naquele maldito acampamento de férias. Naturalmente, com minhas concepções antiquadas de cidadão do Velho Mundo, eu, Jean-Jacques Humbert, havia tido como certo e indiscutível, desde que a vi pela primeira vez, que ela era tão imaculada quanto tem sido a noção estereotipada de "criança normal" desde o lamentável fim da era pré-cristã e de suas fascinantes práticas. Em nossos tempos esclarecidos, não estamos cercados de pequenas flores escravas que possam ser despreocupadamente colhidas entre a hora do trabalho e a do banho, como o eram na época dos romanos; e, ao contrário do que faziam os honrados orientais em eras ainda mais luxuriosas, não usamos pequenos bailarinos e bailarinas, na frente e atrás, entre o assado de carneiro e o *sorbet* de rosas. O importante é que o antigo vínculo entre o mundo dos adultos e o mundo das crianças foi completamente rompido, nos dias de hoje, por novos costumes e novas leis. Embora eu conhecesse superficialmente alguma coisa de psiquiatria e assistência social, a verdade é que sabia muito pouco acerca das crianças. Afinal de contas, Lolita só tinha doze anos e, por maiores que fossem as concessões que eu fizesse ao lugar e ao tempo — e mesmo levando em conta a conduta grosseira dos escolares americanos —, ainda tinha a impressão de que o que quer que se passasse entre aqueles fedelhos impudentes acontecia numa idade mais avançada e em outro tipo de ambiente. Assim (para retomar o fio da explicação), o moralista que havia em mim contornava o problema apegando-se às noções convencionais daquilo que deviam ser as meninas de doze anos. O terapeuta infantil que havia em mim (um charlatão, como a maioria deles — mas não importa) regurgitava um picadinho neofreudiano e criava a imagem de uma Dolly sonhadora, dada a exageros, ainda no período de "latência" da juventude. Por fim, o libertino em mim (um monstro insano, horripilante) não via com maus olhos um certo grau de depravação em sua presa. Mas, por trás dessa beatitude efervescente, sombras perplexas debatiam intensamente — e o que lamento hoje é não lhes ter prestado a menor atenção! Senhores membros do gênero humano, ouçam bem! Eu deveria ter compreendido que Lolita *já* havia demonstrado ser bem diferente da inocente Annabel, e que o veneno nínfico que ressumava de cada poro da infeliz criança que eu preparara para meu secreto deleite tornaria o segredo impossível, e letal o deleite. Deveria ter entendido (pelos sinais que me fazia quem sabe a verdadeira criança Lolita, quem sabe algum esquálido anjo a suas costas) que do tão aguardado êxtase resultariam apenas sofrimento e horror. Ah, alados senhores membros do júri!

E ela era minha, era minha, a chave estava em minha mão, a mão estava em meu bolso, ela era minha. Nas evocações e elucubrações a que eu havia dedicado tantas noites de insônia, eliminara gradualmente todas as imperfeições supérfluas e, guardando apenas as visões translúcidas, havia chegado a uma imagem definitiva. Nua, com exceção de uma soquete e sua pulseira-talismã, deitada de pernas e braços abertos na cama onde meu filtro a derrubara — era assim que a antevia; numa das mãos ainda segurava a fita de veludo que lhe prendera os cabelos; seu corpo cor de mel, com a silhueta de um maiô rudimentar recortada como um negativo branco contra a pele bronzeada de sol, oferecia a meus olhos os pálidos botões dos seios; na rósea claridade do abajur, uma ligeira penugem púbica brilhava sobre seu arredondado montículo. A fria chave, com o cálido apêndice de madeira, estava em meu bolso.

Vaguei por várias salas do hotel, um sol nas entranhas, pesadas nuvens no rosto: porque o semblante da lascívia é sempre melancólico; porque a lascívia jamais está segura — mesmo quando a aveludada vítima se encontra trancafiada no fundo do calabouço — de que algum demônio rival ou algum deus poderoso não vá abolir o triunfo tão longamente preparado. Em linguagem corrente, estava precisando beber alguma coisa, mas não havia nenhum bar naquele venerável santuário, cheio de filisteus suados e de objetos de época.

Acabei entrando no banheiro dos homens. Lá, um indivíduo vestido de preto clerical (um desses sujeitos "bonachões", *comme on dit*) estava conferindo, com a ajuda de Viena, se não havia deixado para trás o que acabara de usar. Perguntou-me o que eu tinha achado da palestra do dr. Boyd, mostrando-se perplexo quando lhe disse (eu, o rei Sigmund II) que o Boyd não passava de um cretinóide. Após o que lancei cuidadosamente no receptáculo apropriado o lenço de papel com que vinha enxugando as pontas de meus dedos sensíveis e saí para o saguão. Apoiando confortavelmente os cotovelos no balcão, indaguei do sr. Potts se ele tinha certeza de que minha mulher não havia telefonado e como ia a questão da cama de armar. Respondeu que ela não havia chamado (claro, estava morta) e que a cama de armar seria instalada amanhã se decidíssemos ficar. De um enorme salão entupido de gente, o Hall dos Caçadores, vinha o som de muitas vozes discutindo horticultura ou a eternidade. Outro aposento, o Salão das Framboesas, banhado em luz, com mesinhas reluzentes e um grande aparador cheio de doces e refrescos, estava ainda vazio, exceto por uma garçonete (aquele tipo de mulher gasta, com um sorriso aparafusado no rosto e a maneira de falar da Charlotte); chegou flutuando até onde eu estava e perguntou se eu era o sr. Braddock, porque, nesse caso, a srta. Barba estava procurando por mim. "Que nome para uma mulher", respondi, afastando-me em passos rápidos.

Meu sangue irisado circulava forte pelas veias. Daria a ela até as nove e meia. Regressando ao saguão, notei uma modificação: diversas pessoas em vestidos floridos ou ternos pretos haviam formado pequenos grupos aqui e ali, e um acaso travesso concedeu-me a visão de uma adorável menina da idade de Lolita, vestindo o tipo de roupa que Lolita usava, mas de pele muito alva, tendo nos cabelos pretos uma fita branca. Não era bonita, mas tratava-se de uma ninfeta, e suas pernas cor de marfim e seu pescoço de lírio compuseram, durante um momento inesquecível, uma soberba antifonia (em termos de música espinal) em relação a meu desejo por Lolita, morena e rosada, afogueada e conspurcada. A pálida criança percebeu meu olhar (que na verdade era bastante casual e benévolo) e, ridiculamente tímida, ficou toda encabulada, revirou os olhos e cobriu o queixo com as costas da mão, puxou a barra da saia e, finalmente, voltando para mim as magras e móveis omoplatas, iniciou uma conversa forçada com sua bovina mãe.

Escapei do saguão barulhento e, do lado de fora, postei-me nos degraus brancos, olhando as centenas de minúsculos insetos que giravam em torno das lâmpadas na noite úmida e escura, vibrante de sussurros e estremecimentos. Tudo o que eu faria — tudo o que ousaria fazer — seria uma coisinha à-toa...

De repente, dei-me conta de que, na escuridão, havia alguém perto de mim, sentado numa poltrona, entre as colunas da varanda. Na verdade, não podia vê-lo, mas o que o denunciou foi o ruído de uma tampa sendo desatarraxada, seguido de um gorgolejo discreto e da nota final de uma tampa sendo placidamente reatarraxada. Estava prestes a afastar-me quando sua voz dirigiu-se a mim:

"Onde é que a encontrou?"

"O que foi que disse?"

"Eu disse: o tempo até que melhorou."

"Parece."

"Quem é a menina?"

"Minha filha."

"Juro que você mente."

"O que foi que disse?"

"Eu disse: julho foi muito quente. Onde está a mãe dela?"

"Morta."

"Ah, sim. Sinto muito. Aliás, por que vocês dois não almoçam comigo amanhã? Essa gente horrível já vai ter ido embora."

"Nós também já teremos ido embora. Boa noite."

"Desculpe. Bebi demais. Boa noite. Essa sua filhinha precisa de uma boa noite de sono. O sono é uma rosa, como dizem os persas. Quer um cigarro?"

"Agora, não."

Ele acendeu um fósforo, mas, fosse pela bebedeira dele ou pela bebedeira do vento, a chama não o iluminou, e sim a outra pessoa — um homem muito idoso, um desses hóspedes permanentes de velhos hotéis — e sua cadeira de balanço branca. Ninguém disse nada e a escuridão retomou seu lugar inicial. Ouvi então o velho tossir e livrar-se de uma ostra de muco sepulcral.

Saí da varanda. Já havia passado pelo menos meia hora. Devia ter pedido um gole. A tensão começava a se tornar mais intensa. Se uma corda de violino é capaz de sentir dor, então eu era essa corda. Mas seria impróprio demonstrar qualquer pressa. Enquanto eu abria caminho através de uma constelação de pessoas paradas num canto do saguão, um flash ofuscante imortalizou o sorridente dr. Braddock, duas matronas ornamentadas com orquídeas, a garotinha de branco e presumivelmente os dentes à mostra de Humbert Humbert ao passar entre a menina vestida de noiva e o clérigo encantado — pelo menos tanto quanto a textura e a reprodução fotográfica num jornaleco do interior possam servir de passaporte para a imortalidade. Um grupo pipilante reunira-se diante da porta do elevador. Optei outra vez pelas escadas. O 342 ficava pertinho da saída de incêndio. Ainda havia tempo... mas a chave já estava na fechadura e, um instante depois, eu tinha entrado no quarto.

29

A porta do banheiro iluminado estava entreaberta; além disso, o brilho espectral das fortes luzes do jardim penetrava através das frestas das venezianas; esses raios entrecruzados rompiam a escuridão do quarto e revelavam a seguinte situação.

Enfiada numa de suas velhas camisolas, minha Lolita estava deitada de lado no meio da cama, com as costas voltadas para mim. O corpo diafanamente coberto e as pernas nuas formavam um Z. Pusera ambos os travesseiros sob a cabeça desgrenhada; um filete de luz pálida cruzava suas vértebras superiores.

Parece-me que tirei minhas roupas e vesti um pijama com aquela fantástica instantaneidade que só se vê no cinema, quando o ato de trocar de roupa é objeto de um corte; e já havia posto um joelho sobre a borda da cama quando Lolita virou a cabeça e olhou para mim através das sombras zebradas.

Ora, isso era algo com que o intruso não havia contado. Toda aquela lengalenga sobre as pílulas (um assunto bem sórdido, *entre nous soit dit*) tinha por objetivo provocar um sono tão profundo que nem mesmo a passagem de um regimento poderia perturbá-lo — mas lá estava ela a olhar-me fixamente, murmurando com voz pastosa: "Bárbara". Bárbara, vestindo meu pijama que era muito apertado para ela, ficou imóvel, contemplando de cima a menina que falava enquanto dormia. Lentamente, com um suspiro de frustração, Dolly afastou a cabeça, retomando a posição inicial. Esperei durante pelo menos dois minutos, o corpo tenso à beira do abismo, como aquele alfaiate que há quarenta anos, com seu pára-quedas de fabricação caseira, pulou do alto da torre Eiffel. Sua respiração rasa tinha o ritmo do sono. Por fim, estendi-me em minha estreita faixa de cama, puxando furtivamente as pontas das cobertas amontoadas ao sul de meus gélidos calcanhares — mas Lolita ergueu a cabeça e encarou-me com um olhar embaçado.

Como soube depois através de um prestativo farmacêutico, a pílula cor de púrpura nem mesmo pertencia à nobre e numerosa família dos barbitúricos e, embora pudesse induzir ao sono algum neurótico convencido de que se tratava de um remédio potente, era de fato um sedativo demasiado brando para produzir efeitos prolongados numa ninfeta exausta mas precavida. Não importa — e não importava então — se o médico de Ramsdale era um charlatão ou um patife astucioso. O que importa é que eu havia sido enganado. Quando Lolita abriu os olhos outra vez, compreendi que, mesmo se a droga agisse mais adiante na noite, a segurança com que eu havia contado se desvanecera por completo. Lentamente sua cabeça se voltou para o outro lado e tombou sobre os travesseiros de que ela se havia injustamente apropriado. Fiquei imóvel na minha beirada, olhando seus cabelos em desalinho, o brilho de sua pele de ninfeta (meio quadril e meio ombro entrevistos vagamente), tentando medir a profundidade de seu sono pelo ritmo da respiração. Passado algum tempo, nada mudou e decidi que poderia arriscar-me a chegar um pouco mais perto daquele reflexo adorável e enlouquecedor; mas mal atingira suas cálidas cercanias quando a respiração interrompeu-se — e tive a odiosa impressão de que a pequena Dolores estava inteiramente desperta e explodiria em gritos se eu a tocasse com qualquer parte de minha ignomínia. Por obséquio, leitor: apesar de sua exasperação com o terno, morbidamente sensível e infinitamente circunspecto herói de meu livro, não pule essas páginas essenciais! Faça um esforço para imaginar-me, pois não existirei se o distinto leitor não for capaz de imaginar-me; tente discernir a corça que havia em mim, tremendo na floresta de minha própria iniqüidade; tratemos até de sorrir um pouquinho. Afinal de contas, um sorriso não faz mal a ninguém. Por exemplo, não tinha onde apoiar a cabeça, e um ataque de azia (*grand Dieu*, eles dizem por aqui que essas batatas são fritas "à francesa"!) vinha somar-se a meu desconforto.

Minha ninfeta voltou a ferrar no sono, mas eu não ousava ainda embarcar na viagem encantada. *La petite dormeuse ou l'amant ridicule.* Amanhã eu a entupiria com todas aquelas outras pílulas que tão bem haviam entorpecido sua mamãezinha. Estavam no porta-luvas do carro ou na mala de mão? Será que eu devia esperar mais uma hora e atacar outra vez sorrateiramente? A ninfolepsia é uma ciência exata. Um genuíno contato resolveria tudo num segundo. A um milímetro de distância, levaria dez. Vamos esperar.

Não há nada mais barulhento do que um hotel americano; e não esqueçam que aquele era supostamente um lugar tranqüilo, acolhedor, tradicional, familiar — para "pessoas finas" e coisas do gênero. O ruído da grade de ferro do elevador — uns vinte metros a nordeste de minha cabeça, mas tão sonoro como se estivesse dentro de minha têmpora esquerda — se alternava com os baques e estrondos causados pelos motores e roldanas, e tudo isso continuou até bem depois da meia-noite. De tempos em tempos, bem a leste de meu ouvido esquerdo (admitindo-se sempre que eu estava deitado de costas, não ousando virar meu lado mais sórdido em direção à nebulosa anca de minha companheira de cama), o corredor se enchia de exclamações alegres, estridentes e idiotas, que terminavam numa rajada de boas-noites. Quando *isso* cessou, um banheiro imediatamente ao norte de meu cerebelo entrou em cena. Tinha uma privada viril, enérgica, de voz grave, que foi usada muitas vezes. O jorro tonitruante da descarga e o longo borbulhar que se seguia faziam estremecer a parede atrás de mim. Depois, alguém situado ao sul teve um acesso extraordinário de vômito, quase expelindo a alma junto com a bebida, e sua descarga, grudada à parede de nosso banheiro, ribombou como um verdadeiro Niágara. E, quando por fim todas as cataratas secaram e todos os caçadores encantados caíram no sono, embaixo da janela de minha insônia, a oeste de minha vigília, a avenida — uma rua digna, sossegada, eminentemente residencial, ladeada de imensas árvores — degenerou num antro desprezível de gigantescos caminhões, que rugiam através da noite úmida e ventosa.

E a menos de quinze centímetros de mim e de minha vida em brasa estava a difusa Lolita! Após um longo período de imobilidade, meus tentáculos novamente moveram-se em direção a ela, e dessa vez o estalido do colchão não a despertou. Consegui trazer a massa voraz de meu corpo tão perto dela que sentia a aura de seu ombro nu como um sopro cálido em minha face. De repente, ela sentou, deu um suspiro profundo, murmurou com insana rapidez alguma coisa sobre uma canoa, repuxou as cobertas e voltou a mergulhar em sua doce e jovem inconsciência. Agitando-se naquela corrente abundante de sono, num momento ruiva, no outro lunar, seu braço bateu contra meu rosto. Segurei-o durante um segundo. Ela se libertou da sombra de meu abraço — fazendo-o de modo instintivo, sem violência, sem repugnância, mas com o sussurro neutro e queixoso de uma criança que exige seu descanso natural. E outra vez voltamos à estaca zero: Lolita oferecendo a Humbert suas costas encurvadas; Humbert, a cabeça apoiada na mão, incendiado de desejo e azia.

Essa última obrigou-me a fazer uma viagem ao banheiro para beber um copo d'água, o melhor remédio que conheço, ao menos no meu caso (com exceção talvez de leite com rabanetes); quando tornei a entrar na estranha praça-forte listrada de raios pálidos, onde as velhas e novas roupas de Lolita reclinavam-se em diversas atitudes de encantamento nos móveis que pareciam flutuar, minha impossível filha sentou-se na cama e, com voz firme, pediu para beber água também. Pegou o frio e elástico copo de papel com a mão sombria e engoliu com gratidão seu conteúdo, os longos cílios apontando para o copo; e depois, num gesto infantil que tinha mais encanto do que qualquer carícia lúbrica, a pequena Lolita enxugou os lábios em meu ombro. Caiu de volta no travesseiro (subtraíra o meu enquanto ela bebia) e adormeceu instantaneamente.

Não ousara oferecer-lhe uma segunda pílula, pois não tinha ainda abandonado a esperança de que a primeira pudesse enfim fazê-la dormir profundamente. Comecei a mover-me em direção a ela, pronto para sofrer nova decepção, sabendo que seria melhor ter paciência, mas incapaz de esperar. Meu travesseiro guardava o cheiro de seus cabelos. Fui chegando mais perto do contorno impreciso de minha querida, parando ou recuando cada vez que ela se mexia ou parecia que ia mexer-se. Uma brisa vinda do país das maravilhas havia começado a afetar meus pensamentos, que pareciam agora compostos em caracteres itálicos, como se a superfície que os refletisse houvesse sido encrespada pelo espectro daquela brisa. Repetidamente minha consciência virava pelo avesso, meu corpo inquieto penetrava na esfera do sono, dela escapava pesadamente, e por uma ou duas vezes surpreendi-me resvalando num roncar melancólico. Outras vezes me parecia que a presa encantada estava prestes a encontrar-se a meio caminho com o caçador encantado, que suas coxas lentamente se acercavam de mim sob as areias finas de uma remota e fabulosa praia, mas então a indistinta figura se agitava de leve, e eu compreendia que estava mais distante de mim do que nunca.

Se me demoro na descrição dos tremores e incursões daquela noite longínqua é porque insisto em provar que não sou, nem nunca fui, e não poderia ser jamais, um crápula brutal. As pacíficas e sonhadoras regiões pelas quais rastejei são o patrimônio de poetas — e *não* o valhacouto de criminosos. Se houvesse alcançado o objetivo, meu êxtase teria sido todo feito de doçura, um caso de combustão interna cujo calor mal chegaria a Lolita, mesmo se estivesse inteiramente acordada. Mas tinha ainda a esperança de que ela aos poucos mergulharia num tal estado de torpor que me permitisse provar mais do que um simples vislumbre de sua pele. E por isso, entre aproximações tentativas, com uma percepção já confusa que a metamorfoseava em flocos de luar ou num arbusto de flores aveludadas, eu sonhava que tinha recobrado a consciência, sonhava que estava ainda de atalaia.

Nas primeiras horas depois da meia-noite houve uma pausa na agitação do hotel. Lá pelas quatro, do lado do corredor, a descarga do banheiro cascateou e sua porta foi batida. Pouco após as cinco, um monólogo ecoante começou a subir até meu quarto, em prestações, vindo de algum pátio ou do estacionamento. Não era na verdade um monólogo, pois o orador se detinha a cada dez segundos, presumivelmente para ouvir seu interlocutor, mas a voz dele não chegava até a mim e, assim, era impossível dar sentido às palavras que eu escutava. No entanto, sua entonação banal ajudou a trazer a alvorada, e o quarto já se tingia de uma claridade cinza-lilás quando várias privadas diligentes entraram em ação, uma após a outra, e o barulhento elevador começou a vir buscar os hóspedes madrugadores, e durante alguns minutos eu lamentavelmente adormeci, e Charlotte era uma sereia num aquário esverdeado, e em algum ponto do corredor o dr. Boyd disse: "Muito bom dia para o senhor" numa voz afeminada, e os passarinhos estavam ativos nas árvores, e então Lolita bocejou.

Frígidas senhoras membros do júri! Eu imaginara que se passariam meses, talvez anos, antes que ousasse expor-me a Dolores Haze; mas às seis ela estava acordada e por volta das seis e quinze éramos tecnicamente amantes. Vou contar-lhes algo muito estranho: foi ela quem me seduziu.

Ao ouvir seu primeiro bocejo matutino, simulei um belo sono de perfil. Simplesmente não sabia o que fazer. Será que ela ficaria chocada ao ver-me a seu lado, e não numa cama de armar? Apanharia suas roupas e se trancaria no banheiro? Exigiria que eu a levasse imediatamente para Ramsdale — para estar junto ao leito da mãe —, ou de volta ao acampamento? Mas minha Lô era do tipo esportivo. Senti seus olhos sobre mim e, quando emitiu aquela risadinha que eu tanto amava, soube que seu olhar também era brincalhão. Rolou para meu lado, seus cabelos mornos e castanhos roçando minha clavícula. Fingi, mediocremente, que despertava. Ficamos quietos por algum tempo. Acariciei suavemente seus cabelos e nos beijamos ternamente. Seus beijos, para meu maravilhado embaraço, tinham certos requintes bastante cômicos de adejo e penetração, o que me fez concluir que ela fora iniciada em tenra idade por alguma pequena lésbica. Nenhum garoto do tipo do Charlie teria sido capaz de ensinar *aquilo* a ela. Como se quisesse ver se eu estava saciado e tinha aprendido a lição, ela afastou-se e examinou-me cuidadosamente. Rosto afogueado, o carnudo lábio inferior brilhando — eu estava prestes a dissolver-me.

De repente, com uma explosão impetuosa de alegria (a marca registrada da ninfeta!), ela encostou a boca junto a meu ouvido — mas durante um bom tempo minha mente não foi capaz de separar em palavras o quente trovejar de seu sussurro, e ela riu, e varreu os cabelos que lhe caíam sobre o rosto, e tentou outra vez, e gradualmente a estranha sensação de viver num mundo novo em folha, num mundo louco de sonho onde tudo era permissível tomou conta de mim à medida que entendi o que ela estava sugerindo. Respondi que não conhecia a brincadeira que ela e Charlie haviam praticado. "Vai me dizer que você nunca...?", perguntou, seu rosto contorcido numa expressão de decepção e incredulidade. "Você nunca...", recomeçou. Procurei ganhar tempo apertando-a contra mim. "Pára com isso, tá bem?", ela disse num queixume anasalado, afastando vigorosamente seu ombro bronzeado de meus lábios. (Era muito curioso como ela considerava — e continuou a considerar por muito tempo — qualquer carícia, com exceção dos beijos na boca ou da fornicação pura e simples, como algo "anormal" ou "besteirinha romântica".)

"Quer dizer", ela persistiu, agora ajoelhada, me olhando de cima, "que você nunca fez isso quando era menino?"

"Nunca", respondi com toda a sinceridade.

"Está bem", disse Lolita, "então vamos ver como é que é."

Todavia, não aborrecerei meus eruditos leitores com um relato pormenorizado da presunção de Lolita. Basta dizer que não percebi o menor traço de pudor nessa bela e ainda imatura mocinha, a quem os métodos modernos de educação mista, os costumes da juventude americana, a indústria dos acampamentos de férias e tudo mais tinham depravado de forma completa e irremediável. Ela encarava o ato sexual apenas como parte do mundo secreto dos jovens, ao qual os adultos não tinham acesso. O que quer que os adultos faziam para fins de procriação não lhe interessava em nada. A pequena Lô manuseou minha vida de modo enérgico e pragmático, como se fosse um utensílio insensível que não estivesse conectado a meu corpo. Embora desejosa de impressionar-me com o mundo dos pirralhos sabidos, ela não estava de todo preparada para certas discrepâncias entre o equipamento de um pirralho e o meu. Só mesmo uma boa dose de orgulho impediu-a de desistir, pois, na situação insólita em que me achava, fingi uma suprema ignorância e deixei que ela dirigisse os trabalhos — pelo menos enquanto pude agüentar. Mas de fato essas questões são irrelevantes; não estou nem um pouco preocupado com o que se possa chamar de "sexo". Qualquer um tem condições de imaginar esses elementos de animalidade. Atrai-me um objetivo mais elevado: apreender, de uma vez por todas, a perigosa magia das ninfetas.

30

Tenho de avançar com cautela. Tenho de falar num sussurro. Ah, você aí, veterano repórter policial, e você, velho e solene oficial de justiça, e você também, que um dia foi um guarda querido de todos na saída da escola e agora está preso e incomunicável — todos vocês, abjetamente aposentados, tendo agora de ouvir as lições de um menino! Jamais teria dado certo, não é mesmo? Se vocês se tivessem apaixonado perdidamente por minha Lolita! Se eu fosse um pintor, se a gerência do Caçadores Encantados tivesse enlouquecido num dia de verão e me contratado para redecorar o salão de jantar com murais de minha própria lavra, teria feito alguma coisa na linha dos fragmentos que apresento a seguir.

Pintaria um lago. Pintaria um caramanchão coberto de flores flamejantes. Pintaria estudos de natureza — um tigre perseguindo uma ave-do-paraíso, uma serpente quase sufocada ao engolir um leitão esfolado vivo. Pintaria um sultão, seu rosto exprimindo grande angústia (desmentida, na verdade, por sua carícia envolvente), ajudando uma pequena escrava calipígia a subir numa coluna de ônix. Pintaria esses glóbulos luminosos que brilham como gônadas e sobem pelas paredes opalescentes das vitrolas automáticas de bar. Pintaria todas as atividades do grupo intermediário no acampamento de férias, Canoagem, Cantorias, Confissões à beira do lago. Pintaria choupos, maçãs, um domingo nos subúrbios. Pintaria uma opala de fogo dissolvendo-se numa lagoa, as marolas formando círculos concêntricos, um último espasmo, uma última mancha de cor, vermelho ardente, rosa magoado, um suspiro, uma criança encolhendo-se de dor.

31

Estou tentando descrever essas coisas não para revivê-las na infinita miséria que é hoje minha vida, mas para separar a dose de inferno e a dose de céu que existem naquele mundo estranho, terrível, enlouquecedor, que é o amor por uma ninfeta. A bestialidade e a beleza se encontraram num determinado ponto — e é essa fronteira que eu desejo fixar, mas sinto que meu esforço é totalmente vão. Por quê?

A disposição da lei romana segundo a qual as meninas podiam casar aos doze anos foi adotada pela Igreja e ainda se mantém em vigor, de forma mais ou menos tácita, em certos estados americanos. E a idade de quinze anos é legal em toda a parte. Não há nada de errado, dizem ambos os hemisférios, quando um brutamontes de quarenta anos, abençoado pelo pároco local e inteiramente alcoolizado, despe suas roupas dominicais encharcadas de suor e penetra até o cabo em sua jovem noiva. "Em certas cidades, como St. Louis, Chicago e Cincinnati, o clima temperado e estimulante [segundo uma velha revista desencavada na biblioteca desta prisão] faz com que as meninas amadureçam por volta do fim do décimo segundo ano de vida." Dolores Haze havia nascido a menos de quinhentos quilômetros da estimulante Cincinnati. Nada mais fiz do que obedecer à natureza, sou o mais fiel de seus cães. Por que então esse horror de que não consigo me desvencilhar? Será que a deflorei? Sensíveis senhoras membros do júri, nem mesmo fui seu primeiro amante.

32

Ela me contou como havia sido desvirginada. Comemos bananas farinhentas e insossas, pêssegos machucados e batatas fritas bem saborosas, enquanto *die Kleine* me contava tudo. Seu relato volúvel mas descosido era acompanhado aqui e ali por umas caretinhas jocosas. Como creio já ter observado, lembro-me em especial de uma em que a boca flácida contorcida para um lado e os olhos revirados para cima expressavam uma síntese cômica de nojo, resignação e tolerância pelas fraquezas da juventude.

Seu surpreendente relato começou com uma menção introdutória a sua companheira de tenda no verão anterior, em outro acampamento de férias — "de gente muito fina", como ela disse. A tal companheira ("um péssimo caráter", "meio louca", mas "uma garota legal") instruiu-a em diversas manipulações. De início, a leal Lô recusou-se a dizer seu nome.

"Foi a Grace Angel?", perguntei.

Sacudiu a cabeça. Não, não foi, foi a filha de um sujeito importante. Ele...

"Quem sabe foi a Rose Carmine?"

"Não, claro que não. O pai dela..."

"Então, por acaso, não foi a Agnes Sheridan?"

Ela engoliu o que tinha na boca e sacudiu a cabeça — mas então deu uma parada repentina.

"Ei, como é que você conhece todas essas garotas?"

Expliquei.

"Bom", ela disse. "Esse pessoal aí da minha turma é bem danadinho, mas não tanto assim. Se você precisa mesmo saber, o nome dela é Elizabeth Talbot, ela agora está numa escola particular superchique, o pai dela é um executivo."

Lembrei-me, com uma curiosa pontada no coração, da freqüência com que a pobre Charlotte costumava introduzir nas conversas de coquetel algumas frases pomposas, do tipo: "No ano passado, quando minha filha estava fazendo uma caminhada nas montanhas com a menina dos Talbot...".

Quis saber se alguma das mães ficara sabendo dessas diversões sáficas.

"Nem pensar", ela respondeu em voz débil, fingindo medo e alívio, apertando a mão falsamente trêmula contra o peito.

Contudo, eu estava mais interessado nas experiências heterossexuais. Ela começara a freqüentar a escola de Ramsdale, vinda do Meio-Oeste, aos onze anos. O que será que queria dizer com "bem danadinho"?

Bem, os gêmeos Miranda haviam dormido na mesma cama durante anos, e Donald Scott, o garoto mais burro da escola, tinha feito "aquilo" com Hazel Smith na garagem de seu tio, e Kenneth Knight — que era o mais inteligente — costumava se exibir sempre que tinha uma chance, e...

"Vamos voltar ao Acampamento Q", disse eu. E, logo depois, fiquei sabendo da história toda.

Bárbara Burke, uma loura robusta, dois anos mais velha do que Lô e de longe a melhor nadadora do acampamento, tinha uma canoa muito especial que dividia com ela "porque eu era a única outra garota que conseguia chegar até a ilha do Salgueiro" (imagino que fosse um teste de natação). Ao longo do mês de julho, todas as manhãs — atente bem, caro leitor, todas as benditas manhãs — Bárbara e Lô eram ajudadas a levar a canoa para o Onyx ou o Eryx (dois laguinhos no meio da floresta) por Charlie Holmes, o filho da diretora do acampamento — que tinha treze anos e era o único ser humano do sexo masculino num raio de vários quilômetros (excetuado um velho humilde e surdo como uma porta que fazia pequenos serviços e um fazendeiro, proprietário de um Ford antiqüíssimo, que às vezes vendia ovos para as meninas do acampamento, como o costumam fazer todos os fazendeiros que se prezam); cada manhã — ah, meu leitor — as três crianças tomavam um atalho através da bela e inocente floresta repleta de emblemas da juventude, orvalho, canto de pássaros, e num determinado ponto, em meio à luxuriante vegetação rasteira, Lô ficava de sentinela enquanto Bárbara e o garoto copulavam atrás de uma moita.

De início, Lô se recusara a "ver como é que era", mas a curiosidade e a camaradagem prevaleceram, e bem cedo ela e Bárbara se revezavam junto ao incansável Charlie, um menino taciturno, grosseiro e rabugento, que tinha tanto sex appeal quanto uma cenoura crua mas que exibia uma coleção fenomenal de camisas-de-vênus pescadas num terceiro lago próximo, consideravelmente maior e mais freqüentado que os outros dois, o lago Climax, assim chamado em homenagem à jovem e próspera cidade industrial do mesmo nome. Embora admitindo que era "divertido" e "bom para a pele", Lolita, folgo em dizer, tinha o maior desprezo pela inteligência e pelos modos de Charlie. E aquele vagabundinho sórdido nem ao menos despertara o senso lúbrico de Lô. Na verdade, apesar de a coisa ter sido tão "divertida", acho mesmo que contribuiu para sufocar sua sensualidade.

A essa altura já eram quase dez horas. Com a vazante do desejo, uma sensação cinérea de desgosto, acentuada pela insipidez de uma manhã plúmbea e nevrálgica, cresceu dentro de mim e ficou zumbindo atrás de minhas têmporas. A nua, frágil e bronzeada Lô, suas estreitas nádegas brancas voltadas para mim, o rosto amuado, estava diante do espelho da porta, as mãos nas cadeiras, os pés (calçando os chinelos novos e felpudos) bem afastados, estudando-se com vulgar atenção através de uma mecha de cabelo que lhe caía pela testa. Do corredor chegavam as vozes arrulhantes das camareiras negras em pleno trabalho, e logo depois uma delas tentou abrir delicadamente a porta de nosso quarto. Fiz com que Lô tomasse um banho de chuveiro, usando o sabonete para valer, como ela bem o necessitava. A cama estava numa bagunça horrorosa, com restos de batata frita por toda parte. Ela experimentou um conjunto de duas peças de lã azul-marinho, depois uma blusa sem mangas e uma saia rodada com um padrão de grandes losangos, mas a primeira roupa estava muito apertada e a segunda muito larga, e, quando lhe implorei que se apressasse (a situação estava começando a me assustar), atirou malvadamente num canto aqueles belos presentes, pondo o vestido que usara no dia anterior. Quando finalmente ficou pronta, dei-lhe um simpático porta-níqueis imitando couro de bezerro (no qual havia posto um bom número de moedinhas de um centavo e duas reluzentes moedas de dez centavos), dizendo que comprasse uma revista para ela no saguão.

"Estou descendo num minuto", eu disse. "E, se fosse você, minha querida, não falaria com nenhum estranho."

Com exceção de meus modestos presentinhos, não havia muita coisa para guardar nas malas; mas vi-me forçado a devotar alguns perigosos minutos (será que ela estaria fazendo uma das suas lá embaixo?) a arrumar a cama de modo a que parecesse o ninho abandonado de um pai irrequieto e de uma garotinha endiabrada, e não o leito em que um ex-detento fizera uma bacanal com duas velhas e gordas prostitutas. Feito isso, acabei de vestir-me e chamei o encanecido carregador para pegar as malas.

Tudo ia bem. Ela estava no saguão, afundada numa poltrona cor de sangue exageradamente estofada, absorta na leitura de uma daquelas revistas sensacionalistas sobre os artistas de Hollywood. Um sujeito de minha idade, com um paletó de tweed (da noite para o dia, a atmosfera do lugar se transformara, predominando agora um falso estilo de aristocracia rural), contemplava minha Lolita por cima de seu charuto apagado e de um jornal velho. Como antes, ela usava as soquetes brancas e os sapatos de colegial, além daquele vestido estampado em cores vivas, de gola quadrada; a luz cansada de um abajur de pé acentuava a penugem dourada de seus membros cálidos e trigueiros. Lá estava ela sentada, as pernas descuidadamente cruzadas mais alto do que deviam, os olhos pálidos correndo pelas linhas e piscando de vez em quando: a mulher de Bill o havia adorado a distância muito antes de se encontrarem; na verdade, ela costumava admirar em segredo o jovem e famoso ator enquanto ele tomava sorvete no *drugstore* Schwab. Nada poderia ser mais infantil que seu nariz arrebitado, seu rosto sardento ou a mancha arroxeada no pescoço onde um vampiro de conto de fadas se havia banqueteado, ou mesmo o movimento inconsciente de sua língua ao explorar a pele levemente irritada e rosada em volta dos lábios inchados. Nada poderia ser mais inofensivo do que ler a história de Jill, uma operosa starlet que costurava suas próprias roupas e estudava literatura; nada poderia ser mais inocente do que a risca em seus lustrosos cabelos castanhos, com o brilho sedoso nas têmporas; nada poderia ser mais ingênuo... Mas que inveja doentia teria sentido aquele velho lascivo, fosse quem fosse — pensando bem, parecia-se um pouco com meu tio suíço, Gustave, ele também um grande admirador do sexo oposto —, se soubesse que cada um de meus nervos estava ainda ungido, reverberando ao toque daquele corpo — o corpo de algum demônio imortal disfarçado em menina.

Será que nosso porquinho rosado tinha absoluta certeza de que minha mulher não havia telefonado? Certeza absoluta. Se ela chamasse, poderia fazer o favor de dizer que tínhamos ido para a casa da tia Clare? Perfeitamente. Paguei a conta e consegui que Lô se desgrudasse da poltrona. Foi lendo até o carro. Lendo ainda, foi levada para uma confeitaria a alguns quarteirões de distância. Ah, comeu muito bem. Até pôs de lado a revista para comer, mas uma estranha apatia tomara o lugar de sua habitual desenvoltura. Sabendo que Lô podia ser uma pestinha quando queria, tratei de reunir minhas forças e, rindo corajosamente, fiquei esperando pela tempestade. Eu não havia tomado banho, não havia feito a barba e nem mesmo havia comparecido à privada. Tinha os nervos à flor da pele. Não gostei do jeito com que minha pequena amante deu de ombros e dilatou as narinas quando tentei puxar uma conversinha à-toa. Perguntei com um sorriso se Phyllis já sabia de tudo quando foi encontrar-se com seus pais no Maine. "Olha", disse Lô, fazendo uma careta de choro, "vamos mudar de assunto, certo?" Depois tentei — também sem êxito, por mais que estalasse os lábios — interessá-la na escolha de nosso itinerário. Permito-me recordar ao paciente leitor (cujo temperamento dócil deveria ter sido emulado por Lô) que nosso destino era a alegre cidade de Lepingville, que ficava próxima de um hipotético hospital. O destino era totalmente arbitrário (como, ai de mim, tantos outros o seriam!), e tremia dos pés à cabeça imaginando como manter a coisa toda plausível, e que outros objetivos plausíveis inventaria depois de termos visto todos os filmes em Lepingville. Humbert se sentia cada vez mais inquieto. Era um sentimento bastante peculiar: um aperto pavoroso, opressivo, como se eu estivesse sentado ao lado do fantasminha de alguém que acabara de matar.

Quando ela estava entrando de volta no carro, uma expressão de dor perpassou no seu rosto. Transpareceu novamente, de modo mais significativo, ao sentar-se a meu lado. Eu era, sem dúvida, o destinatário da repetição. Tolamente, perguntei o que estava sentindo. "Nada, seu bruto", ela respondeu. "Seu o quê?" Ela ficou em silêncio. Deixávamos Briceland para trás. A loquaz Lô permanecia muda. Frias aranhas de pânico rastejaram por minha espinha. Ali estava uma órfã. Ali estava uma criança solitária, totalmente desamparada, que copulara vigorosamente com um adulto maduro e malcheiroso três vezes naquela manhã. Tivesse ou não a realização do sonho de toda uma vida superado minhas expectativas, o fato é que passara dos limites — e se transformara num pesadelo. Eu havia sido descuidado, estúpido, ignóbil. E permitam-me que seja bastante franco: lá no fundo daquele horrível turbilhão, o desejo de novo se agitava, tão monstruoso era meu apetite por aquela infeliz ninfeta. Misturado às pontadas de culpa, havia o angustioso pensamento de que seu estado de espírito me impediria de possuí-la outra vez tão logo encontrasse uma acolhedora estradinha rural onde pudesse parar tranqüilamente o carro. Em outras palavras, o pobre Humbert Humbert sentia-se terrivelmente infeliz e, enquanto seguia de forma metódica e absurda rumo a Lepingville, remoía o cérebro tentando encontrar alguma palavra simpática sob cujas asas reluzentes tivesse a ousadia de voltar-se para sua companheira de viagem. Foi ela, porém, quem quebrou o silêncio:

"Ah, olha, um esquilo atropelado!", ela disse. "Coitadinho!"

"É uma pena, não é?" (Humbert ansioso, esperançoso).

"Vamos parar no próximo posto de gasolina", Lô continuou. "Preciso ir ao banheiro."

"Paramos onde você quiser", eu disse. E então um lindo bosque, solitário e sobranceiro (de carvalhos, creio eu, porque naquela época não conhecia muito bem as árvores americanas), começou a ecoar verdemente o zunido de nosso carro, uma estradinha vermelha, ladeada de samambaias, acenou à direita antes de se perder na floresta, e sugeri que talvez pudéssemos...

"Segue em frente", gritou Lô, numa voz metálica.

"Está bem. Fica calma" (Deitadinho aí, seu pobre vira-lata, deitadinho aí).

Olhei-a de soslaio. Graças a Deus, a criança estava sorrindo.

"Seu bruto", ela disse, sorrindo meigamente para mim. "Você não vale nada. Eu era uma mocinha pura e inocente, e olha só o que você fez comigo. Devia chamar a polícia e dizer que você me violentou. Ah, seu velho sujo, sujo!"

Seria só um gracejo? Havia uma nota ameaçadora, quase histérica, em suas palavras tolas. Logo depois, fazendo com os lábios um som que parecia um chiado, Lô começou a queixar-se de dores, disse que não podia ficar sentada, que eu havia arrebentado alguma coisa dentro dela. O suor escorria-me pelo pescoço e quase atropelamos um animalzinho qualquer que cruzava a estrada com o rabo empinado, e mais uma vez minha vitriólica companheira me chamou de um nome feio. Quando paramos no posto de gasolina, ela saltou sem uma palavra e desapareceu por um tempão. Lentamente, ternamente, um amigo idoso de nariz amassado limpou meu pára-brisa — em cada lugar eles usam uma técnica diferente, de um pano de camurça a uma escova com sabão, mas ele o fazia com uma esponja cor-de-rosa.

Finalmente, Lô apareceu. "Olha", ela disse naquela voz neutra que me feria tanto, "me dá umas moedas de dez e de cinco. Quero chamar minha mãe naquele hospital. Qual é o número?"

"Entra", disse eu. "Você não pode telefonar para lá."

"Por quê?"

"Entra e bate a porta."

Ela entrou e bateu a porta. O velho do posto abriu-se num enorme sorriso para ela. Voltei à estrada.

"Por que que não posso telefonar para a minha mãe, se quero falar com ela?"

"Porque", respondi, "sua mãe morreu."

33

Na alegre cidade de Lepingville comprei-lhe quatro livros de histórias em quadrinhos, uma caixa de bombons, um pacote de tampões, duas cocas, um estojo de unhas, um relógio de viagem com mostrador luminoso, um anel com um topázio verdadeiro, uma raquete de tênis, um par de patins de rodas com botas brancas, um binóculo, um rádio portátil, chicletes, uma capa de chuva transparente, óculos de sol, e outras roupas — maiôs, shorts, vestidos de verão de todo o tipo. No hotel, ficamos em quartos separados, mas no meio da noite ela entrou soluçando no meu, e fizemos a coisa muito suavemente. Vocês compreendem, ela não tinha mesmo para onde ir.

PARTE II

1

Foi então que começou nossa grande viagem pelos Estados Unidos. Bem cedo, dentre os diversos tipos de acomodações para turistas, passei a preferir o Motel Funcional — abrigos limpos, eficientes e seguros, realmente os lugares ideais para dormir, brigar, fazer as pazes e dedicar-se aos insaciáveis prazeres do amor ilícito. De início, dado meu receio de despertar suspeitas, não hesitava em pagar por ambos os compartimentos de um quarto duplo, cada qual contendo uma cama de casal. Ficava imaginando a que tipo de brincadeira para quatro tal instalação se destinava, pois a divisória incompleta que separava o chalé ou o quarto em dois ninhos de amor comunicantes oferecia apenas uma farisaica paródia de privacidade. Com o tempo, as próprias possibilidades sugeridas por essa honesta promiscuidade (dois jovens casais trocando alegremente de parceiros, ou a criança fingindo que dorme a fim de ouvir os ruídos que vêm da cama dos pais) tornaram-me mais audacioso, e vez por outra alugava um quarto com cama e caminha de armar ou duas camas de solteiro — paradisíacas masmorras, cujas cortinas amarelas criavam uma ilusão matutina de Veneza e de sol, quando, na verdade, estávamos na Pensilvânia e chovia.

Viemos a conhecer — *nous connûmes*, para usar uma entonação flaubertiana — os bangalôs de pedra sob enormes árvores chateaubrianescas, os chalés de tijolos, de adobe, de estuque, erigidos em terrenos que o Guia Turístico do Automóvel Clube descreve como "bem sombreados", "muito espaçosos" ou "cuidadosamente ajardinados". As cabanas de toros, com paredes internas de pinheiros nodosos, lembravam a Lô, por seu brilho castanho-dourado, ossos de frango frito. Desprezávamos as vulgares cabanas de tábuas caiadas, com seu vago cheiro de esgoto e outros odores sombrios e ainda mais envergonhados, sem nada de que pudessem se vangloriar (exceto "boas camas") e com senhorias de cara amarrada sempre prontas a ver sua generosidade ("...bem, eu podia dar para vocês...") rechaçada.

Nous connûmes (régio divertimento!) a falsa sedução dos nomes tantas vezes repetidos, insinuando o mais belo pôr-do-sol, a mais linda vista da montanha, o mais puro ar de floresta, a mais sorridente cachoeira, quando não ecoavam as nobres denominações dos melhores hotéis do mundo. Às vezes havia alguma frase especial no letreiro, tal como: "Crianças bem-vindas, aceitam-se animais de estimação" (*Você é bem-vinda, você é aceito*). Os banheiros, em geral, limitavam-se a um boxe de chuveiro revestido de ladrilhos, com uma infinidade de mecanismos para fazer a água jorrar, mas tendo todos uma característica em comum: a propensão, quando em uso, de se tornarem num piscar de olhos diabolicamente escaldantes ou glacialmente frígidos se o vizinho do lado abrisse a torneira de água fria ou quente, destruindo assim o cuidadoso equilíbrio a que se chegara com grande esforço. Em alguns motéis havia instruções coladas em cima da privada (sobre cuja caixa-d'água se empilhavam as toalhas sem qualquer respeito pelas regras de higiene) pedindo aos hóspedes que não jogassem no vaso lixo, latas de cerveja, caixas de papelão e bebês recém-nascidos; outros tinham sugestões especiais emolduradas em pequenos quadrinhos, tais como Diversões nas Redondezas (Equitação: "Freqüentemente nossos hóspedes verão pessoas a cavalo voltando de passeios românticos ao luar". "Freqüentemente às três da manhã", zombava a nada romântica Lô).

Nous connûmes os vários tipos de gerentes de motéis: dentre os homens, o criminoso regenerado, o professor aposentado e o empresário fracassado, bem como, dentre as mulheres, a maternal, a metida a aristocrata e as muitas variantes de donas de bordel. Às vezes, na noite monstruosamente quente e úmida, um trem lançava um uivo de lancinante plangência, carregado de maus presságios, uma mistura de poder e histeria contida naquele grito desesperado.

Evitávamos as casas em que se alugavam quartos para turistas, primos rurais das casas funerárias, vetustos, pretensiosos e sem chuveiros, com enormes penteadeiras em quartinhos deprimentes decorados de branco e rosa, além de fotografias dos filhos da senhoria desde o berço até o ginásio. Mas de vez em quando me rendia à predileção de Lô por hotéis "de verdade". Enquanto eu a acariciava no carro parado em meio ao silêncio de uma misteriosa estrada marginal suavizada pelo crepúsculo, ela buscava no guia alguma pousada altamente recomendada à beira do lago, que oferecia mil e uma coisas tornadas mais atraentes pela lanterna que ela movia sobre a página, tais como clientela agradável, serviço de bar entre as refeições, churrascos ao ar livre — mas que, em minha mente, evocava visões deletérias de garotos fedorentos em camisas-de-meia e um rosto afogueado se apertando contra o dela, enquanto o pobre dr. Humbert, abraçando apenas dois joelhos masculinos, ficava refrescando suas hemorróidas na grama úmida. Ela também era fã daquelas Pensões Coloniais, que, além da "atmosfera requintada" e janelas panorâmicas, prometiam "uma inesquecível experiência gastronômica". Preciosas recordações do hotel palaciano de meu pai às vezes compeliam-me a buscar algo semelhante naquelas estranhas paragens por onde viajávamos. Bem cedo perdi as esperanças, mas Lô continuava a seguir o rastro de qualquer indicação de boa comida, enquanto eu me deliciava (e não só por razões econômicas) com os anúncios de beira de estrada onde se lia: "Hotel do Bosque, *Crianças de Menos de Catorze Anos Grátis*". Por outro lado, tremo de ódio só de pensar naquele hotel supostamente de grande luxo num estado do Meio-Oeste, que proclamava "incursões noturnas à geladeira" e cujo gerente, suspeitando de minha pronúncia, queria saber os nomes de solteira de minha falecida esposa e de minha falecida mãe. Uma estada de dois dias lá custou-me a bagatela de cento e vinte e quatro dólares! E você se lembra, Miranda, daquele outro "ultra-seleto" antro de ladrões onde o café da manhã era gratuito e havia uma bica de água gelada nos quartos, mas não se aceitavam crianças de menos de dezesseis anos (e, portanto, nenhuma Lolita)?

Logo após chegarmos a um dos modestos motéis que se transformaram em nossos abrigos habituais, ela punha a zumbir o ventilador elétrico, ou me forçava a depositar uma moeda de vinte e cinco centavos no rádio automático, ou lia todos os prospectos e perguntava em tom lamurioso por que não podia imediatamente andar a cavalo por uma das trilhas locais ou nadar na piscina de água mineral aquecida. No mais das vezes, arrastando os pés, com aquele ar de enfado que ela tão bem cultivava, Lô se deixava cair, abominavelmente desejável, numa cadeira de molas vermelha ou numa espreguiçadeira verde, ou numa cadeira de lona listrada com toldo e descanso para os pés, ou num balanço, ou em qualquer outra cadeira de jardim provida de guarda-sol — e eram necessárias horas e horas de agrados, ameaças e promessas para fazer com que me emprestasse por alguns segundos seu corpo bronzeado na reclusão do quarto de cinco dólares, antes de irmos fazer qualquer coisa que ela julgasse preferível a minha pobre felicidade.

Um misto de ingenuidade e hipocrisia, de encanto e vulgaridade, de amuos sombrios e róseas gargalhadas, Lolita, quando lhe dava na telha, podia ser uma pirralha extraordinariamente exasperante. Na verdade, eu não estava preparado para suportar seus ataques repentinos de tédio, suas reclamações intensas e veementes, o corpo lânguido, os olhos baixos, a cara apatetada, fazendo umas gracinhas desaforadas que ela imaginava corresponder ao comportamento dos jovens "da pesada". Em matéria de intelecto, verifiquei que ela era uma menina odiosamente convencional. Na sua lista de predileções, ocupavam óbvio lugar de destaque as canções sincopadas e melosas, as danças de quadrilha com música country, os sundaes adocicados e enxaropados, os filmes musicais, as revistas sobre Hollywood, e por aí afora. Só Deus sabe com quantas moedas tive de alimentar as reluzentes vitrolas automáticas que propiciavam o fundo musical para cada uma de nossas refeições! Ainda ouço as vozes anasaladas daqueles seres invisíveis que lhe faziam serenatas, aqueles Sammy e Jo e Eddy e Tony e Peggy e Guy e Patti e Rex cantando as baladas sentimentais de sucesso, todas tão semelhantes a meus ouvidos como o eram, para meu paladar, as diversas balas e bombons que ela consumia com avidez. Lô acreditava, como se fosse a verdade divinamente revelada, em qualquer anúncio ou conselho que aparecesse nas páginas de *Movie Love* ou *Screen Land*: "Starasil elimina as espinhas", ou "Prestem atenção, garotas: se vocês ainda estão usando a camisa para fora dos jeans, a Jill diz que isso já saiu da moda". Se uma tabuleta de beira da estrada dissesse: "Visite nossa Loja de Lembranças", nós *tínhamos* de visitá-la, *tínhamos* de comprar os artefatos indígenas, as bonecas, os enfeites de cobre, as balas em formato de cacto. As palavras *novidades* e *lembranças* exerciam sobre ela uma atração irresistível. Bastava um barzinho proclamar "Bebidas Supergeladas" para que ela automaticamente se agitasse, embora qualquer bebida em qualquer parte fosse também supergelada. Lolita era o alvo de todos os anúncios, a consumidora ideal, sujeito e objeto de toda a propaganda mentirosa. E ela tentava — sem êxito — freqüentar apenas aqueles restaurantes que o autor de um famoso guia gastronômico havia abençoado, concedendo um selo de aprovação celestial a seus graciosos guardanapos de papel e às saladas recobertas de queijo branco.

Naquela época, nem ela nem eu havíamos ainda idealizado o sistema de suborno que, mais tarde, iria provocar tantos estragos em meus nervos e em sua moral. Baseava-me em três outros métodos para manter minha púbere concubina submissa e num estado de espírito minimamente razoável. Alguns anos antes, Lô havia passado um verão chuvoso sob os olhares turvos da srta. Phalen numa decrépita fazendola dos montes Apalaches, a qual pertencera a algum encarquilhado Haze no passado longínquo. Lá se encontrava ainda, em meio a um imenso campo coberto de capim, à beira de uma floresta sem flores, no fim de uma estradinha permanentemente lamacenta, a trinta quilômetros da aldeia mais próxima. Lô se recordava daquela casa semelhante a um espantalho, da solidão, dos velhos pastos encharcados, do vento, do vazio, com tal repugnância que sua boca e sua língua se retorciam num ricto de angústia. E eu a advertia de que era lá onde iria viver em exílio durante meses — ou até mesmo anos, se necessário —, estudando comigo francês e latim, caso não mudasse seus "modos". Ah, Charlotte, comecei a entendê-la!

Criança que era, Lô gritava: "Não!" e agarrava freneticamente minha mão sobre o volante sempre que eu dava um basta a seus tufões de mau humor fazendo a volta em plena estrada, com a aparente intenção de levá-la diretamente àquela casa lúgubre e tristonha. No entanto, quanto mais nos afastávamos rumo ao Oeste, menos tangível se tornava essa ameaça, obrigando-me a adotar outros métodos de persuasão.

Entre esses, a ameaça de mandá-la para um reformatório é o que recordo com o mais fundo gemido de vergonha. Desde o início de nossa relação, fui suficientemente esperto para compreender que devia contar com sua absoluta cooperação a fim de manter em segredo o que se passava entre nós, que isso deveria transformar-se para ela numa segunda natureza, fossem quais fossem suas queixas para comigo, independentemente de outros prazeres que ela pudesse procurar.

"Vem aqui dar um beijo no papai", eu diria, "e pára com essa bobagem de ficar assim de cara amarrada. Antigamente, quando eu ainda era o homem dos teus sonhos [o leitor notará o esforço que eu fazia para falar a língua de Lô], você se derretia toda ouvindo aqueles discos chorosos do ídolo das mocinhas de tua faixa etária. [Lô: 'Minha o quê? Vê se fala inglês, está bem?'] Você achava que o ídolo das meninas da tua idade tinha uma voz igual à do amiguinho Humbert. Mas, agora, eu sou apenas o teu *velho*, um papai de brincadeira que protege sua filhinha de brincadeira.

"Minha *chère Dolorès*! Só quero te proteger de todas essas coisas pavorosas que acontecem com as meninas nas garagens e nos becos, e também, *comme vous le savez trop bien, ma gentille*, nos bosques mais floridos em pleno verão. Vou ser teu tutor aconteça o que acontecer e, se você for boazinha, espero que algum juiz legalize essa situação tão logo seja possível. Mas, Dolores Haze, tratemos de esquecer essa terminologia pseudojurídica, que aceita como racional a expressão 'coabitação libidinosa e lasciva'. Não sou um criminoso sexual, um psicopata que pratica atos indecentes com alguma criança. O estuprador foi o Charlie Holmes; eu sou o terapeuta, e essa é uma distinção muitíssimo importante. Sou o teu papai, Lô, teu velho pai. Olha, tenho aqui um livro erudito que fala de meninas. Veja só, minha querida, o que ele diz: 'A menina normal' — normal, presta atenção — 'tem, em geral, um grande desejo de agradar seu pai. Vê nele o precursor do companheiro desejado e esquivo' (por Polonius, esse 'esquivo' é ótimo!). 'A mãe esclarecida' (e sua pobre mãe seria esclarecida, se estivesse viva) 'cuidará de encorajar a camaradagem entre o pai e a filha, reconhecendo' — perdão pelo estilo pomposo — 'que a menina forma sua concepção ideal do amor e dos homens mediante a associação com o pai'. Muito bem, e qual é a associação que esse divertido livro recomenda? Volto a citar: 'Na Sicília, as relações sexuais entre pai e filha são aceitas como algo natural, e a menina que delas participa não é encarada com desaprovação pela sociedade a que pertence'. Sou um grande admirador dos sicilianos, bons atletas, bons músicos, gente muito virtuosa, Lô, e muito dada às práticas sensuais. Mas chega de digressões. Outro dia mesmo nós lemos nos jornais aquela baboseira sobre um homem de meia-idade que se declarou culpado de ofender a moral pública e de violar a Lei Mann por ter transportado uma menina de nove anos para outro estado com fins imorais, o que quer que isso signifique. Dolores querida! Você não tem mais nove anos, e sim quase treze, e eu te aconselharia a não se considerar minha escrava em excursões transestaduais. Deploro a Lei Mann, que, por soar como se fosse a 'Lei Homem', se presta a um trocadilho horroroso e é a vingança dos Deuses da Semântica contra os filisteus de braguilha abotoada até em cima. Sou teu pai, estou falando um inglês bem claro, e te amo.

"Finalmente, vamos ver o que aconteceria com você, uma menor acusada de haver corrompido um adulto num hotel respeitável, se você contasse à polícia que eu te raptei e violentei. Admitamos que eles acreditem em você. Quando uma menor permite que um homem de mais de vinte e um anos a conheça carnalmente, sua vítima é enquadrada no crime de estupro ou de sodomia, dependendo da técnica utilizada, com uma pena máxima de dez anos. Isso significa que irei para a cadeia. Tudo bem. Vou para a cadeia. Mas o que acontece com você, minha órfã? Bom, você tem mais sorte. Você será colocada sob a tutela do Departamento de Bem-Estar Público — o que não me parece soar como alguma coisa muito animadora. Uma matrona bem severa, do tipo da senhorita Phalen, mas ainda mais rígida e que não bebe uma gota de álcool, vai confiscar teu batom e tuas lindas roupinhas. Fim de festa! Não sei se você já ouviu falar das leis relativas às crianças dependentes, abandonadas, incorrigíveis e delinqüentes. Enquanto eu estiver agarrado às grades da prisão, você, uma feliz criança abandonada, poderá escolher entre várias moradias, todas mais ou menos iguais: a escola correcional, o reformatório, a casa de detenção juvenil ou um desses admiráveis asilos para moças, onde você vai fazer tricô, cantar hinos religiosos e comer panquecas rançosas aos domingos. Você vai para um desses lugares, Lolita — *minha* Lolita, *essa* Lolita vai se separar de seu Catulo e irá para lá, como a criança-problema que é. Em palavras mais simples, se formos apanhados, minha bonequinha, você vai ser analisada e internada, *c'est tout*. Você vai morar, minha Lolita vai morar (vem cá, minha flor morena) com outras trinta e nove infelizes num dormitório imundo (não, deixa eu fazer, por favor) sob a supervisão de umas matronas horríveis. É essa a situação, é essa a escolha que você tem. Não acha que, dadas as circunstâncias, a Dolores Haze faria melhor se ficasse com seu paizinho?".

De tanto repetir essas ameaças, consegui aterrorizar Lô — que, malgrado certa vivacidade impudente e algumas tiradas espirituosas, não era uma criança tão inteligente quanto seu QI faria supor. Mas, se fui capaz de estabelecer aquele vínculo de segredo e culpa compartilhados, tive muito menos êxito em manter seu bom humor. Durante o ano inteiro que duraram nossas viagens, a cada manhã eu tinha de criar alguma expectativa, algum ponto especial no tempo ou no espaço capaz de atraí-la a fim de que ela pudesse sobreviver até a hora de dormir. Do contrário, privada de algum propósito que lhe desse forma e sustentação, o esqueleto de seus dias desmoronava por completo. O objetivo visado podia ser qualquer coisa — um farol na Virgínia, uma caverna natural no Arkansas convertida em restaurante, uma coleção de armas e violinos em alguma parte do Oklahoma, uma réplica da gruta de Lurdes na Louisiana, fotografias mambembes do período da corrida do ouro num pequeno museu das montanhas Rochosas, qualquer coisa, não importa o quê —, mas tinha de estar lá, diante de nós, como uma estrela fixa, mesmo se, na maior parte das vezes, Lô fingisse que ia vomitar tão logo chegávamos ao lugar.

Dando vida à geografia dos Estados Unidos, eu fazia o possível, durante horas a fio, para convencê-la de que não estávamos vagando à toa, de que tínhamos um destino preciso, de que seguíamos rumo a algum prazer extraordinário. Nunca vi estradas tão lisas e acolhedoras como aquelas que agora se irradiavam a nossa frente, através da colcha de retalhos dos quarenta e oito estados. Consumimos vorazmente aquelas longas auto-estradas, deslizando num silêncio extasiado sobre suas superfícies tão negras e luzidias como se fossem pistas de dança. Lô não apenas era insensível à natureza, mas protestava furiosamente sempre que eu chamava sua atenção para esse ou aquele detalhe encantador da paisagem — que eu próprio só aprendi a discernir após ter sido exposto por longo tempo à beleza delicada dos cenários que se desdobravam imerecidamente à margem de nossa viagem. De início, por um paradoxo de percepção pictórica, registrei o panorama das planícies norte-americanas com um choque de divertido reconhecimento graças àquelas pinturas feitas sobre oleados que antigamente se importavam dos Estados Unidos para pendurar acima das pias nos quartos de crianças da Europa Central, e que, na hora de dormir, fascinavam os pirralhos sonolentos com suas rústicas e verdejantes paisagens — árvores opacas e encaracoladas, um celeiro, bois e vacas, um riacho, o branco fosco de vagos pomares em floração, talvez uma cerca de pedras ou colinas de um guache esverdeado. Aos poucos, porém, os modelos dessas rusticidades elementares foram se tornando mais estranhos à medida que passei a conhecê-los melhor. Além das terras cultivadas, além dos telhados das casas de boneca, havia uma lenta difusão de beleza inútil, um sol baixo em meio à névoa platinada com um quente matiz de pêssego descascado impregnando o topo de uma nuvem cinza-pombo, bidimensional, que se fundia ao longe na bruma amorosa. Ou uma fileira de árvores recortadas contra o horizonte, o calor pesado do meio-dia pairando sobre um imenso campo de trevos, ou nuvens no estilo de Claude Lorrain vagamente delineadas no azul enevoado, em que apenas os flocos dos cúmulos se destacavam nitidamente contra o fundo esmaecido. Ou, então, um austero e sombrio horizonte prenhe de chuva à maneira de El Greco, a visão fugaz de algum fazendeiro com pescoço de múmia, e, de um lado e do outro, listras de água prateada alternando-se com o verde implacável dos milharais, tudo isso abrindo-se como um leque, em algum canto perdido do Kansas.

Vez por outra, na vastidão das planícies, imensas árvores avançavam em nossa direção e se agrupavam amedrontadas à beira da estrada, proporcionando um retalho de sombra humanitária sobre uma mesa de piquenique, enquanto, na terra marrom salpicada de sol, espalhavam-se copos de papel amassados, sâmaras e palitos de sorvete. Grande usuária dos banheiros de beira de estrada, minha pouco exigente Lô se encantava com os letreiros que ia encontrando: Eles-Elas, João-Maria, Cavalheiros-Damas e até Papai-Mamãe; absorto num sonho de artista, eu ficava contemplando o brilho honesto do equipamento dos postos de gasolina contra o pano de fundo do verde esplêndido dos carvalhos ou de alguma longínqua colina — já ferida mas ainda indomada — resistindo ao oceano agrícola que tentava tragá-la.

À noite, altos caminhões incrustados de luzes coloridas, gigantescas e assustadoras árvores de Natal surgiam da escuridão e ultrapassavam trovejando nosso lento carrinho. E mais uma vez, no dia seguinte, um céu escassamente povoado, cujo azul era dissolvido pelo calor, fundia-se acima de nossas cabeças, e Lô exigia algo para beber, e suas bochechas se encovavam sobre o canudinho, e o interior do carro era um forno quando voltávamos, e a estrada tremeluzia a nossa frente, com um carro distante mudando de forma no reflexo resplandecente do asfalto, de repente alto e quadrado como outrora, parecendo pairar por um instante na névoa quente tal qual uma miragem. À medida que avançávamos rumo ao Oeste, começaram a surgir os primeiros campos cobertos daquilo que o empregado de um posto de gasolina chamou de "artemísia", e logo após as misteriosas silhuetas dos morros que se assemelhavam a mesas, seguidas de escarpas vermelhas pontilhadas de pinheiros e, mais tarde, de uma cadeia de montanhas, o pardo esbatendo-se em azul, o azul em sonho, até que o deserto veio a nosso encontro com uma ventania incessante, poeira, arbustos cinzentos cheios de espinhos e aqueles pavorosos restos de lenços de papel imitando pálidas flores entre as pontas dos talos ressequidos e torturados pelo vento ao longo de toda a estrada — no meio da qual às vezes nos deparávamos com vacas inocentes, imobilizadas numa posição (rabo para a esquerda, cílios brancos para a direita) que contrariava todas as regras de trânsito criadas pelo homem.

Meu advogado sugeriu que eu fizesse um relato claro e franco de nosso itinerário, e acho que cheguei a um ponto onde não posso evitar tal tarefa. Grosso modo, durante aquele ano louco (agosto de 1947 a agosto de 1948), nossa viagem começou com uma série de meneios na Nova Inglaterra e depois seguiu em meandros para o Sul, subindo e descendo, para leste e para oeste; penetramos fundo naquilo *qu'on appelle* Dixieland, evitamos a Flórida porque os Farlow estavam por lá, enveredamos rumo ao Oeste, ziguezagueamos através de cinturões de milho e de algodão (creio que não está *muito* claro, Clarence, mas não fiz nenhuma anotação à época e, para verificar essas recordações, só disponho aqui de um guia turístico em três volumes atrozmente mutilado, quase um símbolo de meu esfarrapado passado); cruzamos e recruzamos as montanhas Rochosas, vagamos pelos desertos do Sul, onde passamos o inverno; atingimos o Pacífico e subimos para o Norte, atravessando infindáveis florestas, em meio à penugem lilás dos arbustos em flor; quase chegamos à fronteira do Canadá; de lá seguimos para o Leste, através de terras férteis e inférteis, de volta à agricultura em larga escala, evitando, a despeito das estridentes reclamações de Lô, sua cidade natal, numa região em que se produzia milho, carvão e porcos; e finalmente retornamos ao aprisco da costa atlântica, terminando na cidade universitária de Beardsley.

2

Agora, ao ler o que se segue, o leitor deve ter em mente não apenas o trajeto esboçado acima, com suas múltiplas excursões laterais e armadilhas para turistas, com seus círculos secundários e desvios ao azar, mas também o fato de que, longe de constituir uma indolente *partie de plaisir*, nossa viagem foi uma empreitada difícil, tortuosa e teleológica, cuja única *raison d'être* (esses clichês em francês são sintomáticos) consistia em manter minha companheira, entre um beijo e outro, num estado de espírito suportável.

Folheando este esfrangalhado guia turístico, recordo-me vagamente daquele Jardim de Magnólias num estado sulino, cuja entrada custava quatro dólares e que, segundo o anúncio no guia, tinha de ser visto por três razões: porque John Galsworthy (um escritor de segunda categoria que está morto e enterrado) o aclamou como sendo o mais belo jardim do mundo; porque em 1900 o Guia Baedeker lhe havia concedido uma estrela; e, finalmente, porque... Ah, Meu Leitor, adivinhe!... as crianças (e, diabos, minha Lolita não era uma criança?) "percorrerão com reverência este cantinho do Paraíso, beneficiando-se de um espetáculo de beleza que as influenciará por toda a vida". "A minha, não!", disse Lô de cara fechada, aboletando-se num banco com as histórias em quadrinhos de dois jornais dominicais em seu colo encantador.

Passamos e repassamos toda a gama de restaurantes de beira de estrada dos Estados Unidos, desde os mais reles, que invariavelmente exibiam uma cabeça empalhada de veado (com o traço escuro de uma longa lágrima no canto interno de cada olho), cartões-postais "humorísticos" só comparáveis em matéria de mau gosto aos encontrados em estâncias hidrominerais da Alemanha, as contas empaladas junto à caixa registradora, pastilhas de hortelã, óculos de sol, visões oníricas de sundaes que só existiam na cabeça do publicitário que os concebeu, metade de um bolo de chocolate sob uma redoma de vidro, e várias moscas horrivelmente experientes que passeavam sobre os pegajosos restos de açúcar derramado no ignóbil balcão. No outro extremo, visitamos aqueles lugares caros, com iluminação indireta, toalhas de mesa de qualidade sofrível, garçons ineptos (ex-presidiários ou estudantes), o fundo decote nas costas de uma estrela de cinema e as sobrancelhas sedosas de seu amante ocasional, além de uma orquestra em trajes de gângster com um excesso de pistões.

Inspecionamos a maior estalagmite do mundo numa caverna onde três estados sulinos realizam uma reunião de família; ingressos variando com a idade: adultos, um dólar; adolescentes, sessenta centavos. Um obelisco de granito que comemorava a Batalha das Salinas Azuis, com velhas ossadas e cerâmica indígena no museu ao lado — Lô, dez centavos, bem razoável. A moderna cabana de toros que imita desavergonhadamente a antiga cabana de toros onde Lincoln nasceu. Um rochedo com uma placa em memória do autor do poema "As árvores" (a essa altura estamos em Poplar Cove, na Carolina do Norte, tendo lá chegado através daquilo que meu amável e tolerante guia turístico, em geral tão comedido, classificava com indisfarçável irritação como "uma estrada muito estreita e pessimamente conservada", com o que, embora não seja um admirador de Kilmer, concordo inteiramente). De uma lancha de aluguel — pilotada por um russo branco já entrado em anos, mas mesmo assim repulsivamente vistoso, um barão, segundo diziam (as palmas das mãos de Lô ficaram úmidas quando a bobinha chegou perto dele), que conhecera na Califórnia meu velho amigo Maximovitch e Valéria —, pudemos entrever ao longe a inacessível "colônia de milionários" situada numa ilhota ao largo da costa da Geórgia. Inspecionamos também uma coleção de cartões-postais de hotéis europeus num museu do Mississippi dedicado a passatempos, onde descobri, inundado por uma quente onda de orgulho, uma fotografia colorida do Mirana que pertencera a meu pai, com seus toldos listrados e sua bandeira desfraldada acima das palmeiras retocadas à mão. "E daí?", disse Lô, olhando de soslaio para o bronzeado proprietário de um carro de luxo que nos seguira até o Pavilhão dos Passatempos. Relíquias da época áurea do algodão. Uma floresta no Arkansas e, no seu ombro moreno, uma inchação arroxeada (obra de algum mosquito) da qual extraí o belo e transparente veneno com as longas unhas de meus polegares, e depois suguei até me saciar de seu sangue picante. Rua Bourbon (numa cidade chamada Nova Orleans), cujas calçadas, segundo o guia turístico, "oferecem às vezes [gostei do 'às vezes'] espetáculos promovidos por meninos pretos que estão sempre prontos [gostei ainda mais do 'sempre'] a sapatear em troca de alguns centavos" (que divertimento extraordinário!), enquanto "seus *numerosos nightclubs*, pequenos e aconchegantes, estão repletos de visitantes" (safardanas). Recordações do tempo dos pioneiros. Mansões de antes da Guerra Civil, com aquelas sacadas de ferro forjado e largas escadarias, pelas quais as heroínas de Hollywood, seus ombros beijados por um sol em tecnicolor, descem correndo enquanto seguram com ambas as mãos as barras dos vestidos cheios de babados, naquele jeito todo especial, e uma preta fiel abana a cabeça no patamar de cima. A Fundação Menninger, uma clínica psiquiátrica, só por falta do que fazer. Uma ribanceira de argila que a erosão esculpira lindamente, e iúcas em flor, tão puras, parecendo feitas de cera, mas infestadas de horrendas moscas brancas. A cidade de Independence, no Missouri, ponto de partida da velha trilha para o Oregon; e Abilene, no Kansas, berço do Rodeio do Wild Bill Sei-Lá-O-Quê. Montanhas distantes. Montanhas próximas. Mais montanhas: maravilhas azuladas jamais atingíveis, ou que se transformavam em morros desertos atrás de outros morros desertos; cordilheiras do Sudeste, meras colinas quando comparadas aos Alpes; colossos de pedra cinzenta com veias nevadas, a perfurar o céu e nossos corações, picos implacáveis a surgir do nada numa volta da estrada;

enormidades florestais, com rígidas fileiras de abetos negros a perder de vista, interrompidas aqui e ali pelos pálidos tufos das faias; formações rochosas cor-de-rosa e lilás, faraônicas, fálicas, "pré-históricas demais para se descrever com palavras" (Lô se fazendo de superior); montes isolados de lava negra; montanhas no começo da primavera, seus espinhaços cobertos de uma lanugem rala, como a dos filhotes de elefantes; montanhas no fim do verão, todas encurvadas, suas pesadas pernas de estátua egípcia recobertas pelas dobras de pelúcia fulva; colinas cor de mingau de aveia, sarapintadas de verdes carvalhos redondos; uma derradeira montanha ruiva, com um luxuriante tapete de alfafa a seus pés.

Além disso, inspecionamos: em algum lugar do Colorado, o lago do Pequeno Iceberg, escarpas nevadas, colchõezinhos de minúsculas flores alpinas e mais neve — pela qual Lô, com um boné de pala vermelha, deslizou dando gritinhos, sendo atacada com bolas de neve por alguns jovens e retaliando com a mesma arma. Esqueletos de faias calcinadas, clareiras cobertas de flores azuis em forma de pináculo. Tudo o que se vê nas centenas de estradas panorâmicas e águas termais, nos milhares de ribeirões do Urso e desfiladeiros da Morte. Texas, uma planície assolada pela seca. A Sala dos Cristais na mais comprida caverna do mundo, entrada livre para crianças de menos de doze anos, Lô uma jovem cativa. A coleção de esculturas de uma senhora do local, fechada numa miserável manhã de segunda-feira, poeira, vento, terra seca. Parque da Concepção, numa cidade situada na fronteira mexicana, que não ousei cruzar. Lá, e por toda parte, centenas de beija-flores cinzentos no lusco-fusco, enfiando o bico nas gargantas de obscuras flores. Shakespeare, uma cidade-fantasma do Novo México, onde o bandido Bill Russo foi pitorescamente enforcado setenta anos atrás. Viveiros de peixes. Casas cavadas nas rochas. A múmia de uma criança (contemporânea apache da Beatriz florentina). Nosso vigésimo desfiladeiro do Diabo. Nosso qüinquagésimo Mirante, de onde se avistava qualquer coisa considerada um espetáculo natural imperdível segundo o guia turístico (que a essa altura já perdera a capa). Um carrapato na minha virilha. Os três velhos de sempre, de chapéu e suspensório, vendo a vida passar na longa tarde de verão sob as árvores da pracinha. Num belvedere de montanha, um vago panorama azulado se abrindo para além do corrimão de ferro e as costas de uma família que admirava a paisagem — e Lô, num sussurro quente, feliz, nervoso, intenso, esperançoso, desesperado:

"Olha, são os McCrystal, por favor, vamos falar com eles, por favor" — é, leitor, vamos falar com eles! —, "por favor! Faço tudo que você quiser, ah, por favor...". Danças rituais indígenas, estritamente comerciais. ART: American Refrigerator Transit Co. Os cenários demasiado óbvios do Arizona, os *pueblos* de pedra e adobe dos indígenas locais e seus pictogramas, pegadas de dinossauro numa ravina do deserto (impressas havia trinta milhões de anos, quando eu era criança). Um rapaz pálido e magro, com um metro e oitenta e um pomo-de-adão ativíssimo, olhando com ar de cobiça a barriguinha nua e bronzeada de Lô — que eu beijei cinco minutos depois, seu trouxa! Inverno no deserto, primavera no sopé das montanhas, amendoeiras em flor. Reno, uma cidade lúgubre em Nevada, onde a vida noturna é supostamente "cosmopolita e sofisticada". Um estabelecimento vinícola na Califórnia, com uma igreja em formato de barril de vinho. O vale da Morte. O castelo do Scotty. Obras de arte colecionadas por um certo sr. Rogers ao longo de muitos anos. As feias mansões de belas atrizes. A marca do pé de Robert Louis Stevenson num vulcão extinto. A Missão Dolores: bom título para um livro. Grinaldas de arenito esculpidas pelas ondas do mar. No Parque Estadual de Russian Gulch, as convulsões intermináveis de um homem em pleno ataque epiléptico. O lago da Cratera, tão azul como pode ser o azul. Um viveiro de peixes no Idaho, e a Penitenciária do Estado. O sombrio Parque de Yellowstone, com suas fontes coloridas de águas quentes, seus gêiseres mirins, seus arco-íris de lama borbulhante — símbolos de minha paixão. Uma manada de antílopes numa reserva natural. Nossa centésima caverna, adultos um dólar, Lolita cinqüenta centavos. O castelo construído por um marquês francês no Dakota do Norte. O Palácio do Milho no Dakota do Sul, e as enormes cabeças de antigos presidentes talhadas nas escarpas de granito. Os anúncios de beira de estrada: "Com nosso aparelho de barbear, até a Mulher Barbada vai casar". O jardim zoológico de Idaho onde um enorme bando de macacos vive numa réplica em concreto da caravela de Cristóvão Colombo. Bilhões de efeméridas, mortas ou moribundas, cheirando a peixe, em todas as janelas de todos os restaurantes de uma longa e triste praia. Gordas gaivotas pousadas em grandes pedras, vistas do ferry-boat *Cidade de Sheboygan*, cuja fumaça parda e lanuginosa lançava uma pesada sombra verde sobre o lago cor de água-marinha. Um motel cujos canos de ventilação passavam por baixo do esgoto da cidade. A casa de Lincoln, quase inteiramente espúria, com estantes de livros e móveis de época que a maioria dos visitantes reverentemente considera serem objetos que de fato lhe pertenceram.

Tivemos brigas, grandes e pequenas. As maiores ocorreram nos Chalés das Rendas, Virgínia; na avenida do Parque, em Little Rock, perto de uma escola; no topo do monte Milner, a três mil quinhentos e vinte metros de altitude, no Colorado; na esquina da rua 7 com a avenida Central, em Phoenix, no Arizona; na rua 3, em Los Angeles, porque se haviam esgotado as entradas para visitar um estúdio cinematográfico qualquer; num motel do Utah chamado À Sombra dos Álamos, onde seis árvores pubescentes eram um pouquinho mais altas do que minha Lolita, e onde ela perguntou, *à propos de rien*, quanto tempo eu achava que nós íamos continuar morando em quartinhos abafados e fazendo coisas imundas, em vez de viver como todo mundo; em Burns, Oregon, na esquina de North Broadway e West Washington, na frente do supermercado Safeway; no vale do Sol, em Idaho, diante de um hotel de tijolos (pálidos e avermelhados, numa simpática mistura), tendo, do lado oposto, um choupo cujas sombras líquidas lambiam o monumento aos mortos de guerra da cidadezinha; num imenso campo coberto de artemísia, entre Pinedale e Farson; na rua principal de alguma cidade do Nebraska, perto do First National Bank, fundado em 1889, tendo ao fundo uma passagem de nível e mais ao longe um silo múltiplo que lembrava os tubos de um órgão branco; e na rua McEwen, esquina da avenida Wheaton, numa cidade do Michigan que — imaginem só — se chama Clare.

Ficamos conhecendo aquela curiosa espécie animal que povoa as beiras das estradas, o Apanhador de Carona — ou *Homo pollex*, como diria um taxiólogo —, com suas muitas formas e subespécies: o modesto soldado, uniforme impecável, aguardando tranqüilamente, tranqüilamente consciente do poder viático do brim cáqui; o colegial que quer apenas percorrer dois quarteirões; o assassino que quer percorrer dois mil quilômetros; o homem de meia-idade, enigmático e nervoso, com uma mala nova e o bigode bem aparado; um trio de mexicanos otimistas; o universitário, exibindo as roupas encardidas de quem passou o verão fazendo trabalhos braçais com tanto orgulho quanto o nome da famosa universidade que aparece em forma de arco no seu blusão; a senhora desesperada cuja bateria do carro acabou de morrer; aqueles jovens animais de rostos pálidos, corpos enxutos, cabelos lustrosos e olhares furtivos, com camisas e paletós de cores berrantes, que erguem seus tensos polegares com um vigor quase priapesco para seduzir as mulheres solitárias ou os caixeiros-viajantes de ar tristonho e predileções especiais.

"Vamos dar uma carona para ele", Lô freqüentemente implorava, esfregando os joelhos naquele seu jeito peculiar, sempre que algum *pollex* especialmente repugnante, um homem de minha idade e com a mesma largura de ombros, com a *face à claques* de um ator desempregado, caminhava de costas pela beira da estrada, praticamente se jogando na frente do carro.

Ah, nem por um momento podia perder de vista minha Lô, minha pequena, minha lânguida Lô! Talvez devido aos constantes exercícios amorosos, ela irradiava, malgrado sua aparência muito infantil, um brilho estranhamente sensual que provocava verdadeiros acessos de concupiscência nos empregados de postos de gasolina, carregadores de malas dos hotéis, turistas em geral, bandidos em carros de luxo e idiotas bronzeados à beira de piscinas cor de anil, acessos esses que teriam afagado meu orgulho caso não espicaçassem tão dolorosamente meus ciúmes. Pois a pequena Lô tinha plena consciência daquele brilho, e muitas vezes a surpreendi *coulant un regard* em direção a algum macho amigável, algum macaco de antebraços bronzeados e musculosos, com um enorme relógio no pulso — e, mal virava as costas a fim de comprar um pirulito para a pirralha, ela e o louro mecânico irrompiam num dueto amoroso de piadinhas.

Durante nossas paradas mais longas, quando eu às vezes decidia descansar na cama após uma sessão matutina particularmente violenta e permitia, por pura bondade de meu coração apaziguado — ah, Humbert, o Indulgente —, que ela fosse visitar o jardim de rosas ou a biblioteca infantil do outro lado da rua em companhia dos filhos de um vizinho de motel (uma Mariazinha qualquer bem insossa e seu irmão de oito anos), Lô costumava voltar com uma hora de atraso, a Maria descalça já deixada bem para trás, o menino metamorfoseado em dois ginasianos louros, altos e desengonçados, feitos só de músculos e gonorréia. O leitor bem pode imaginar o que eu respondia a minha querida quando — num tom pouco convincente, devo admitir — ela perguntava se podia ir com o Carl e o Al ao rinque de patinação.

Lembro-me da primeira vez, numa tarde de muito vento e poeira, em que a deixei ir a um desses rinques. Cruelmente, Lô me havia dito que não teria a menor graça se eu fosse junto, pois aquela hora do dia era reservada aos jovens. Finalmente, chegamos a um acordo: fiquei no carro, em meio a outros carros (vazios) embicados na direção do rinque, onde, sob um toldo de lona, uns cinqüenta adolescentes, muitos deles de mãos dadas, giravam interminavelmente ao som de uma música mecânica enquanto o vento prateava as árvores. Dolly, como quase todas as outras meninas, usava calças jeans e botinhas brancas. Eu contava distraído as circunvoluções daquela turba sobre rodas quando de repente dei-me conta de que Lô havia desaparecido. Quando ela passou outra vez diante de mim, já vinha acompanhada de três delinqüentes juvenis que, pouco antes, eu vira do lado de fora do rinque analisando as patinadoras e zombando de uma belezinha de pernas longas e bem torneadas que chegara vestindo shorts vermelhos, ao invés dos jeans que pareciam ser a única indumentária aprovada pela rapaziada local.

Nos postos de fiscalização fitossanitária das estradas que levavam ao Arizona ou à Califórnia, algum daqueles primos pobres de policial nos olhava com tal intensidade que meu pobre coração parecia que ia saltar do peito. "Estão trazendo mel?", ele perguntaria, e a cada vez minha bobinha se abria num riso nervoso. Ainda guardo, vibrando ao longo de meus nervos óticos, a visão de Lô a cavalo, simples elo numa longa cadeia de turistas a serpentear por estreita trilha: Lô balançando para um lado e para o outro a cada passo do animal, precedida de uma mulher idosa e seguida por um sujeitinho lascivo, de pescoço vermelho, fantasiado de caubói; e eu atrás dele, odiando suas costas gordas na camisa florida com mais fervor do que um motorista odeia o lento caminhão que o precede numa estrada de montanha. Ou numa estação de esqui, quando a via afastar-se de mim, angelical e solitária, flutuando numa etérea cadeira, cada vez mais perto do céu, rumo ao píncaro reluzente onde atletas de peito nu esperavam sorrindo por ela, por ela.

Em qualquer cidade onde parássemos, eu tratava logo de indagar, com meus modos corteses de europeu, onde ficavam as piscinas, os museus, as escolas, quantos alunos tinha o ginásio mais próximo, e assim por diante; e, na hora em que acabavam as aulas, sorrindo e contorcendo-me um pouco (descobri que tinha esse *tic nerveux* porque a malvada da Lô foi a primeira a imitá-lo), estacionava num ponto estratégico, com a gazeteira-mor sentada a meu lado, para ver as crianças saírem — um espetáculo sempre muito gratificante. Mas essa atividade bem cedo começou a aborrecer minha tão facilmente aborrecível Lolita e, com a intolerância típica que têm as crianças pelos caprichos dos outros, ela dizia cobras e lagartos quando eu lhe pedia que me acariciasse enquanto desfilavam sob o sol as moreninhas de shorts e olhos azuis, as ruivas de boleros verdes e as pálidas louras de calças desbotadas e jeitão de menino.

Como uma espécie de compensação, eu a estimulava fortemente, onde e quando isso era possível, a tomar banho de piscina com outras meninas de sua idade. Ela adorava a água cintilante e era uma notável mergulhadora. Após algumas tímidas braçadas, já confortavelmente envolto no roupão, eu me instalava na sombra generosa da tarde tendo sobre o colo um livro-disfarce ou um saco de balinhas, ou ambos, ou nada mais do que minhas glândulas latejantes, e ficava vendo-a brincar, touca de borracha na cabeça, pérolas de água correndo pelo corpo liso e dourado, feliz como um anúncio, no maiozinho justo de duas peças. Ah, minha pubescente namorada! Como eu me maravilhava, orgulhoso, com o fato de que ela era minha, minha, minha, enquanto repassava, ouvindo os arrulhos das pombas chorosas, as delícias matinais e planejava as que me esperavam no fim da tarde. Com os olhos semicerrados para proteger-me das lanças do sol, comparava Lolita com as outras ninfetas que o acaso parcimonioso reunia em torno dela para meu deleite e avaliação de cunho antológico, mas ainda hoje, pondo a mão sobre meu trôpego coração, juro que nenhuma delas jamais se revelou mais desejável do que Lô, ou isso talvez só tenha ocorrido umas duas ou três vezes, sob determinada luz, com certos aromas impregnando o ar vespertino — certa feita, no caso sem esperança de uma pálida criança espanhola, filha de um aristocrata de queixo quadrado, e outra vez... *mais je divague.*

Naturalmente, eu tinha de estar sempre de sobreaviso, reconhecendo muito bem, em meus lúcidos ciúmes, o perigo dessas coruscantes brincadeiras. Bastava eu virar as costas por um segundo — por exemplo, a fim de ver se as roupas de cama do quarto já haviam sido trocadas — para que, ao voltar, encontrasse Lô, *les yeux perdus*, refestelada na borda da piscina, chutando a água com seus pés de dedos longos, enquanto de cada lado se agachava um *brun adolescent*, em cujos sonhos futuros eles certamente iriam *se tordre* — ah, Baudelaire! —, perseguidos pela beleza acastanhada de Lô e pelas gotas de mercúrio que reluziam nas dobras infantis de seu estômago.

Tentei ensiná-la a jogar tênis para que pudéssemos ter mais divertimentos em comum; mas, embora eu tivesse sido um jogador de bom nível na juventude, revelei-me um fracasso como professor. Por isso, ao chegarmos à Califórnia, fiz com que ela tomasse uma série de

aulas caríssimas com um famoso treinador, um ex-campeão ressequi-
do e enrugado, que se servia de um harém de jovens apanhadores de
bola; fora da quadra ele parecia uma ruína humana, mas vez por outra, para manter a bola em jogo durante uma aula, ele subitamente
conseguia reproduzir um toque primaveril — e a delicadeza divina
com que exercia aquele poder absoluto fazia lembrar-me que, trinta
anos antes, eu o vira em Cannes demolir o grande Gobbert! Antes
dessas lições, pensei que ela nunca aprenderia a jogar. Nas quadras de
tênis deste ou daquele hotel, procurava transmitir-lhe os rudimentos
do esporte e reviver os dias em que, sob o vento quente e em meio às
rajadas de poeira, numa estranha lassidão, eu lançava uma bola após
a outra para a inocente, alegre e elegante Annabel (reflexo da pul-
seira, saia branca pregueada, fita de veludo preto nos cabelos). Mas
cada conselho que lhe dava só fazia aumentar a fúria surda de Lô.
Curiosamente, em vez de jogar comigo, ela preferia (pelo menos
antes que chegássemos à Califórnia) ficar batendo bola — na verdade, ficar catando bolas — na companhia de uma menina frágil e
magricela, maravilhosamente sedutora no seu estilo de *ange gauche*.
Na condição de espectador solícito, eu me aproximaria da outra
criança, aspirando sua fragrância levemente almiscarada, e tocaria
seu antebraço, ou seguraria seu pulso ossudo, ou empurraria para cá
e para lá sua coxa fria a fim de lhe ensinar a melhor posição para a
batida de revés. Enquanto isso, Lô, inclinando-se para a frente, deixava cair sobre o rosto as mechas douradas pelo sol e apoiava a raquete no chão, como se fosse a muleta de um aleijado, protestando energicamente contra minha intrusão. Eu então as deixava entregues a
seu jogo e, com um lenço de seda no pescoço, ficava comparando
seus corpos em movimento. Acho que a essa altura estávamos no Sul
do Arizona, onde os dias tinham um indolente forro de calor: a desajeitada Lô atacava a bola com vontade e errava, soltava uma impre-
cação, mandava direto para a rede um simulacro de saque e revelava
a penugem úmida de suor de sua axila ao brandir a raquete em desespero, enquanto sua parceira, ainda menos bem-dotada, corria
obedientemente atrás de cada bola sem devolver nenhuma; mas ambas se divertiam a valer e, com gritos claros e reverberantes, assinalavam minuciosamente a contagem de suas inépcias.

Lembro que um dia ofereci-me para ir buscar no hotel algum refresco para elas; subi pelo caminho de cascalho e, ao voltar com dois
copos grandes de suco de abacaxi, soda e gelo, um repentino vazio no

peito fez-me parar quando vi que a quadra de tênis estava deserta. Abaixei-me para colocar os dois copos sobre um banco e, por alguma razão, com uma espécie de gélida nitidez, vi o rosto de Charlotte morta; olhando a meu redor, reparei que Lô, vestindo shorts brancos, se afastava na sombra salpicada de sol de uma aléia do jardim, acompanhada de um homem alto que levava sob o braço duas raquetes. Corri atrás deles, abrindo caminho entre os arbustos, mas então vi, como se o curso da vida se bifurcasse constantemente e me oferecesse uma visão alternativa, Lô de calça comprida e sua companheira de shorts, pisando o capim alto e batendo perfunctoriamente com as raquetes nas moitas, à procura da última bola que se perdera.

Relaciono esses pequenos nadas ensolarados a fim de provar a meus juízes que fiz todo o possível para dar a minha Lolita o máximo de felicidade. Como me encantava vê-la, ela própria uma criança, mostrando a outra criança algumas de suas raras habilidades, tal como, por exemplo, pular corda de um jeito especial. Com a mão direita segurando o braço esquerdo atrás das costas que o sol ainda não bronzeara, a ninfeta secundária, uma belezinha diáfana, era toda olhos, assim como o sol pavoneante era todo olhos sobre o cascalho debaixo das árvores floridas, e, no meio desse paraíso oculado, minha sardenta e dissoluta menininha pulava e pulava, repetindo os movimentos de tantas outras que eu havia cobiçado nas calçadas banhadas de sol e cheirando a umidade da velha Europa. Depois, Lô devolvia a corda a sua amiguinha espanhola e a observava enquanto ela repetia a lição, afastando o cabelo da testa, cruzando os braços, pousando um pé sobre o outro, ou deixando que os braços tombassem ao longo das ancas ainda estreitas — e eu, certificando-me de que as malditas empregadas já haviam arrumado nosso quarto, sorriria para a tímida e morena dama de companhia de minha princesa e, enfiando os dedos paternais pelos cabelos de Lô, agarraria seu pescoço num gesto tão gentil quanto firme e conduziria minha relutante namorada para nosso modesto ninho, a fim de com ela manter um rápido conúbio pré-prandial.

Durante o jantar seguido de dança que havia prometido a Lô, uma daquelas mulheres já de todo desabrochadas (do tipo repugnantemente vistoso e carnudo sobre o qual eu exercia uma particular atração) viria me perguntar: "Coitadinho, qual o gato que o arranhou assim?". Essa era uma das razões pelas quais eu procurava manter-me tão longe quanto possível dos outros, enquanto Lô, pelo contrário, tudo fazia para atrair a sua órbita o maior número de testemunhas em potencial.

Falando figurativamente, ela se punha a abanar o rabo — na verdade, todo o traseiro, como o fazem as cadelinhas — tão logo algum estranho sorridente se aproximava de nós e iniciava uma animada conversa a partir do estudo comparativo das placas dos carros: "Veja só, vocês estão muito longe de casa!". Pais inquisitivos, a fim de extraírem de Lô alguma informação a meu respeito, sugeriam levá-la ao cinema com seus filhos. Por pouco não fomos apanhados algumas vezes. Naturalmente, a praga das cataratas de banheiro me perseguia em todas as hospedarias. Mas nunca me havia dado conta de como eram finas as paredes até que certa noite, após eu ter feito amor alguns decibéis acima do normal, a tosse masculina de um vizinho de quarto preencheu o silêncio tão claramente como se eu próprio houvesse tossido. No dia seguinte, enquanto eu tomava o café da manhã no bar do motel (Lô costumava dormir até mais tarde e eu gostava de levar-lhe um bule de café quente na cama), meu vizinho da véspera, um idiota já idoso com óculos de aro de metal sobre o longo e virtuoso nariz, o distintivo de alguma convenção na lapela, conseguiu entabular uma conversa mole comigo e perguntou se minha patroa, tal como a sua quando não estava na fazenda, gostava de fazer uma preguicinha de manhã; e, se não estivesse quase sufocado pela sensação de perigo, eu talvez teria me divertido com o ar de espanto que se estampou em seu rosto de lábios finos e pele curtida pelo sol quando respondi secamente, esgueirando-me para fora do tamborete, que, graças a Deus, eu era viúvo.

Como eu gostava de levar-lhe aquele café, e depois me recusar a servi-lo até que ela cumprisse seu dever matinal. E era um amigo tão atencioso, um pai tão apaixonado, um pediatra tão dedicado, cuidando de todas as necessidades de seu corpinho castanho e moreno! Minha única queixa contra a natureza era não poder virar minha Lolita pelo avesso e aplicar meus lábios vorazes a seu jovem útero, a seu coração desconhecido, a seu fígado nacarado, às uvas-marinhas de seu pulmão, a seus graciosos rins gêmeos. Em tardes particularmente tropicais, na pegajosa intimidade da sesta, eu gostava de sentir o frescor da poltrona de couro contra minha nudez maciça enquanto a tinha em meu colo. Lá ficava ela, como qualquer criança, a enfiar o dedo no nariz enquanto lia as seções menos exigentes do jornal, tão indiferente a meu êxtase como se estivesse sentada sobre um objeto qualquer — um sapato, uma boneca, o cabo de uma raquete de tênis — e fosse preguiçosa demais para afastá-lo. Ela seguia com os olhos, de quadrinho em quadrinho, as aventuras de suas personagens prediletas: uma delas, muito bem desenhada, era uma adolescente desleixada, com as maçãs do rosto salientes e gestos angulosos, que eu não considerava abaixo de minha dignidade apreciar também; ela estudava detidamente os resultados fotográficos das colisões frontais; jamais punha em dúvida a realidade espacial e temporal de tudo o que circundava as lindas donzelas de coxas de fora nos retratos publicitários; e tinha uma curiosa fascinação pelas fotografias das noivas locais, algumas delas de véu e grinalda, segurando buquês e usando óculos.

Uma mosca viria então passear nas vizinhanças de seu umbigo ou explorar-lhe as pálidas e tenras aréolas. Ela tentava apanhá-la na mão (o método de Charlotte) e depois mergulhava na leitura da coluna "Trate de usar melhor sua mente".

"Vamos pôr sua mente para trabalhar. Você não acha que o número de crimes sexuais diminuiria se as crianças obedecessem a algumas poucas regras? Não brincar perto de banheiros públicos. Não aceitar balas nem passeios de automóvel com estranhos. Caso seja apanhada, anotar a placa do carro."

"...e a marca das balas", sugeri eu.

Ela continuou, seu rosto recuando contra o meu que avançava — e, note bem, meu leitor, esse foi um dia excepcionalmente agradável!

"Se você não dispuser de um lápis, mas já tiver idade suficiente para ler..."

"Nós, abaixo assinados", declarei em tom jocoso, "marinheiros medievais, colocamos nesta garrafa..."

"Se", ela repetiu, "você não dispuser de um lápis, mas já tiver idade suficiente para ler e escrever — é isso que o sujeito quer dizer, não é, seu bobo? — anote da forma que puder o número da licença na beira da estrada."

"Com tuas pequenas garras, Lolita."

3

Ela havia penetrado em meu mundo, na negra e umbrátil Humberlândia, com uma curiosidade impetuosa; examinara-o com um erguer de ombros de jovial desagrado; e agora parecia pronta a escapar dele com algo semelhante à mais pura repugnância. Jamais vibrou sob minhas carícias, e um estridente: "Opa, que que você está fazendo?" era tudo o que eu merecia em troca de meus esforços. Ao país das maravilhas que lhe ofertava, minha bobinha preferia os filmes mais banais, os sorvetes mais enjoativos. E pensar que entre um Hamburger e um Humburger ela invariavelmente se inclinava, com gélida precisão, para o primeiro! Não há nada mais atrozmente cruel do que uma criança adorada. Será que mencionei o nome do bar do motel que visitamos há pouco? Chamava-se, eu juro, A Rainha Frígida. Com um sorriso algo triste, apelidei-a de Minha Princesa Frígida. Mas ela não percebeu o que havia de melancólico na piada.

Ah, leitor, não me olhe com esse ar zangado, de modo algum quero dar a impressão de que não fui feliz. O leitor precisa entender que, como senhor e servo de uma ninfeta, o viajante encantado se encontra, por assim dizer, *além da felicidade*. Pois que não há na terra prazer que se compare ao de acarinhar uma ninfeta. É hors-concours esse prazer, pertence a outra classe, a outra esfera de sensibilidade. Apesar de nossas brigas, apesar de sua má-criação, apesar das exigências e caretas que ela fazia, sem falar na vulgaridade, no perigo e na horrível desesperança de tudo aquilo, eu ainda residia no paraíso de minha escolha, um paraíso cujo céu tinha a cor das chamas do inferno, mas ainda assim um paraíso.

O competente psiquiatra que estuda meu caso — e que, segundo imagino, já estará a essa altura tão fascinado pelo dr. Humbert quanto um pobre coelho diante de uma serpente — deve sentir-se ansioso para que eu vá com minha Lolita a alguma praia e lá obtenha, finalmente, a "gratificação" do desejo de toda uma vida, libertando-me assim da obsessão "subconsciente" de um romance frustrado com a menina primordial, a pequena mademoiselle Lee.

Pois saiba, camarada, que de fato procurei uma praia, embora também deva confessar que, ao alcançarmos a miragem das ondas cinzentas, minha companheira de viagem já me proporcionara tantas delícias que a busca daquele Reino à Beira-Mar, daquela Riviera Sublimada ou seja lá o que você queira chamá-la, longe de representar um impulso do subconsciente, havia se transformado na persecução racional de um prazer meramente teórico. Os anjos sabiam disso, e tomaram as providências cabíveis. Nossa visita a uma enseada plausível na costa atlântica foi completamente arruinada pelo mau tempo. O céu carregado de chuva, as ondas lamacentas, um nevoeiro infinito mas de todo banal — haveria algo mais distante do nítido encanto, da luz de safira e dos róseos contornos de meu romance da Riviera? Umas duas praias semitropicais no golfo do México, apesar de suficientemente iluminadas pelo sol, eram maculadas por criaturas peçonhentas e varridas por furacões. Finalmente, numa praia da Califórnia, diante do fantasma do Pacífico, consegui encontrar uma privacidade algo perversa numa espécie de gruta, de onde se ouviam os gritinhos de um grupo de bandeirantes que enfrentavam pela primeira vez as ondas do mar numa outra parte da praia, atrás de algumas árvores em processo de putrefação; mas a neblina nos envolvia como um cobertor molhado, a areia era grossa e pegajosa, Lô estava arrepiada de frio e polvilhada de grãos de areia — e pela primeira vez na vida tive tanto desejo por ela quanto por uma vaca-marinha. Talvez meus eruditos leitores fiquem mais animados se eu lhes disser que, mesmo se houvéssemos achado um cantinho simpático de mar, seria tarde demais, pois minha verdadeira libertação ocorrera bem antes; de fato, no momento exato em que Annabel Haze, também conhecida como Dolores Lee, também conhecida como Lolita, surgira diante de mim, dourada e trigueira, ajoelhada, levantando os olhos, naquela pretensiosa *piazza* que proporcionava uma imitação desonesta, mas eminentemente satisfatória, de um cenário à beira-mar (conquanto só existisse um lago de segunda categoria nas imediações).

Mas chega dessas sensações especiais, influenciadas, se não inteiramente geradas, pelos dogmas da psiquiatria moderna. O fato é que me afastei — afastei minha Lolita — daquelas praias demasiado tristes quando desertas ou demasiadamente cheias de gente quando ensolaradas. No entanto, quem sabe lembrando o tempo em que freqüentava em vão os parques públicos da Europa, eu mantinha ainda um grande interesse pelas atividades ao ar livre e desejava encontrar lugares semelhantes àqueles em que sofrera tão vergonhosas privações. Mas aí, também, meus desejos foram negados. A decepção que me cumpre registrar (à medida que este relato passa a refletir o risco e o terror constantes que permeavam minha felicidade) de forma alguma deve servir para desmerecer a beleza lírica, épica, trágica, mas nunca arcadiana, das paisagens americanas. Elas são lindas, comoventemente lindas, com um quê de abandono inocente, prístino, indevassado, que já não possuem minhas aldeias suíças, envernizadas e coloridas como casas de brinquedo, ou os Alpes exaustivamente louvados pelos trovadores de todos os tempos. Amantes sem conta se abraçaram e beijaram na relva bem domada das montanhas do Velho Mundo, sobre o musgo à margem de riachos prestativos e higiênicos, em bancos rústicos sob a sombra dos carvalhos em que depois gravariam suas iniciais, nas inúmeras *cabanes* de inúmeras florestas de faias. Mas, nas vastidões da América, não será fácil ao amante do ar livre entregar-se ao mais antigo de todos os crimes e passatempos. Plantas venenosas queimam as nádegas de sua bem-amada, insetos sem nome aferroam as suas; os gravetos no chão da floresta picam seus joelhos, os mosquitos picam os dela; e por toda a parte ouve-se o roçagar incessante de serpentes em potencial — *que dis-je*, de dragões semi-extintos! —, enquanto as sementes de flores bravias, formando uma horrível crosta verde, se agarram como caranguejos tanto às meias pretas presas por elásticos quanto às soquetes brancas que caem pelos tornozelos.

Estou exagerando um pouco. Numa tarde de verão, pouco abaixo da linha das últimas árvores, onde uma multidão de flores azul-celeste ladeava um rumorejante riacho de montanha, Lolita e eu descobrimos um recanto isolado e romântico, uns trinta metros acima da estrada onde havíamos deixado o carro. A encosta parecia virgem de pés humanos. Um último pinheiro, arquejante, retomava o fôlego no rochedo que conseguira atingir. Uma marmota assoviou para nós e retirou-se. Sob a manta que estendi para Lô, flores secas crepitavam baixinho. Vênus veio e se foi. Os penhascos pontiagudos que coroavam o topo da escarpa e o emaranhado de arbustos a nossos pés pareciam nos proteger tanto do sol quanto dos homens. Mas — ai de mim — não havia percebido uma trilha lateral, quase invisível, que serpeava sorrateira entre os arbustos e os rochedos a alguns passos de onde nos encontrávamos.

Nunca estivemos tão perto de sermos apanhados em flagrante, e não surpreende que essa experiência haja eliminado para sempre minha predisposição às volúpias agrestes.

Lembro que a operação havia terminado, terminado de todo, e que ela estava chorando em meus braços — uma salutar tempestade de soluços após uma daquelas crises de mau humor que se tinham tornado tão freqüentes ao longo de um ano que, não fosse por isso, teria sido realmente admirável! Eu acabara de voltar atrás em alguma promessa absurda que ela me obrigara a fazer num momento de cega e impaciente paixão, e lá estava Lô estendida na manta, debulhando-se em lágrimas, mordendo minha mão que a acariciava, enquanto eu sorria, feliz — e o horror atroz, incrível, insuportável e provavelmente eterno que *ora* sinto era apenas uma pequena mancha preta no azul de minha felicidade; e lá continuávamos deitados quando, de repente, com um desses sobressaltos que terminaram por abalar meu pobre coração, deparei com os olhos negros e fixos de duas belas e estranhas crianças, um fáunulo e uma ninfeta, cujos traços idênticos (cabelos negros e lisos, rostos exangues) denotavam que eram irmãos ou mesmo gêmeos. Vestidos ambos de azul, confundindo-se com as flores alpestres, eles ficaram agachados, nos olhando boquiabertos. Dei um repuxão na manta, numa tentativa desesperada de nos cobrir — e no mesmo instante, bem perto de nós, algo que se assemelhava a uma imensa bola de praia perdida no meio dos arbustos começou a girar e, ao se erguer, tomou gradualmente a forma de uma corpulenta mulher de cabelos curtos e negros, que juntava automaticamente mais um lírio silvestre a seu buquê e nos olhava por cima do ombro, pouco atrás das duas crianças lindamente esculpidas em lápis-lazúli.

Hoje em dia, quando carrego na consciência uma encrenca de natureza totalmente diversa, sei que sou um homem corajoso; mas não o sabia então, e lembro-me de que fiquei surpreso com meu próprio sangue-frio. Sussurrando-lhe com toda a serenidade uma seca ordem — do tipo que se dá a uma fera adestrada mesmo no maior apuro, quando ela está confusa, amedrontada, coberta de suor (que louca esperança ou que louco ódio faz pulsar os flancos do jovem animal, que estrelas sombrias perfuram o coração do domador!) —, fiz com que Lô se levantasse e saímos caminhando decorosamente por alguns metros, antes de dispararmos indecorosamente encosta abaixo até o carro. Atrás dele estava estacionada uma elegante caminhonete, e um bem-apessoado assírio de barbicha preta azulada — *un monsieur très bien*, vestindo camisa de seda e calças cor de magenta, presumivelmente o marido da obesa botânica — tratava de fotografar, com ares de grande seriedade, a tabuleta onde se indica a altitude do desfiladeiro. Era bem superior a três mil metros e eu estava inteiramente sem fôlego. Com os pneus guinchando sobre os seixos da beira da estrada, arranquei às pressas, enquanto Lô ainda lutava com suas roupas e me xingava com palavras que jamais sonhei uma menina pudesse conhecer, e muito menos usar.

Houve outros incidentes desagradáveis, como naquele cinema. Na época, Lô tinha ainda uma verdadeira paixão pelo cinema (que, no segundo ano do ginásio, se transformou em morna condescendência). Durante todo o ano que durou nossa viagem, assistimos, voluptuosa e indiscriminadamente, a umas... sei lá... cento e cinqüenta ou duzentas sessões; durante as fases mais intensas de imersão cinematográfica, víamos muitas das atualidades seis ou sete vezes, pois as notícias semanais acompanhavam as diferentes fitas e nos perseguiam de cidade em cidade. Seus gêneros prediletos eram, nessa ordem: musicais, policiais e bangue-bangues. Nos primeiros, cantores e dançarinos de verdade viviam uma carreira artística totalmente artificial, numa esfera de existência à prova de sofrimento, da qual a morte e a verdade haviam sido banidas, e onde um pai de cabelos brancos e tecnicamente imortal, que de início se opusera a que a filha subisse num palco, a aplaudia, com os olhos marejados de lágrimas, quando ela obtinha um êxito apoteótico na fabulosa Broadway. O mundo do crime correspondia a outro universo: lá, jornalistas heróicos eram torturados, as contas telefônicas se elevavam a bilhões de dólares e, em meio a animados tiroteios caracterizados pela má pontaria geral, os vilões eram perseguidos através de esgotos e armazéns por policiais patologicamente destemidos (eu próprio lhes dei menos trabalho). Finalmente, havia as paisagens cor de mogno, os caubóis corados de olhos azuis, a professorinha gostosa e melindrosa que desce do trem na decrépita estação de Parada da Morte, o cavalo se empinando, o espetacular estouro da boiada, a pistola que surge através da vidraça estilhaçada, a estupenda briga no bar, o quebra-quebra de velhos e empoeirados móveis, a mesa utilizada como arma, a providencial cambalhota, a mão presa ao solo tentando ainda alcançar a faca caída, o grunhido raivoso, o delicioso som de um direto no queixo, o pontapé na barriga, o mergulho de cabeça; e, após essa pletora de dor que teria mandado um Hércules para o hospital (como eu bem o sei agora), tudo o que se vê é uma simpática equimose no rosto bronzeado do herói quando, já devidamente aquecido, ele abraça sua estonteante noiva sertaneja. Recordo-me de uma sessão matutina num pequeno e abafado cinema, repleto de crianças e impregnado pelo bafo quente de pipoca. Uma lua amarela pairava acima do cantor com um lenço no pescoço, que dedilhava a guitarra com o pé sobre um toro de pinheiro, e eu, tendo inocentemente passado o braço por trás dos ombros de Lô, aproximava meu queixo de sua têmpora quando duas harpias atrás de nós começaram a resmungar as coisas mais estranhas — não sei se entendi direito, mas o que acho que entendi foi bastante para fazer com que recolhesse minha delicada mão, e, obviamente, o resto do filme não passou para mim de um nevoeiro interminável.

Outro sobressalto de que me recordo está ligado a uma cidadezinha que atravessamos certa noite, na viagem de volta. Uns trinta quilômetros antes eu por acaso lhe havia dito que o externato que ela freqüentaria em Beardsley era uma escola de alta classe, só para moças, sem nenhuma dessas bobagens modernas, diante do que Lô me agraciou com uma daquelas suas arengas furiosas em que súplicas e insultos, afirmações agressivas e retratações ambíguas, a vulgaridade malévola e o desespero infantil se entrelaçavam num exasperante arremedo de lógica, exigindo de minha parte um arremedo de explicação. Enredado em suas palavras insensatas ("Só faltava isso... Eu tinha que ser uma idiota para acreditar em você... Seu nojento... Você não pode mandar em mim... Eu te detesto"..., e assim por diante), cruzei a cidade adormecida nos mesmos oitenta quilômetros por hora que vinha fazendo na acolhedora estrada, até que uma dupla de patrulheiros jogou seu farol em cima de meu carro e me mandou encostar. Fiz com que Lô se calasse, porque ela continuava a deblaterar como se nada tivesse acontecido. Os policiais olharam para ela e para mim com maldosa curiosidade. De repente, exibindo suas covinhas, ela lhes ofertou um sorriso radiante, como jamais concedera a minha orquidácea virilidade; pois, até certo ponto, minha Lô conseguia ter mais medo da lei do que eu próprio — e, quando os amáveis guardas nos perdoaram e humildemente partimos a trinta por hora, suas pálpebras se cerraram e tremelicaram numa imitação do mais completo esgotamento.

Nesta altura tenho de fazer uma curiosa confissão. Talvez o leitor ache graça — mas juro que nunca cheguei a saber exatamente qual era nossa situação do ponto de vista legal. Até hoje não sei. Ah, claro que aprendi uma coisa ou outra. No Alabama, por exemplo, um tutor não pode mudar a residência do menor sob sua guarda sem a autorização expressa de um juiz; em Minnesota, estado ao qual tiro o chapéu, os tribunais não têm poderes sobre um parente que haja assumido a custódia permanente de qualquer criança de menos de catorze anos. Quesito: o padrasto de uma adorável menininha pubescente, que só goza da condição de padrasto há um mês, viúvo neurótico de quase quarenta anos e recursos financeiros modestos (embora independentes), tendo atrás de si as calçadas da velha Europa, um divórcio e alguns hospícios — pode ser ele considerado um parente e, por conseguinte, um tutor natural? Em caso negativo, deveria eu — ou ousaria eu — notificar o órgão competente e fazer uma petição (como se faz uma petição?) a fim de que um fiscal do juizado de menores investigasse o dócil mas esquisito Humbert e a perigosa Dolores Haze? Os muitos livros sobre casamento, estupro, adoção e coisas do gênero que, de consciência pesada, consultei nas bibliotecas públicas das grandes e pequenas cidades nada mais fizeram do que insinuar ameaçadoramente que o Estado tinha a responsabilidade última por todos os menores de idade. Pilvin e Zapel, se me recordo corretamente de seus nomes, escreveram um impressionante tratado sobre os aspectos jurídicos do casamento onde não há uma única menção ao caso do padrasto que tem uma pequena órfã nas mãos e nos joelhos. Meu melhor amigo, uma monografia publicada pelo serviço de assistência social (Chicago, 1936) que uma inocente solteirona desencavou para mim, com grande esforço, do fundo de um depósito poeirento, dizia: "Não existe nenhuma obrigatoriedade legal de que cada menor possua um tutor; o tribunal permanece passivo até que a criança esteja sujeita a um perigo evidente". Concluí daí que o tutor só é designado após manifestar seu desejo solene e formal de obter a custódia do menor; mas, como muitos meses podem decorrer antes que ele receba a notificação para comparecer perante o juiz e ali exibir seu par de asas encanecidas, nesse ínterim a adorável e demoníaca criança fica legalmente entregue a sua própria sorte — o que, afinal de contas, era o caso de Dolores Haze. Vinha então a audiência. Algumas perguntas do magistrado, algumas respostas tranquilizadoras do advogado, um sorriso, um aceno de cabeça, uma chuvinha fina caindo lá fora, e o tutor estava nomeado. Mesmo assim, não me atrevia a fazê-lo. Fica escondido, ratinho, não sai do buraco! Bem sabia que os tribunais só despertam de sua letargia quando há alguma questão financeira em jogo: dois ávidos tutores, uma órfã espoliada, alguma terceira pessoa ainda mais gananciosa. Mas, em nosso caso, tudo estava em perfeita ordem: o inventário fora providenciado e a pequena propriedade de sua mãe estaria aguardando, intacta, a maioridade de Dolores Haze. Parecia mais sábio abster-me de fazer qualquer petição. No entanto, se ficasse quieto *demais*, será que algum intrometido, algum órgão de proteção à infância, não viria imiscuir-se em minha vida?

O amigo Farlow, que também trabalhava como advogado e poderia ter me dado bons conselhos, estava tão ocupado com o câncer de Jean que não seria capaz de fazer mais do que havia prometido, ou seja, cuidar do modesto patrimônio de Charlotte enquanto eu me recuperava muito lentamente do choque causado por sua morte. Além disso, tendo-o levado a crer que Dolores era minha filha natural, não podia esperar que desse tratos à bola para resolver a situação. O leitor já terá percebido a essa altura que, como homem de negócios, deixo muito a desejar; mas nem a ignorância nem a indolência deveriam ter me impedido de procurar conselhos profissionais de outra fonte. O que me deteve foi o terrível sentimento de que, se interferisse minimamente no destino e tentasse dar um conteúdo racional a sua fantástica dádiva, essa dádiva me seria arrebatada — como acontecia naquele conto oriental com o palácio no topo da montanha, que desaparecia sempre que um comprador em potencial perguntava a seu guardião como era possível ver de longe uma faixa de céu crepuscular entre a rocha negra e os alicerces.

Decidi que, ao chegar a Beardsley (onde ficava a escola para moças do mesmo nome), consultaria obras de referência que até então não pudera estudar, tais como o tratado de Woerner sobre "A tutela no direito americano" e certas publicações do Departamento da Criança dos Estados Unidos. Decidi também que qualquer coisa seria melhor para Lô do que a ociosidade desmoralizante em que ela vivia. Eu tentava persuadi-la a fazer uma porção de coisas — tantas que deixariam estupefato um educador profissional; mas, por mais que implorasse ou perorasse, nunca consegui fazer com que ela lesse nada além das histórias em quadrinhos e dos contos publicados em revistas femininas. Qualquer obra literária de nível um pouquinho superior já tinha para ela o sabor de um dever escolar e, embora teoricamente disposta a desfrutar de livros tais como *As mil e uma noites* ou *As mulherzinhas*, Lô jamais admitiu "estragar as férias" com empreitadas tão intelectuais.

Hoje em dia, acho que foi um grande erro voltar para a costa leste e fazê-la freqüentar aquele colégio particular em Beardsley, em vez de atravessar a fronteira mexicana enquanto isso era possível e lá gozar, na clandestinidade, uns dois anos de felicidade subtropical até que pudesse casar-me em segurança com minha pequena *Creole*; pois devo confessar que, dependendo das condições de minhas glândulas e gânglios, no curso de um só dia eu passava de um pólo de insanidade ao outro — do pensamento de que por volta de 1950 teria de livrar-me sabe-se lá como de uma adolescente difícil, cuja mágica ninfescência se teria evaporado, ao pensamento de que, com sorte e paciência, eu poderia fazer com que ela eventualmente gerasse uma ninfeta que teria meu sangue correndo em suas delicadas veias, a Lolita II, que teria uns oito ou nove anos em 1960, quando eu estaria ainda *dans la force de l'âge*; na verdade, a faculdade telescópica de minha mente, ou de minha demência, era tão forte que me permitia divisar, no horizonte do tempo, um *vieillard encore vert* — ou seria o verde da putrefação? —, o excêntrico, carinhoso e salivante dr. Humbert, praticando com a soberbamente adorável Lolita III a arte de ser avô.

Durante nossa tresloucada viagem, jamais duvidei de que, como pai de Lolita I, eu não passava de um ridículo fracasso. Fiz o possível: li e reli aquele livro que tem o título involuntariamente bíblico de *Conheça sua própria filha*, encontrado na mesma livraria em que comprara para Lô, por ocasião de seu décimo terceiro aniversário, uma edição de luxo, com ilustrações comercialmente "bonitas", da *Pequena sereia*, de Andersen. Mas mesmo em nossos melhores momentos, quando nos sentávamos para ler num dia chuvoso (o olhar de Lô saltando da janela para o relógio de pulso, e de volta para a janela), ou fazíamos uma refeição farta e tranqüila num restaurante cheio de gente, ou jogávamos uma partida de cartas infantil, ou íamos fazer compras, ou olhávamos em silêncio, junto com outros motoristas e seus filhos, algum carro estraçalhado e respingado de sangue, com um sapato de mulher caído na sarjeta (Lô, quando retomávamos o caminho: "Aquele era exatamente o tipo de mocassim que eu tentei explicar ao idiota da loja"); em todas essas ocasiões fortuitas, eu me sentia tão implausível na figura de pai quanto ela no papel de filha. Será que aqueles deslocamentos culposos afetavam nossos poderes de personificação? Será que as coisas melhorariam se tivéssemos um domicílio fixo e Lô se submetesse à rotina da vida escolar?

Ao escolher Beardsley, fui guiado pelo fato de que lá havia não apenas uma escola para moças relativamente calma, mas também uma universidade só para mulheres. No meu desejo de encontrar um pouso, de fixar-me a uma superfície contra a qual minhas listras se tornassem inconspícuas, lembrei-me de um conhecido que trabalhava no Departamento de Francês da Universidade de Beardsley; ele tinha tido a bondade de usar meu livro de texto em suas aulas e certa vez tentara convencer-me a fazer uma palestra para as alunas. Não tinha a menor intenção de aceitar o convite, pois, como já observei no curso destas confissões, não há nada mais repugnante para mim do que a pélvis pesada e saliente, as grossas barrigas da perna e a pele deplorável da típica estudante universitária (em quem vejo, talvez, o ataúde de grosseira carne feminina no qual minhas ninfetas são enterradas vivas); mas sem dúvida eu ansiava por um rótulo, um pano de fundo, um simulacro — e, como ficará claro adiante, havia uma razão, embora bastante tola, pela qual a companhia do velho Gaston Godin era especialmente segura.

Finalmente, havia também a questão financeira. Meus recursos estavam começando a soçobrar ao peso de nossa prazerosa excursão. É verdade que eu dava preferência aos motéis mais baratos; mas, vez por outra, um espalhafatoso hotel de luxo ou uma pretensiosa pousada mutilavam nosso orçamento; além do mais, somas enormes eram gastas para se ter acesso às atrações turísticas ou comprando-se as roupas de Lô, enquanto o calhambeque de Charlotte, embora ainda vigoroso e muito devotado, com freqüência exigia pequenos e grandes consertos. Num mapa de estrada (que por acaso sobreviveu entre os papéis que as autoridades gentilmente me permitiram usar para escrever estas memórias), encontrei algumas anotações que me ajudaram a fazer os cálculos que se seguem. Durante aquele ano extravagante, de agosto de 1947 a agosto de 1948, as despesas com hospedagem e alimentação elevaram-se a cerca de cinco mil e quinhentos dólares; gasolina, óleo e consertos: mil duzentos e trinta e quatro; vários extras custaram quase o mesmo. Portanto, durante uns cento e cinqüenta dias de locomoção efetiva (percorremos mais de quarenta e três mil quilômetros!) e outros duzentos de pausas intercaladas, este modesto *rentier* gastou aproximadamente oito mil dólares, ou melhor dito dez mil, porque, dada minha falta de senso prático, certamente deixei de fora muitas outras despesas.

Rodamos assim rumo a leste, eu mais devastado do que fortalecido por haver satisfeito minha paixão, e Lô radiante de saúde, suas ancas ainda tão estreitas quanto as de um rapazinho, embora ela tivesse acrescentado cinco centímetros a sua altura e quatro quilos a seu peso. Tínhamos estado por toda parte. Na verdade, não tínhamos visto nada. E me surpreendo hoje pensando que aquela nossa longa viagem só serviu para conspurcar, com uma trilha sinuosa de limo, aquele imenso e belo país, sonhador e confiante, que já então, em retrospecto, nada mais era para nós do que uma coleção de mapas desbeiçados, guias turísticos dilacerados, velhos pneus e os soluços de Lô no meio da noite — de todas as noites, de cada noite — tão logo eu fingia que estava dormindo.

4

Quando, em meio aos jogos de luz e de sombra, chegamos ao número 14 da rua Thayer, um rapazola de ar sério nos esperava com as chaves e um bilhete de Gaston, que alugara a casa para nós. Minha Lô, sem ao menos dar uma olhadela em seu novo lar, ligou com um reflexo automático o rádio até o qual havia chegado por puro instinto e se deixou cair no sofá da sala de visitas com uma pilha de revistas velhas que, da mesma forma precisa e automática, acabara de pescar na estante inferior de uma mesinha ao lado.

Pessoalmente, pouco me importava o lugar onde iríamos morar, desde que pudesse manter minha Lolita fechada a sete chaves; mas a correspondência trocada com o vago Gaston me deixara com a vaga impressão de que se tratava de uma casa de tijolos coberta de hera. Na verdade, guardava melancólica semelhança com a casa de Haze (da qual só distava uns seiscentos quilômetros): as mesmas paredes de madeira pintadas de cinza fosco, com telhas também de madeira e desbotados toldos de lona verde; os quartos, embora menores e decorados com um mau gosto mais consistente, estavam dispostos num arranjo quase idêntico. Meu escritório, contudo, provou ser um aposento bem mais amplo, recoberto do chão ao teto com cerca de dois mil livros de química, matéria que meu senhorio (gozando à época de férias sabáticas) ensinava na Universidade de Beardsley.

Eu alimentara a esperança de que a escola para moças de Beardsley, um externato bastante caro (com direito a almoço e imponente ginásio de esportes), não apenas cultivaria aqueles corpos jovens, mas também forneceria alguma educação formal a suas mentes. Gaston Godin, que raramente acertava ao avaliar os costumes americanos, advertira-me, com o deleite que sentem os estrangeiros por esse tipo de afirmação, de que talvez se tratasse de uma daquelas escolas em que as moças são ensinadas "não a soletrar muito bem, mas a se pintar muito bem". Acho que nem isso conseguiam.

Na primeira entrevista que tive com a diretora Pratt, ela elogiou os "lindos olhos azuis" de minha filha (olhos azuis! Lolita!) e a grande amizade que me devotava aquele "gênio francês" (um gênio! Gaston!) — e, tendo entregue Dolly aos cuidados de uma certa srta. Cormorant, franziu as sobrancelhas e me ofereceu as seguintes pérolas de sabedoria:

"Nossa preocupação, senhor Humbird, não consiste tanto em fazer com que as alunas se transformem em ratos de biblioteca ou saibam de cor todas as capitais da Europa, coisa que ninguém conhece mesmo, ou memorizem as datas de batalhas já esquecidas. O que nos preocupa é ajudar a criança a viver em grupo. É por isso que damos ênfase ao teatro, à dança, aos debates e aos contatos com os meninos. Temos de levar em conta certos fatos inevitáveis. Sua adorável Dolly muito em breve chegará à idade em que os encontros com rapazes — o que fazer, o que vestir, como manter um diário, quais as regras de etiqueta a seguir — são tão importantes para ela quanto, por exemplo, são para o senhor os negócios, o êxito nos negócios, seus encontros com outros homens de negócios, ou, para mim [sorrindo], a felicidade de minhas meninas. A Dorothy Humbird já faz parte de todo um sistema de relacionamento social que envolve, quer queiramos, quer não, barracas de cachorro-quente, lanches em *drugstores*, cinemas, bailes dançantes, piqueniques na praia e até aquelas festinhas em que uma menina penteia a outra! Naturalmente, na Escola Beardsley desaprovamos algumas dessas atividades e damos a outras um sentido mais construtivo. Mas fazemos o possível para voltar as costas a tudo o que é sombrio e encarar de frente o sol. Em resumo, embora adotemos certas técnicas de ensino, estamos mais interessadas na comunicação do que na composição. Isto é, apesar de todo o respeito que temos por Shakespeare e outros escritores, queremos que nossas meninas *se comuniquem* livremente com o mundo trepidante a sua volta, em vez de viverem mergulhadas em livros velhos e mofados. Talvez ainda estejamos tateando, mas estamos tateando de forma inteligente, como um ginecologista que apalpa um tumor. Pensamos, doutor Humburg, em termos orgânicos e organizacionais. Abolimos toda aquela massa de matérias irrelevantes que eram tradicionalmente impostas às moças e que ocupavam o espaço dos conhecimentos e das aptidões, assim como das atitudes, de que elas precisarão para bem conduzir suas vidas e, como diriam os cínicos, as vidas de seus maridos. Senhor Humberson, coloquemos as coisas da seguinte maneira: a posição de uma estrela no firmamento sem dúvida é importante, mas saber qual o lugar mais prático para colocar a geladeira na cozinha talvez seja algo ainda mais importante para uma dona de casa iniciante. O senhor diz que uma sólida educação é tudo o que espera que a criança receba da escola. Mas o que se entende por educação? Antigamente, tratava-se em essência de um processo verbal; quer dizer, uma criança poderia aprender de cor tudo aquilo que uma enciclopédia contém e, desse modo, saberia tanto ou mais do que a escola seria capaz de lhe oferecer. Mas, doutor Hummer, é necessário que o senhor se dê conta de que, para a pré-adolescente dos dias de hoje, os programas pedagógicos têm menos validade existencial do que os programas de fim de semana [piscadela de olhos], para repetir o jogo de palavras que a psicanalista da Universidade de Beardsley se permitiu fazer outro dia. Vivemos não apenas num mundo de idéias, mas também num mundo de coisas. Quando não se baseiam em experiências concretas, as palavras perdem todo o significado. A troco de que nossa Dorothy Hummerson haveria de se preocupar com a Grécia e o Oriente, com seus haréns e escravos?"

Essa concepção de ensino me deixou horrorizado, mas falei depois com duas senhoras inteligentes que haviam tido relações com a escola e ambas afirmaram que as meninas eram obrigadas a fazer boas leituras: aquela história de "comunicação" não passava de conversa fiada a fim de dar à vetusta instituição um toque moderno e financeiramente lucrativo, embora na realidade seus métodos de ensino continuassem bastante conservadores.

Outra razão pela qual essa escola me atraiu talvez pareça cômica para alguns de meus leitores, mas era muito importante para mim, sendo eu o que sou. Do outro lado da rua, bem defronte a nossa casa, havia um terreno baldio coberto de mato rasteiro, com alguns arbustos de cores vivas, um monte de tijolos e tábuas esparsas, além da espuma ocre e malva daquelas florezinhas ordinárias que o outono espalha pelas beiras das estradas. Através dessa brecha, via-se um trecho de asfalto reluzente da rua da escola, paralela a nossa rua Thayer, e, mais além, o pátio de recreio. Sem falar do conforto psicológico que esse arranjo me proporcionava, permitindo que o dia de Dolly fosse adjacente ao meu, logo imaginei o prazer que teria ao determinar da janela do quarto-escritório, com a ajuda de um poderoso binóculo, a percentagem estatisticamente inevitável de ninfetas entre as outras meninas que brincariam ao redor de Dolly durante o recreio. Infelizmente, já no primeiro dia de aula uma equipe de operários ergueu um tapume no centro do terreno e logo depois um arcabouço de madeira amarelada levantou-se odiosamente além da cerca, obstruindo por completo o mágico panorama; e tão logo haviam atingido o objetivo de estragar tudo, os absurdos operários interromperam a obra e nunca mais deram as caras por lá.

5

Numa rua chamada Thayer, em meio aos tons verdes, fulvos e dourados de um bairro residencial numa amena cidadezinha universitária, era impossível evitar as saudações efusivas de um ou outro amigável morador da vizinhança, todos aparentemente peritos em meteorologia. Orgulhava-me de manter a temperatura exata em minhas relações com eles: nunca descortês, sempre distante. Meu vizinho da esquerda, que poderia ser um homem de negócios ou professor universitário, ou ambas as coisas, costumava se dirigir a mim vez por outra enquanto lavava o carro ou podava as flores tardias de seu jardim, ou ainda, mais tarde, quando retirava a neve da entrada da garagem, mas meus lacônicos grunhidos, apenas suficientemente distintos para soar como assentimentos convencionais ou perguntas de praxe, bloqueavam qualquer avanço em direção à intimidade. Das duas casas que ladeavam o terreno baldio, uma estava fechada e a outra abrigava duas professoras de inglês (a srta. Lester, de cabelos curtos e vestindo sempre um tailleur de corte masculino, e a srta. Fabian, com seu ar de fêmea estiolada), cujos únicos assuntos em nossas breves conversas de calçada (Deus abençoe o tato das duas!) eram a beleza juvenil de minha filha e o charme modesto de Gaston Godin. Minha vizinha da direita era de longe a mais perigosa, uma mulherzinha de nariz afilado cujo falecido irmão trabalhara na universidade como diretor de patrimônio. Vejo-a ainda abordando Dolly enquanto, de pé junto à janela da sala de visitas, eu esperava febrilmente que minha querida voltasse da escola. A detestável solteirona, tentando ocultar sua curiosidade mórbida sob uma máscara de melíflua benevolência, apoiava-se em seu delgado guarda-chuva (parara de chover, e um sol frio e úmido aparecera de esguelha), enquanto Dolly — o casaco marrom aberto apesar do mau tempo, uma pilha bem estruturada de livros apertada contra a barriga, os joelhos rosados despontando por sobre as mal-ajambradas botas de borracha, um sorriso acanhado e medroso pairando sobre o rosto de nariz arrebitado (que, talvez devido à pálida luz de inverno, parecia quase banal, com a rusticidade teutônica de uma *Mägdlein*) — respondia a suas perguntas: "E onde está sua mãe, minha querida? E qual é a profissão do coitado do seu pai? E onde vocês viviam antes?". Em outra ocasião, a abominável criatura aproximou-se de mim com um ganido cordial — mas tratei de escapar; e, alguns dias depois, enviou-me uma cartinha num envelope tarjado de azul, uma sutil mistura de veneno e melado, sugerindo que Dolly deveria ir à casa dela num domingo e se aninhar numa gostosa poltrona para ver "uma porção de livros belíssimos que minha mãe me deu quando eu era criança, em vez de ficar ouvindo o rádio a todo o volume até altas horas da noite".

Também tinha de tomar cuidado com uma tal de sra. Holigan, uma espécie de arrumadeira e cozinheira que, juntamente com o aspirador de pó, eu herdara dos donos da casa. Dolly almoçava na escola, o que já evitava um problema, e eu aprendera a preparar-lhe um farto café da manhã e a esquentar o jantar que a sra. Holigan aprontava antes de ir embora. A bondosa e inofensiva mulher tinha, graças a Deus, os olhos demasiado turvos para reparar nos detalhes, e eu me tornara um grande especialista em matéria de arrumação de camas; mesmo assim, perseguia-me o receio de que houvesse deixado passar alguma mancha fatal, ou de que, numa das raras ocasiões em que ambas estavam na casa, minha ingênua Lô poderia sucumbir à simpatia bonachona da sra. Holigan durante uma conversa descontraída na cozinha. Afligia-me freqüentemente a sensação de que vivíamos numa casa de vidro iluminada, e que a qualquer momento algum rosto de pele de pergaminho e lábios finos pudesse espiar através de uma janela cuja cortina fora deixada descuidadamente aberta, obtendo um vislumbre gratuito daquilo que o mais enfastiado dos voyeurs pagaria uma pequena fortuna para contemplar.

6

Uma palavra a respeito de Gaston Godin. O principal motivo pelo qual eu apreciava sua companhia — ou pelo menos a tolerava com certo alívio — era o manto de absoluta segurança que sua corpulenta figura estendia sobre meu segredo. Não que ele o conhecesse: eu não tinha qualquer razão especial para fazer-lhe confidências, e, de toda forma, ele era demasiado egocêntrico e distraído para notar ou suspeitar qualquer coisa que pudesse conduzir a uma pergunta franca de sua parte e uma resposta igualmente franca da minha. Ele falou bem de mim à gente de Beardsley, foi meu bom arauto. Tivesse ele descoberto *mes goûts* e a condição de Lolita, isso o teria interessado apenas na medida em que esclarecia a simplicidade de minha atitude para com *ele* — a qual era tão isenta de falsas pudicícias quanto de alusões picarescas: pois, malgrado sua mente incolor e sua nebulosa memória,

Gaston talvez percebesse que eu sabia mais sobre ele do que os bravos cidadãos de Beardsley. Era um solteirão melancólico, de rosto flácido e pálido, cujo corpo ia se afinando à medida que subia, até chegar a um par de ombros estreitos e fora de esquadro e uma cabeça cônica, com forma de pêra, tendo de um lado algumas mechas de cabelos pretos e luzidios e do outro uns poucos fios emplastrados. Mas a parte inferior de seu corpo era enorme e, balançando-se sobre as pernas fenomenalmente gordas, ele caminhava com passos furtivos de paquiderme. Vestia-se sempre de preto, até sua gravata era preta; raramente tomava banho; seu inglês era uma comédia. Não obstante, todo mundo o considerava um sujeito supremamente adorável, adoravelmente excêntrico! Os vizinhos o mimavam; conhecia pelo nome todos os meninos da vizinhança (morava a alguns quarteirões de nós) e fazia com que alguns deles varressem a calçada em frente a sua casa, queimassem as folhas no quintal, trouxessem lenha para a lareira e até se encarregassem de alguns trabalhos caseiros. Em troca, ele os regalava com bombons de luxo (daqueles que contêm licor de verdade) numa íntima salinha do porão que decorara em estilo oriental, com divertidas adagas e pistolas alinhadas nas paredes bolorentas e tapetes que camuflavam os canos de água quente. No segundo andar havia um ateliê — o velho charlatão também pintava nas horas vagas! Ele havia coberto as paredes inclinadas (pois não passava de uma água-furtada) com grandes fotografias de um pensativo André Gide, Tchaikovski, Norman Douglas, dois outros escritores ingleses de renome, Nijinski (todo coxas e folhas de parreira), Harold D. Doublename (um professor universitário do Meio-Oeste, de olhar perdido e inclinações esquerdistas) e Marcel Proust. Todos esses infelizes pareciam prestes a cair de seus precários poleiros na cabeça do visitante. Ele também tinha um álbum com os retratos de todos os Jackies e Dickies das redondezas e, quando por acaso eu o folheava e fazia algum comentário trivial, Gaston franzia os lábios gordos e murmurava com ar de enlevo: "Oui, ils sont gentils". Seus olhos castanhos vagavam então pelo bricabraque sentimental e artístico que enchia o ateliê, incluindo suas próprias telas banais (os olhos convencionalmente primitivos, os violões desmembrados, os mamilos azuis e os desenhos geométricos que estavam na moda), e, com um gesto vago em direção a um prato de madeira pintada ou um vaso imitando mármore, ele diria: "Prenez donc une de ces poires. La bonne dame d'en face m'en offre plus que je n'en peux savourer". Ou: "Missise Taille

Lore vient de me donner ces dahlias, belles fleurs que j'exècre". (Sombrio, triste, enfastiado do mundo.)

Por razões óbvias, eu preferia minha casa à dele para as partidas de xadrez que jogávamos duas ou três vezes por semana. Com as mãos balofas sobre o colo, ele parecia um ídolo carcomido pela erosão enquanto olhava fixamente para o tabuleiro, como se tivesse diante de si um cadáver. Resfolegando, meditava durante dez minutos antes de fazer um erro bisonho. Ou, após refletir ainda por mais tempo, exclamava: "Au roi!", com um lento rosnar de cachorro velho, um som rouco e gutural que lhe fazia tremelicar as bochechas; e levantava as sobrancelhas circunflexas, com um profundo suspiro, quando eu lhe mostrava que ele próprio é que estava em xeque.

Às vezes, no frio escritório em que estávamos sentados, eu ouvia os pés descalços de Lolita praticando passos de balé na sala de estar do andar térreo; mas os sentidos externos de Gaston já estavam confortavelmente entorpecidos, não chegando até ele aqueles ritmos abafados: e-um, e-dois, e-um, e-dois, peso transferido para a perna direita esticada, perna levantada e estendida para o lado, e-um, e-dois; e só quando ela começava a saltar, abrindo as pernas no ponto mais alto, flexionando uma perna enquanto estendia a outra, voando e aterrissando nas pontas dos pés — só então meu pálido, pomposo e saturnino adversário coçava a cabeça ou o queixo como se confundisse aqueles baques distantes com os terríveis golpes de minha rainha.

Às vezes Lolita entrava com seu passo arrastado enquanto estudávamos o tabuleiro — e era sempre uma delícia ver Gaston, os olhos de elefante ainda fixados em suas peças, levantar-se cerimoniosamente para apertar-lhe a mão, e depois, liberando os dedos frouxos de Lolita sem ao menos olhar para ela, afundar de novo na poltrona a fim de cair na armadilha que eu preparara para ele. Certo dia, na época do Natal, após haver passado quase duas semanas sem vê-lo, ele me perguntou: "Et toutes vos fillettes, elles vont bien?", de onde concluí que ele havia multiplicado minha ímpar Lolita pelo número de vestimentas que seus olhos baixos e taciturnos tinham vislumbrado durante todas as suas aparições: jeans, uma saia, shorts e um robe matelassê.

É com relutância que me estendo tanto acerca da pobre criatura (o que é mais triste: um ano depois, durante uma viagem à Europa da qual nunca voltou, ele se envolveu numa *sale histoire*, e ainda por cima em Nápoles!). Dificilmente teria aludido a ele caso sua presença em Beardsley não tivesse uma curiosa relação com meu caso. Preciso dele para minha defesa. Pois lá estava ele, desprovido de qualquer talento, um professor medíocre, uma nulidade como intelectual, um velho e gordo invertido, macambúzio e repulsivo, desprezando gloriosamente o *American way of life*, ignorando por completo a língua inglesa — lá estava ele na pudibunda Nova Inglaterra, paparicado pelos velhos e acariciado pelos jovens, tapeando todo mundo e divertindo-se a valer —, e cá estou eu.

7

Cumpre-me agora a desagradável tarefa de registrar uma significativa deterioração no comportamento moral de Lolita. Se nunca chegara a muito sua participação nos ardores que em mim acendia, tampouco ela parecia movida pelo interesse pecuniário. Mas eu era fraco, desajuizado, um mero escravo de minha ninfeta colegial. Com o declínio do fator humano, a paixão, a ternura e a tortura só fizeram crescer — e disso ela se aproveitou.

A mesada semanal de Lô, paga sob condição de que cumprisse suas obrigações básicas, era de vinte e um centavos no início da era Beardsley, elevando-se para um dólar e cinco centavos antes que chegasse ao fim. Tratava-se de um acerto muito generoso, levando em conta que eu constantemente lhe dava todo o tipo de pequenos presentes e que bastava um simples pedido dela para que a deixasse desfrutar de qualquer doce ou sessão de cinema — embora, sem dúvida, eu pudesse exigir carinhosamente um beijo adicional ou mesmo toda uma série de carícias variadas quando sabia que ela ansiava muito por determinado prazer juvenil. No entanto, nunca foi fácil lidar com ela. Para ganhar diariamente as três moedas de um centavo (e mais tarde as três moedas de cinco centavos), Lô desempenhava suas funções da forma mais letárgica possível: e revelava-se uma negociadora cruel sempre que estava em seu poder recusar-me certos filtros paradisíacos — lentos, estranhos, arrasadores — sem os quais eu não podia viver por muitos dias seguidos e que, pela própria natureza da volúpia amorosa, eu não podia obter à força. Conhecendo a magia e o poder de sua boca macia, ela conseguiu — durante um único ano escolar! — elevar o bônus correspondente a essa carícia especial para três e até quatro dólares. Ó leitor! Não ria ao me imaginar, em pleno suplício do prazer, produzindo moedas de dez e vinte e cinco centavos, e até mesmo aquelas grandes moedas de prata de um dólar, como uma máquina barulhenta e totalmente enlouquecida a vomitar benesses; enquanto, alheia àqueles espasmos e convulsões, Lô apertava firmemente em sua pequena mão o punhado de moedas — as quais, de toda forma, eu depois recuperava a não ser que ela conseguisse escapar a tempo para esconder o butim. E, do mesmo modo que quase todos os dias eu patrulhava as imediações da escola e ia com passos comatosos de *drugstore* em *drugstore*, vasculhando com o olhar todos os recantos encobertos de neblina, ouvindo, entre as batidas do coração e o farfalhar das folhas que caíam, as risadas cada vez mais longínquas das meninas, assim também, vez por outra, invadia o quarto dela e examinava papéis rasgados na cesta pintada com rosas, olhando debaixo do travesseiro da cama virginal que eu próprio acabara de arrumar. Uma vez achei oito notas de um dólar num de seus livros (apropriadamente, *A ilha do tesouro*) e, em outra ocasião, num buraco na parede atrás de uma reprodução do quadro de Whistler *A mãe*, encontrei vinte e quatro dólares e alguns trocados — uns sessenta centavos —, que embolsei discretamente, após o que, no dia seguinte, Lô acusou na minha frente a honesta sra. Holigan de ser uma ladra miserável. Com o tempo, ela fez jus a seu QI e arranjou um esconderijo que jamais descobri; mas, a essa altura, eu havia conseguido baixar os preços de forma drástica, fazendo com que ela ganhasse mediante duros e nauseantes esforços a permissão para participar do programa teatral da escola — pois o que eu mais temia não era que ela me arruinasse, mas que juntasse dinheiro suficiente para fugir de mim. Acredito que a pobre criança de olhar feroz pusera na cabeça que com uns meros cinqüenta dólares poderia quem sabe chegar à Broadway ou a Hollywood — ou à fétida cozinha de um restaurante de beira de estrada (Precisa-se de Empregados) em algum lúgubre estado outrora coberto de pradarias, com o vento soprando forte, as estrelas piscando na noite, aquele beijo e o realejo, e tudo corrompido, estraçalhado, morto.

8

Fiz o possível, meritíssimo, para resolver o problema dos rapazes. Ah, cheguei mesmo a ler no Star de Beardsley a chamada "Coluna dos jovens" para saber como comportar-me!

Uma palavra aos pais. Não afugente o amigo de sua filha. Talvez seja um pouco difícil para você admitir que os rapazes a achem atraente. Para você, ela ainda é uma menininha. Para os rapazes, ela é encantadora e divertida, bonita e alegre. Eles gostam dela. Hoje em dia você fecha grandes contratos no seu escritório de executivo, mas ontem não passava de um ginasiano que carregava os livros de sua colega. Lembra-se disso? Você não quer que sua filha, agora que chegou a vez dela, seja feliz ao gozar da admiração e da companhia dos rapazes de quem ela gosta? Você não deseja que eles se divirtam saudavelmente juntos?

Diversão saudável? Santo Deus!

"Por que, então, não receber os jovens em sua casa? Por que não conversar com eles, estimulá-los a se abrirem com você, a rirem, a se sentirem à vontade?"

Bem-vindo, rapaz, a este bordel.

"Se ela transgredir as regras, não faça uma cena diante de seu cúmplice. Deixe que ela conheça toda a força de seu desagrado quando estiverem a sós. E pare de fazer com que os rapazes sintam que o pai dela é um bicho-papão."

Para começar, o velho bicho-papão fez uma lista do que era "absolutamente proibido" e outra do que era "relutantemente permitido". Eram absolutamente proibidos os encontros com rapazes, simples, duplos ou triplos — pois o passo seguinte seria, obviamente, uma orgia coletiva. Ela podia ir a uma confeitaria com as colegas e lá conversar ocasionalmente, ou até mesmo dar umas risadinhas, com alguns jovens representantes do sexo masculino, enquanto eu esperava no carro a uma distância discreta; e prometi que, se um grupo socialmente aceitável da Academia Butler para rapazes convidasse a ela e a suas amiguinhas para a festa anual (com várias das mães presentes), eu talvez considerasse a possibilidade de autorizar uma menina de catorze anos a usar seu primeiro "vestido de baile" (uma indumentária que faz com que as adolescentes de braços delgados fiquem parecendo flamingos). Além disso, prometi-lhe que organizaria uma festa em nossa casa para a qual ela poderia convidar suas colegas mais bonitas e os rapazes mais distintos que tivesse conhecido no baile da Academia Butler. No entanto, deixei totalmente claro que, enquanto durasse meu regime, nunca, mas nunca mesmo, lhe seria permitido ir ao cinema com um rapazote no cio, ou ficar de bolinação nos automóveis, ou participar de "festinhas" na casa das colegas, ou, longe de meus ouvidos, entregar-se a conversas telefônicas com qualquer garoto, mesmo que fosse "só para discutir as relações dele com uma amiga minha".

Tudo isso enfurecia Lô — que me chamava de safado e coisas piores —, e eu provavelmente teria perdido as estribeiras caso não houvesse bem cedo descoberto, para meu mais doce alívio, que aquilo que realmente a enraivecia não era se ver privada de alguma satisfação específica, mas o fato de lhe ser negado o que ela considerava um direito indiscutível. Eu estava interferindo, vejam bem, no esquema convencional, nos passatempos corriqueiros, "nas coisas que todo mundo faz", na rotina da juventude; pois não há ninguém mais conservador do que uma criança, e sobretudo uma menina, mesmo que ela seja a mais castanha e dourada, a mais mitopoética das ninfetas nos brumosos pomares outonais.

Não me entendam mal. Não posso afirmar com absoluta certeza que no curso daquele inverno ela não tenha conseguido manter, de modo fortuito, contatos impróprios com um ou outro sujeitinho que eu desconhecia; é claro que, por mais que eu controlasse seus momentos de lazer, constantemente ocorriam lapsos de tempo inexplicados que ela procurava preencher com justificações demasiado complexas; é claro que as garras afiadas de meus ciúmes constantemente se embaraçavam nas leves malhas de sua falsidade nínfica; mas estava convencido — e ainda hoje estou pronto a garantir como era fundado esse sentimento — de que não havia nenhum motivo sério de alarme. Sentia isso porque nem uma só vez encontrei um pescoço juvenil para estrangular em meio aos numerosos figurantes masculinos que entravam e saíam de cena sem dizer uma única palavra; mas também porque era para mim "supinamente óbvio" (uma das expressões prediletas de minha tia Sybil) que todas as variedades de ginasianos — desde o bobalhão suarento para quem "ficar de mãos dadas" já era uma grande conquista, até o arrogante estuprador com a cara cheia de espinhas e um carro envenenado — enfaravam igualmente minha jovem e sofisticada amante. "Toda essa conversa de garotos me enche", ela havia rabiscado num caderno escolar, conquanto logo abaixo, na caligrafia de Mona (que aparecerá em breve), constasse a piadinha: "É? E o Rigger?" (o qual também não tarda).

Assim, para mim não tinham rosto os sujeitinhos que por acaso vi a seu lado. Houve, por exemplo, o Suéter Vermelho, que certo dia —

o primeiro dia de neve — a acompanhou até em casa; da janela da sala de visitas fiquei observando enquanto eles conversavam perto da varanda. Ela estava usando seu primeiro casaco com gola de pele; um pequeno gorro marrom cobria meu penteado preferido — franja na frente, ondas nos lados e os cachos naturais caindo pelo pescoço; seus mocassins escurecidos pela neve molhada e suas soquetes brancas pareciam mais desleixadas do que nunca. Como sempre, ela apertava os livros contra o peito enquanto falava ou ouvia, gesticulando sem parar com os pés: pousava a ponta do pé direito sobre o esquerdo, removia-o para trás, cruzava os calcanhares, balançava-se ligeiramente, ensaiava alguns passos, e então recomeçava tudo de novo. Houve o Blusão de Couro, que conversava com ela na frente de um restaurante, numa tarde de domingo, enquanto a mãe e a irmã dele tentavam me puxar para longe com uma conversa fiada; segui-as com passo arrastado, virando a cabeça para ver meu único amor. Lô havia adquirido uma série de maneirismos, tal como o jeito típico que têm os adolescentes de baixar a cabeça para mostrar que estão "se dobrando de rir", e assim, sabendo que eu a estava chamando mas ainda simulando uma hilaridade irresistível, ela caminhou alguns passos de costas e finalmente deu meia-volta, aproximando-se de mim enquanto o sorriso lhe morria nos lábios. Por outro lado, eu apreciava muito — talvez porque me lembrasse sua primeira e inesquecível confissão — seu modo de suspirar: "Ah, Deus!" (numa submissão cômico-melancólica ao destino) ou de alongar o "nããão" num resmungo surdo (quando o destino efetivamente desferia seu golpe). Acima de tudo — já que estamos falando de movimento e de juventude —, gostava de vê-la rodar para cima e para baixo na rua Thayer em sua jovem e reluzente bicicleta: erguendo-se sobre os pedais para girá-los com desinibido vigor, depois assumindo uma lânguida postura enquanto a velocidade se esvaía; parava então ao lado de nossa caixa de correio e, ainda sentada no selim, folheava alguma revista que ali encontrasse, colocava-a de volta, empurrava com a ponta da língua um canto do lábio superior e tomava impulso com o pé na calçada, disparando outra vez em meio às manchas de sol e pálidas sombras.

De modo geral, levando em conta sua condição de pequena escrava mimada, Lô parecia mais bem adaptada ao meio em que circulava do que eu ousara esperar, sobretudo depois dos acessos temperamentais que ingenuamente se permitira ter na Califórnia, no inverno anterior. Conquanto jamais pudesse acostumar-me ao constante estado de ansiedade em que vivem as pessoas culpadas, os grandes gênios e os seres de coração terno, eu próprio sentia que estava me saindo bastante bem em matéria de dissimulação. Deitado na estreita cama do escritório após uma sessão de adoração e desespero no frio quarto de Lolita, eu costumava rever o dia que findava, estudando minha imagem enquanto ela passava pé ante pé diante do olho rubro da mente. Via assim o dr. Humbert — moreno e bem-apessoado, com seus traços célticos, provavelmente um membro da Igreja Anglicana, possivelmente dos mais fervorosos — deixando sua filha na porta da escola. Via-o receber, com um sorriso amável e um erguer das sobrancelhas negras e espessas, dignas de um anúncio de revista, a sra. Holigan, que tinha um bafo de onça (e, como eu bem sabia, na primeira oportunidade partiria em linha reta rumo à garrafa de gim do patrão). Valendo-me dos olhos do vizinho da esquerda — carrasco aposentado ou autor de opúsculos religiosos, que importa? —, eu contemplava através da ampla janela de seu escritório aquele senhor cujo nome me escapa, acho que é um francês ou suíço, enquanto ele meditava diante da máquina de escrever, o perfil um tanto emaciado, uma mecha de cabelos quase hitleriana caindo-lhe sobre a testa pálida. Nos fins de semana, vestindo um sobretudo elegante e luvas marrons, o prof. H. podia ser visto caminhando com sua filha até o Hotel Walton (famoso por seus coelhinhos de porcelana e caixas de chocolate com lacinhos roxos, em meio aos quais se devia esperar sentado um tempão por uma "mesa para dois" ainda conspurcada com as migalhas deixadas por seus ocupantes anteriores). Ele também podia ser visto nos dias de semana, por volta de uma da tarde, cumprimentando atenciosamente a vizinha da direita, com seus olhos de argos, ao tirar o carro da garagem e desviar-se das malditas sebes de cipreste a fim de alcançar a rua escorregadia. Ou ainda erguendo o frio olhar de seu livro para consultar o relógio de parede no calor sufocante da biblioteca da Universidade de Beardsley, entre corpulentas jovens surpreendidas e petrificadas sob uma avalanche de saber humano. Ou caminhando pelo campus com o capelão da universidade, o rev. Rigger (que também dava aulas de catecismo na escola de meninas). "Alguém me contou que a mãe dela era uma atriz famosa, que morreu num desastre de avião. É? Então acho que me enganei. Foi mesmo? Compreendo. Que pena." (Sublimando sua mãezinha, hem?) Empurrando lentamente meu carrinho através do labirinto do supermercado, na esteira do prof. W., ele também um vagaroso e afável viúvo, com olhos de bode. Removendo a neve em mangas de camisa, com um volumoso cachecol preto e branco enrolado no pescoço. Entrando em casa, sem nenhuma demonstração de pressa e avidez (detendo-se até mesmo para limpar os pés no capacho), atrás de sua filha que volta da escola. Levando Dolly ao dentista... uma bonita enfermeira sorrindo para ela... velhas revistas... *ne montrez pas vos djambes.* Jantando na cidade com Dolly, o sr. Edgar H. Humbert podia ser visto enquanto comia seu bife à maneira européia, faca na mão direita, garfo na esquerda. Desfrutando, em duplicata, de um concerto: dois serenos franceses com rostos cor de mármore sentados lado a lado, com a filhinha musical de monsieur H. H. à direita do pai e o filhinho musical do prof. W. (que passava uma noite "higiênica" na vizinha cidade de Providence) à esquerda de monsieur G. G. Abrindo a garagem, um quadrado de luz que engolfa o carro e se apaga. No pijama de cores vivas, baixando aos arrancos a cortina do quarto de Dolly. Sábado de manhã, não visto, pesando solenemente na balança do banheiro a menina empalidecida pelo inverno. Visto e ouvido na manhã de domingo (afinal de contas, ele não freqüenta a igreja!), recomendando a Dolly que não volte muito tarde da partida de tênis que vai jogar na quadra coberta. Abrindo a porta para uma colega de Dolly surpreendentemente observadora: "O senhor vai me desculpar, mas é a primeira vez que eu vejo um homem usando um paletó de smoking — a não ser, é claro, no cinema".

9

Suas amiguinhas, que eu tanto havia desejado conhecer, revelaram-se em geral decepcionantes. Havia a Opal Sei-Lá-O-Quê, a Linda Hall, a Avis Chapman, a Eva Rosen e a Mona Dahl (salvo um deles, todos os nomes, é óbvio, são meras aproximações). Opal, uma criatura tímida e disforme, cujo rosto era dominado pelos óculos e pelas espinhas, adorava Dolly e era por ela sistematicamente maltratada. Com Linda Hall, a campeã de tênis da escola, Dolly jogava pelo menos duas vezes por semana; suspeito que Linda era uma genuína ninfeta, mas por alguma razão que desconheço não freqüentava nossa casa — ou talvez não fosse autorizada a freqüentá-la; por isso, só me lembro dela como um lampejo de sol numa quadra coberta. Quanto às demais, nenhuma possuía características ninféticas, com exceção de Eva Rosen. Avis era uma criança de cadeiras muito largas e pernas cabeludas, enquanto Mona, embora atraente de uma forma sensual e vulgar, e apenas um ano mais velha do que minha amada (que já começava a envelhecer), havia muito deixara de ser uma ninfeta, se jamais o fora. Pelo contrário, Eva Rosen, uma francesinha refugiada de guerra, era um bom exemplo do tipo de criança que, sem ter uma beleza marcante, exibia ao amador perspicaz alguns dos elementos básicos do charme nínfico, tais como um perfeito talhe púbere, olhos lânguidos e maçãs do rosto salientes. Seus cabelos acobreados e luzidios eram tão sedosos quanto os de Lolita, e as feições de seu rosto alvo e delicado, com lábios cor-de-rosa e cílios de reflexos prateados, tinham algo menos de raposa que as de suas semelhantes — o grande clã intra-racial das ruivas; tampouco, como o fazem as integrantes dessa tribo, ela se vestia apenas de verde, dando preferência, se me recordo bem, ao preto e ao grená — por exemplo, uma suéter preta muito elegante, sapatos de salto alto pretos, esmalte de unha cor de cereja. Falava com ela em francês (para grande raiva de Lô). Suas entonações eram ainda admiravelmente puras, mas, para tudo o que dizia respeito à escola e às brincadeiras de meninas, ela recorria ao inglês falado nos Estados Unidos — e então um ligeiro sotaque do Brooklyn se insinuava em sua fala, o que não deixava de ser engraçado numa pequena parisiense que freqüentava uma seleta escola da Nova Inglaterra com falsas pretensões de elitismo britânico. Infelizmente, embora Lô tivesse feito questão de me dizer que "o tio daquela garota francesa é um milionário", não sei por que Eva deixou de figurar no rol de suas amiguinhas antes que eu pudesse desfrutar, com a modéstia que me caracteriza, da sua fragrante presença em nosso lar hospitaleiro. O leitor sabe quão importante era para mim contar com a presença de um bando de damas de companhia em torno de Lolita, meros prêmios de consolação para um admirador de ninfetas. Durante algum tempo, esforcei-me por interessar meus sentidos em Mona Dahl, que vinha com freqüência a nossa casa, sobretudo durante o trimestre da primavera, quando ela e Lô se entusiasmaram tanto pelo teatro. Muitas vezes me perguntei que segredos inimaginavelmente traiçoeiros Dolores Haze teria transmitido a Mona, da mesma forma pela qual, em resposta a meus insistentes e bem remunerados pedidos, ela me revelava os pormenores realmente incríveis de um caso que Mona tivera com um fuzileiro naval à beira-mar. Era típico de Lô escolher como amiga mais íntima aquela jovem fêmea fria e elegante, lasciva e traquejada, que certo dia ouvi (ouvi errado, jurou Lô) dizer alegremente no hall a minha filha, que se gabava de sua suéter de lã virgem: "É só o que você tem de virgem garota...". Tinha uma voz estranhamente rouquenha, cabelos pretos sem brilho artificialmente ondulados, brincos nas orelhas, olhos protuberantes castanho-amarelados e lábios apetitosos. Lô contou que as professoras viviam censurando-a por se cobrir de jóias de fantasia. Suas mãos eram trêmulas. Carregava o fardo de um QI de 150. E sei também que tinha uma tremenda pinta cor de chocolate nas suas costas de mulher madura, a qual vi de perto na noite em que Lô e ela usaram vestidos vaporosos e decotados, em tons pastel, para o baile da Academia Butler.

Estou antecipando um pouco, mas não posso impedir que minha memória passeie pelo teclado daquele ano escolar. Diante de minhas tentativas de descobrir com que espécie de rapazes Lô andava, a srta. Dahl mostrava-se elegantemente evasiva. Lô, que tinha ido jogar tênis no clube de campo de Linda, havia me telefonado para dizer que talvez chegasse com meia hora de atraso, pedindo que eu fizesse sala para Mona, que vinha treinar com ela uma cena da peça *A megera domada*. Usando todas as modulações, todo o fascínio de voz e de gestos de que era capaz, olhando-me com o que talvez fosse — será que me enganei? — uma ligeira cintilação de cristalina ironia, a bela Mona respondeu: "Bem, meu senhor, o fato é que Dolly não se interessa muito pelos garotos de nossa idade. Para dizer a verdade, somos rivais. Eu e ela somos vidradas pelo reverendo Rigger". (Tratava-se de uma piada; já mencionei esse homem tristonho e gigantesco, com um queixo cavalar: num chá oferecido aos pais, cuja data não consigo situar, tive ganas de matá-lo de tão chatas que eram suas "impressões da Suíça".)

Como tinha sido o baile? Ah, super. Como? Demais. Numa palavra, bárbaro. Lô tinha dançado muito? Ah, razoavelmente, até não poder mais. O que é que ela, a langorosa Mona, achava da Lô? Como? Achava que Lô estava indo bem na escola? Poxa, ela era uma garota legal. Mas seu comportamento geral...? Ah, ela era sensacional. Mas mesmo assim? "Ah, ela é um anjo", concluiu Mona, suspirando de repente e apanhando um livro que estava a seu alcance. Depois, mudando de expressão, franziu exageradamente a testa e indagou: "Queria que o senhor me falasse do Ball Zack. Ele é mesmo bom assim?". Chegou tão perto de minha poltrona que, através dos eflúvios de cremes e loções, pude distinguir o cheiro desinteressante de sua pele. Apunhalou-me um súbito e estranho pensamento: será que minha Lô estava se fazendo de alcoviteira? Se era assim, havia escolhido a substituta errada. Evitando o olhar frio de Mona, falei por um minuto de literatura. Dolly então chegou — observando-nos com seus olhos pálidos, as pálpebras semicerradas. Deixei as duas amigas entregues a seus próprios afazeres. Um dos retângulos de uma pequena janela coberta de teias de aranha, no cotovelo da escada, tinha um vidro cor de rubi, e aquela chaga viva em meio aos outros retângulos incolores, numa posição assimétrica — a um lance de cavalo do topo da janela —, como sempre me provocou uma inexplicável sensação de mal-estar.

10

Às vezes... Vamos, exatamente quantas vezes, Bert? Você consegue se lembrar de quatro, cinco dessas ocasiões? Até mais? Ou nenhum coração humano teria sobrevivido a duas ou três? Às vezes (nada tenho a dizer em resposta a suas perguntas), enquanto Lolita fazia despreocupadamente seu trabalho de casa, chupando um lápis, as duas pernas jogadas por sobre o braço da poltrona, eu abandonava todo o meu recato pedagógico, punha de lado todas as nossas brigas, esquecia meu orgulho masculino — e, de joelhos, literalmente me arrastava até onde você estava sentada, minha Lolita! Você me lançaria então um olhar — um olhar baço e cinzento que era um autêntico ponto de interrogação: "Ah, não! Outra vez?" (incredulidade, exasperação); porque você jamais se dignou acreditar, minha querida, que eu pudesse, sem qualquer desígnio específico, tão-somente querer enfiar a cara nas dobras da tua saia escocesa! A fragilidade daqueles teus braços nus — como eu ansiava por abraçá-los, a todos os teus quatro límpidos e adoráveis membros, uma potranquinha de patas dobradas, e tomar tua cabeça entre minhas mãos indignas, e repuxar para trás a pele de tuas têmporas, e beijar teus olhos achinesados, e... Mas você diria: "Por favor, me deixa em paz, está bem? Pelo amor de Deus, me deixa em paz!". E eu me levantaria do chão enquanto você me seguia com os olhos, teu rosto deliberadamente contorcido para imitar meu *tic nerveux*. Mas não faz mal, não faz mal, não passo de um monstro, não faz mal, tratemos de seguir com minha torpe história.

11

Numa manhã de segunda-feira, creio que em dezembro, Pratt pediu-me que fosse conversar com ela. Sabia que as últimas notas de Dolly tinham sido ruins. Mas, em vez de contentar-me com essa explicação plausível para o convite, imaginei todo o tipo de horrores e tive de me fortalecer com algumas doses de meu "abacagim" a fim de enfrentar a entrevista. Lentamente, com o coração aos pinotes e um nó na garganta, subi os degraus do cadafalso.

Uma mulher grandona, grisalha, desmazelada, com um nariz largo e chato, olhos pequenos por trás dos óculos de aros negros, disse-me: "Sente-se, por favor", indicando um pufe informal e humilhante, enquanto ela se aboletava com ponderosa agilidade no braço de uma cadeira de carvalho. Por alguns instantes fitou-me com uma curiosidade sorridente. Lembrei-me de que ela já havia feito isso em nosso primeiro encontro, mas naquela ocasião eu podia dar-me ao luxo de encará-la de volta. Seus olhos se afastaram de mim e ela se perdeu em pensamentos — provavelmente fingidos. Meditando ainda, esfregou, dobra por dobra, a saia de lã cinza-escuro na altura dos joelhos para limpar um vestígio de giz ou coisa que o valha. Finalmente, continuando a esfregar a saia e sem erguer a vista, ela disse:

"Deixe-me fazer-lhe uma pergunta muito direta, senhor Haze. O senhor é um pai de formação européia, com idéias antiquadas, não é mesmo?"

"Ah, não", respondi, "talvez conservador, mas não o que se poderia chamar de antiquado."

Franzindo os sobrolhos, ela soltou um suspiro, bateu as manzorras gordas como quem indica que chegou a hora de falar a sério e de novo fixou em mim seus olhos redondos como miçangas.

"Dolly Haze", ela disse, "é uma criança adorável, mas o início de seu amadurecimento sexual parece que está criando algumas dificuldades para ela."

Inclinei ligeiramente a cabeça. O que mais podia fazer?

"Ela está ainda oscilando", disse a srta. Pratt, enquanto as mãos, com aquelas manchas marrons de quem sofre do fígado, ilustravam suas palavras, "entre as zonas de desenvolvimento anal e genital. Basicamente, ela é uma menina adorável..."

"Desculpe-me", disse eu, "mas a que zonas..."

"É aí que entra sua formação antiquada de europeu!", exclamou Pratt, dando um tapinha no meu relógio de pulso e subitamente revelando suas dentaduras. "O que eu quero dizer é que os impulsos biológicos e psicológicos da Dolly — o senhor fuma? — ainda não se fundiram, ainda não formaram, se é que podemos dizer assim, um círculo inteiramente fechado." (Suas mãos desenharam no ar um melão de bom tamanho.)

"Ela é muito simpática e inteligente, embora desatenta", continuou (respirando com dificuldade, mas sem abandonar seu poleiro, fez uma pausa enquanto se virava para a direita e examinava sobre a mesa a ficha da adorável menina). "As notas dela estão ficando cada vez piores. É por isso que eu me pergunto, senhor Haze..." Outra vez a falsa meditação.

"Bem", recomeçou com entusiasmo, "eu fumo e, como o nosso querido doutor Pierce costumava dizer, não tenho o menor orgulho disso, mas que é bom..." Acendeu o cigarro e a fumaça que exalou pelas narinas parecia um par de presas de elefante.

"Permita-me que lhe dê alguns detalhes, não vai tomar mais que um minuto. Deixe-me ver aqui [mexendo em seus papéis]. Ela vem adotando uma atitude de rebeldia com a senhorita Redcock e tem sido muito grosseira com a senhorita Cormorant. Aqui está um de nossos relatórios especiais: Gosta de cantar em coro na classe, embora muitas vezes pareça desligada de tudo. Cruza as pernas e balança o pé esquerdo para marcar o ritmo. Vocabulário usado: duzentas e quarenta e duas expressões de gíria típica dos adolescentes, além de alguns polissílabos de origem obviamente européia. Suspira com freqüência durante as aulas. Deixe-me ver. Ah, sim! Esse agora é o relatório da última semana de novembro. Suspira muito na sala de aula. Masca chicletes de forma ruidosa. Não rói as unhas, embora, se o fizesse, isso estaria mais conforme a seu comportamento geral — do ponto de vista científico, é claro. Segundo a aluna, menstruação regular. Não freqüenta, atualmente, nenhuma igreja. Aliás, senhor Haze, a mãe dela era... Ah, compreendo. E o senhor é...? Acho mesmo que o que interessa a Deus não deve interessar a mais ninguém. Outra coisa que gostaríamos de saber. Entendo que ela não dá nenhuma ajuda em casa. Estamos fazendo da Dolly uma princesa, não é, senhor Haze? Bom, o que mais temos aqui? Cuida bem de seus livros. Voz agradável. Dá risadinhas com muita freqüência. Um pouco sonhadora. Costuma fazer umas brincadeiras que lhe são próprias, como, por exemplo, trocar as primeiras letras dos nomes de algumas de suas professoras. Cabelos castanho-escuros com reflexos dourados, lustrosos... bem [sorrindo], acho que *isso* o senhor já sabe muito bem. Vias nasais desobstruídas, pés bem arqueados, olhos — deixe-me ver, tinha aqui um relatório ainda mais recente. Ah, cá está. A senhorita Gold diz que a aptidão de Dolly para o tênis é de excelente para extraordinária, melhor mesmo que a da Linda Hall, mas sua concentração durante a partida e seus resultados variam de ruim a regular. A senhorita Cormorant não consegue decidir se Dolly tem um controle emocional excepcional ou carece inteiramente de controle. A senhorita Horn afirma que ela — quer dizer, a Dolly — é incapaz de verbalizar suas emoções, enquanto, de acordo com a senhorita Cole, Dolly tem uma ótima eficiência metabólica. A senhorita Molar acha que Dolly é míope e deveria consultar um bom oftalmologista, mas a senhorita Redcock insiste em que a menina finge que enxerga mal a fim de justificar sua incompetência escolar. E, para finalizar, senhor Haze, nossas professoras têm uma dúvida realmente crucial. Por isso, quero lhe fazer uma pergunta. Gostaria de saber se sua pobre esposa, ou o senhor mesmo, ou um parente próximo... pelo que entendo, ela tem várias tias e um avô de parte da mãe na Califórnia, não é? Ah, *tinha*! Sinto muito... Bem, todas nós gostaríamos de saber se alguém da família instruiu Dolly sobre o processo de reprodução dos mamíferos. A impressão geral é de que Dolly, apesar de seus quinze anos, mantém um desinteresse mórbido pelos assuntos sexuais ou, para ser mais exata, reprime sua curiosidade a fim de salvaguardar sua falta de conhecimento e seu respeito próprio. Está bem, catorze. O senhor haverá de entender, senhor Haze, que a Escola Beardsley não faz uso dessas histórias de abelhas e flores, coelhinhos e cegonhas, mas acredita que é absolutamente essencial preparar suas estudantes para que tenham uma vida sexual mutuamente satisfatória e se transformem em boas mães. Achamos que Dolly poderia obter notas excelentes se simplesmente se concentrasse nos estudos. Nesse ponto, o relatório da senhorita Cormorant é muito significativo. Dolly tem uma conduta que poderia ser classificada, para usar uma palavra amena, de cínica. Mas todas nós achamos que, em primeiro lugar, o senhor devia pedir ao médico da família que desse a ela os esclarecimentos necessários sobre a relação entre os sexos; em segundo lugar, o senhor devia permitir que ela gozasse da companhia dos irmãos de suas coleguinhas no Clube dos Jovens, nas reuniões organizadas pelo doutor Rigger e nas casas muito acolhedoras dos pais de nossas alunas."

"Ela pode se encontrar com esses rapazes em nossa própria casa, que também é muito acolhedora", disse eu.

"Espero que o faça", disse Pratt alacremente. "Quando lhe perguntamos se tinha algum problema, Dolly se recusou a discutir sua situação em casa, mas conversamos com várias de suas amigas e realmente... bem, por exemplo, insistimos em que o senhor não continue a impedir que ela participe do grupo de teatro. O senhor precisa deixar que ela tome parte na encenação de *Os encantadores caçados*. Na fase de seleção, ela se revelou uma perfeita ninfazinha; além disso, na próxima primavera o autor da peça vai passar uns dias na Universidade de Beardsley e talvez assista a um ou dois ensaios em nosso novo auditório. Veja bem, é tudo parte da alegria que elas devem ter por estarem vivas, por serem jovens e bonitas. O senhor tem de compreender..."

"Sempre me considerei um pai muito compreensivo."

"Ah, sem dúvida, sem dúvida, mas a senhorita Cormorant acha, e eu me inclino a concordar com ela, que Dolly está obcecada por pensamentos de natureza sexual que não tem como expressar, e daí fica provocando, martirizando as outras meninas, e até mesmo as nossas professoras mais jovens, porque *elas* têm encontros inocentes com rapazes."

Sacudi os ombros. Um vil *émigré*.

"Vamos pensar nisso juntos, senhor Haze. Afinal de contas, o que é que há de errado com essa menina?"

"Para mim, ela parece perfeitamente normal e feliz", respondi (era o desastre chegando? haviam me apanhado? será que tinham contratado algum hipnotizador?).

"O que me preocupa", disse a srta. Pratt, olhando para seu relógio e recomeçando tudo de novo, "é que tanto as professoras quanto as colegas consideram Dolly antagonística, insatisfeita, fechada — e todo mundo se pergunta por que o senhor se opõe tão fortemente a que ela tenha todos os divertimentos naturais de uma menina normal."

"A senhora se refere às diversões sexuais?", perguntei em tom jovial (tomado de desespero, um velho rato acuado).

"Bom, eu certamente fico feliz em ver que o senhor usa essa terminologia civilizada", disse Pratt com um sorriso. "Mas essa não é exatamente a questão. Sob os auspícios da Escola Beardsley, o teatro, as danças e outras atividades naturais não podem ser consideradas, do ponto de vista técnico, como diversões sexuais, embora as meninas se encontrem com meninos, se é a isso que o senhor objeta."

"Muito bem", disse, meu pufe exalando um suspiro de exaustão. "A senhora ganhou. Ela pode participar da tal peça. Desde que os papéis masculinos sejam desempenhados por meninas."

"Tenho a certeza de que a senhorita Gold, que dirige nosso grupo de teatro, vai ficar satisfeitíssima. Já reparei que ela é uma das poucas professoras que parece gostar... quer dizer, que acha que sabe lidar com a Dolly. Com isso, acredito que damos por terminados os assuntos gerais. Resta, agora, uma questão especial. Temos um outro problema a resolver."

Pratt fez uma pausa truculenta e depois esfregou com tamanha força o indicador na base do nariz que ele executou uma espécie de dança de guerra.

"Sou uma pessoa muito franca", ela disse, "mas as convenções sociais são as convenções sociais, e não é fácil para mim... Não, deixe-me colocar a questão da seguinte forma: os Walker, que moram no que chamamos por aqui de Mansão do Duque, o senhor conhece, aquela enorme casa cinza no alto do morro, puseram suas duas filhas em nossa escola, e temos também a sobrinha do presidente Moore, uma menina realmente graciosa, sem falar de muitas outras alunas que pertencem a famílias de grande projeção. Bem, nessas condições, é um choque para todos quando Dolly, que parece uma moça tão distinta, usa palavras que o senhor, sendo um estrangeiro, provavelmente não conhece e nem sabe o que significam. Talvez fosse melhor... O senhor gostaria que eu chamasse a Dolly aqui, agora mesmo, para discutirmos juntos essas coisas? Não? O senhor compreende... bem, vamos direto aos fatos. A Dolly escreveu com seu batom uma palavra muito obscena — que, segundo a doutora Cutler, quer dizer 'urinol' na linguagem de baixo calão do México —, escreveu isso nos folhetos sobre cuidados higiênicos que a senhorita Redcock, que vai se casar em junho, distribuiu entre as meninas. Por isso, achamos que ela devia ficar de castigo depois do fim das aulas, pelo menos por mais uma meia hora. Mas se o senhor prefere..."

"Não, não quero interferir nas regras da escola. Vou falar com ela depois. Ela vai ter que explicar isso direitinho."

"Faça isso", disse a mulher, levantando-se do braço da cadeira. "E talvez nós poderíamos nos encontrar outra vez em breve, e se as coisas não melhorarem podemos fazer com que ela seja analisada pela doutora Cutler."

Será que eu deveria casar-me com Pratt e depois estrangulá-la?

"E talvez seu médico de família queira fazer um exame físico nela, um check-up de rotina. Ela está na Sala dos Cogumelos, a última seguindo por aquele corredor."

Diga-se, à guisa de explicação, que a Escola Beardsley imitava uma famosa instituição só para moças da Inglaterra dando nomes "tradicionais" às salas de aula. A Sala dos Cogumelos cheirava a mofo, tinha acima do quadro-negro uma reprodução em tons sépia do quadro de Reynolds *A idade da inocência* e várias filas de carteiras escolares que pareciam bastante incômodas. Numa delas, minha Lolita estava lendo o capítulo sobre "O diálogo", no livro de Baker *A técnica teatral*, e tudo estava muito silencioso, e havia outra garota com um pescoço muito nu da mais branca porcelana e cabelos maravilhosamente platinados, que estava sentada na fileira da frente, lendo também, absolutamente alheia ao mundo, enrolando interminavelmente um cacho macio de cabelo em volta do dedo, e tomei um assento ao lado de Dolly bem atrás daquele pescoço e daquela cabeleira, e desabotoei o sobretudo, e (por sessenta e cinco centavos mais a permissão para que participasse da peça) fiz com que Dolly estendesse por baixo da carteira sua mão com os nós dos dedos vermelhos, sua mão ainda manchada de tinta e de giz. Ah, era sem dúvida uma loucura, uma imprudência de minha parte, mas, depois da tortura a que havia sido submetido, eu simplesmente tinha de me aproveitar de uma circunstância que nunca voltaria a se repetir.

12

Por volta do Natal, ela pegou um forte resfriado e foi examinada por uma amiga da srta. Lester, uma certa dra. Ilse Tristamson (alô, Ilse, você foi um anjo em matéria de bondade e discrição, manuseando minha pombinha com toda a delicadeza). Ela diagnosticou uma bronquite, deu uma palmadinha nas costas de Lô (cuja fina penugem a febre eriçara) e mandou-a ficar de cama durante pelo menos uma semana. De início, sua temperatura continuou alta e não pude resistir ao suave calor de inesperadas delícias — *Venus febriculosa* —, embora fosse uma Lolita muito lânguida que gemeu e tossiu e teve calafrios em meus braços. E, tão logo ela ficou boa, demos uma festa com a presença de rapazes.

Talvez eu tivesse bebido demais ao preparar-me para tamanha provação. Talvez tenha feito um papel ridículo. As meninas tinham decorado um pinheirinho — costume alemão, com a diferença de que as velas de cera haviam sido substituídas por lâmpadas coloridas. A vitrola de meu senhorio ia deglutindo os discos selecionados. A elegante Dolly usava um simpático vestido cinza, de corpete justo e saia larga. Cantarolando, retirei-me para meu escritório no primeiro andar — e a cada dez ou vinte minutos descia como um idiota por alguns segundos, ostensivamente para apanhar meu cachimbo em cima da lareira ou procurar pelo jornal; e, a cada nova visita, esses simples atos se tornavam mais e mais difíceis de executar, trazendo-me à memória os dias horrivelmente distantes em que, na casa de Ramsdale, eu tinha de fazer um enorme esforço para entrar com naturalidade em algum aposento onde minha pequena Carmen estivesse.

A festa não foi um sucesso. Das três meninas convidadas, uma não apareceu, e um dos garotos levou o primo Roy, de modo que havia um superávit de dois rapazes, e os primos conheciam todos os passos, enquanto os outros mal sabiam dançar, e a maior parte da noite foi dedicada a fazer uma tremenda sujeira na cozinha, e depois a uma discussão interminável sobre qual jogo de cartas ia ser jogado, e, mais tarde, duas meninas e quatro garotos se sentaram no chão da sala de visitas, com todas as janelas abertas, e entregaram-se a um jogo de palavras que não houve meios de fazer Opal entender, enquanto Mona e Roy, um rapaz esguio e bem-apessoado, bebiam ginger ale na cozinha, sentados sobre a mesa e balançando as pernas, numa acesa discussão acerca da predestinação e da lei das probabilidades. Depois que todos tinham ido embora, minha Lô soltou um "Ufa!", fechou os olhos e caiu sobre uma poltrona com os quatro membros esparramados, tal qual uma estrela-do-mar, a fim de exprimir o mais absoluto desagrado e exaustão, jurando que nunca tinha encontrado rapazes tão nojentos. Comprei-lhe uma nova raquete de tênis por conta dessa observação.

Janeiro foi úmido e quente, e fevereiro enganou as forsítias: nenhum morador local jamais tinha *visto* um tempo assim. Outros presentes se seguiram, aos montes. Para seu aniversário, comprei-lhe uma bicicleta — aquela encantadora máquina com jeito de corça que já mencionei —, acrescentando a isso uma *História da pintura americana moderna*. Seu estilo ciclístico (quer dizer, o movimento de suas cadeiras ao subir no selim, sua graça e tudo mais) me proporcionava um prazer supremo; mas minha tentativa de refinar seus gostos pictóricos foi um fracasso; ela queria saber se, no quadro de Doris Lee, o sujeito que estava tirando uma soneca deitado sobre o feno era o pai da rapariga travessa e falsamente voluptuosa que aparecia no primeiro plano, e não conseguia entender por que eu lhe dizia que Grant Wood e Peter Hurd eram bons, enquanto Reginald Marsh ou Frederick Waugh eram horríveis.

13

Quando a primavera pincelou a rua Thayer de amarelo, verde e rosa, Lolita já estava perdidamente apaixonada pelas luzes da ribalta. Pratt, que encontrei por acaso certo domingo almoçando com outras pessoas no Hotel Walton, trocou de longe um olhar comigo e fez discretamente um entusiástico sinal de quem bate palmas quando Lô não estava olhando. Detesto o teatro por considerá-lo, do ponto de vista histórico, uma forma de arte primitiva e pútrida; algo que cheira a ritos da idade da pedra e outras sandices tribais, apesar de algumas manifestações individuais de gênio, tal como, por exemplo, a poesia elisabetana, de que o leitor sagaz pode perfeitamente desfrutar sem sair de casa. Estando à época muito ocupado com minhas próprias tarefas literárias, não me preocupei em ler o texto completo da peça *Os caçadores encantados*, na qual Dolores Haze fazia o papel da filha de um fazendeiro que imagina ser uma feiticeira dos bosques, uma Diana ou coisa que o valha, e que, lançando mão de um livro sobre hipnotismo, provoca uma série de transes variados num bando de caçadores perdidos, antes de cair, por sua vez, sob o encantamento de um poeta errante (Mona Dahl). Até aí cheguei com base nos pedaços de papel amarrotados e mal datilografados que Lô semeava pela casa toda. A coincidência do título com o nome de uma inesquecível hospedaria era agradável, embora de uma forma algo melancólica: conhecendo Lô, achei melhor não chamar a atenção de minha própria feiticeira sobre isso, a fim de evitar que uma cínica acusação de sentimentalismo viesse ferir-me ainda mais do que o fato de que ela, por si só, não se houvesse dado conta da coincidência. Presumi que se tratava simplesmente de mais uma versão, praticamente anônima, de alguma lenda banal. Na verdade, nada me impedia de supor que, à procura de um nome atraente, o proprietário do hotel tivesse sido influenciado apenas pela fantasia fortuita do pintor de segunda classe que contratara para fazer os murais, e que, mais tarde, o nome do hotel houvesse sugerido o título da peça. Mas, em minha mente crédula, simplista e benévola, inverti a ordem dos fatores e, sem de fato dar muita importância à coisa, supus que o mural, o nome e o título derivavam todos de uma fonte comum, de alguma tradição local, que eu, ignorando o folclore da Nova Inglaterra, não tinha mesmo como conhecer. Em conseqüência, fiquei com a impressão (tudo isso, o leitor compreenderá, de forma incidental, sem que lhe desse maior importância) de que a maldita peça pertencia àquele gênero de representações para consumo juvenil, adaptadas e readaptadas mil vezes, como *Hansel e Gretel* de Richard Roe, ou *A bela adormecida* de Dorothy Doe, ou *As roupas novas do imperador* de Maurice Vermont e Marion Rumpelmeyer — todas as quais podem ser encontradas em qualquer obra do tipo *Peças para atores escolares* ou *Vamos montar uma peça!* Em outras palavras, não sabia — e, se soubesse, não me importaria — que na realidade *Os caçadores encantados* era uma composição bem recente e tecnicamente original que fora encenada pela primeira vez havia apenas três ou quatro meses por um grupo de vanguarda de Nova York. Para mim — tanto quanto eu podia avaliar com base no papel a ser desempenhado por minha feiticeira —, tratava-se de uma fantasia bastante soturna, lembrando os trabalhos de Lenormand, Maeterlinck e diversos sonhadores ingleses. Usando gorros vermelhos e roupas idênticas, os seis caçadores — dos quais um era banqueiro, um outro encanador, o terceiro policial, o quarto agente funerário, o quinto vendedor de apólices de seguro e o sexto um prisioneiro foragido (veja quantas possibilidades!) — haviam sofrido uma completa transformação mental ao entrar no desfiladeiro de Dolly, recordando-se de suas vidas reais apenas como sonhos ou pesadelos, dos quais a pequena Diana os despertara; mas um sétimo caçador (usando um gorro verde, o idiota!) era um jovem poeta, que insistia em afirmar, para desagrado de Diana, que ela e tudo mais (a dança das ninfas, os elfos, os monstros) eram uma invenção sua. Se não me engano, ao final, profundamente desgostosa com a empáfia do poeta, Dolores (descalça) leva Mona (vestindo calças axadrezadas) até a fazenda de seu pai, situada atrás da floresta Perigosa, a fim de provar ao fanfarrão que ela não era uma fantasia do poeta, e sim uma rústica camponesa, com os pés firmemente fincados na terra — e um beijo no último minuto servia para reforçar a profunda mensagem da peça, qual seja a de que a miragem e a realidade se fundem no amor. Achei que seria mais sensato não criticar a coisa diante de Lô: ela estava tão saudavelmente imersa nos "problemas de expressão", e juntava tão encantadoramente suas estreitas mãos florentinas, pestanejando e suplicando para que eu não fosse aos ensaios, como o faziam alguns pais ridículos, porque desejava maravilhar-me com uma première perfeita — e porque, de todo modo, eu já estava me metendo e dizendo o que não devia, fazendo com que ela se sentisse inibida na presença de outras pessoas.

Houve um ensaio muito especial — ah, meu coração, meu pobre coração! — num dia de maio, com fortes rajadas de riso e trovoadas de alegria, mas tudo isso se passou longe de minha vista, imune a minha memória, e, quando voltei a ver Lô de tarde, equilibrando-se sobre a bicicleta, apoiando a palma da mão no tronco úmido de uma bétula ainda jovem que se erguia na frente de nosso gramado, fiquei tão emocionado com a radiante ternura de seu sorriso que por um momento imaginei que todos os nossos problemas eram coisa do passado. "Você se lembra", ela disse, "qual era o nome daquele hotel, você *sabe* [franzindo o nariz], como é, você sabe... aquele com as colunas brancas e o cisne de mármore na entrada? Ah, você sabe [fungando ruidosamente], o hotel onde você me violou. Está bem, esquece isso. Só queria saber, ele se chamava [quase num sussurro] Os Caçadores Encantados? Ah, então era? [Pensativa] Então era mesmo?", e com um ganido de riso, um riso vernal e amoroso, deu uma palmada no tronco reluzente e disparou ladeira acima, até o fim da rua, e desceu sem pedalar, o corpo abandonado no selim, uma das mãos sonhadora no colo de flores estampadas.

14

Porque, supostamente, isso estava relacionado com seu interesse pela dança e pelo teatro, permiti que Lô tomasse aulas de piano com uma certa srta. Emperor (tal como nós, profundos conhecedores da literatura francesa, bem poderemos chamá-la). Ela vivia a uns dois quilômetros de Beardsley, numa casinha branca com janelas azuis, e Lô ia até lá de bicicleta duas vezes por semana. Numa noite de sexta-feira, perto do fim de maio (mais ou menos uma semana depois daquele ensaio muito especial a que Lô não me havia deixado assistir), o telefone tocou em meu escritório, onde eu estava destroçando a ala do rei do Gustave — quer dizer, do Gaston —, e a srta. Emperor perguntou se Lô iria na terça-feira seguinte, já que havia faltado às aulas da terça anterior e daquela sexta. Disse que ela certamente iria — e continuei com a partida. Como o leitor pode imaginar, naquela altura minhas faculdades se encontravam gravemente comprometidas e, um ou dois lances depois, quando era a vez de Gaston jogar, reparei, através do nevoeiro de minha angústia, que ele podia tomar minha rainha; ele reparou também, mas, pensando que podia se tratar de uma armadilha de seu ardiloso adversário, deteve-se por um bom minuto, bufando e resfolegando, e sacudiu as bochechas, e até me lançou alguns olhares furtivos, e mais de uma vez avançou hesitantemente os dedos rechonchudos em forma de penca, recuando em seguida — doido para pegar aquela suculenta rainha e não ousando fazê-lo —, até que de repente arremeteu contra ela (quem sabe isso não o terá estimulado a cometer outras audácias posteriores?), e tive de gastar uma hora de esforços enfadonhos para conseguir o empate. Ele virou o resto do conhaque e finalmente saiu com aquele seu passo arrastado, muito satisfeito com o resultado (*mon pauvre ami, je ne vous ai jamais revu et quoiqu'il y ait bien peu de chance que vous voyiez mon livre, permettez-moi de vous dire que je vous serre la main bien cordialement, et que toutes mes fillettes vous saluent*). Encontrei Dolores Haze sentada à mesa da cozinha, devorando uma fatia de torta, com os olhos fixos no script da peça. Eles se levantaram para encontrar os meus com uma espécie de vacuidade quase angélica. Confrontada com minha descoberta, ela continuou singularmente impassível, dizendo, *d'un petit air faussement contrit*, que sabia que era uma garota muito má mas que simplesmente não tinha sido capaz de resistir ao encantamento, e que passara aquelas horas de música — Ó leitor, ó meu leitor! — num parque das redondezas ensaiando com Mona a cena da floresta mágica. "Muito bem", disse eu, marchando rumo ao telefone. Atendeu a mãe de Mona: "Ah, sim, ela já vem", afastando-se com um riso materno, um riso neutro de animada cortesia, para gritar fora do palco: "É o Roy para você!"; no instante seguinte, numa voz baixa e monocórdia, mas não sem um toque de ternura, Mona começou a ralhar com Roy por alguma coisa que ele tinha dito ou feito; interrompi-a e, um segundo depois, Mona estava dizendo em sua mais humilde e sensual voz de contralto, "sim, senhor", "não há dúvida, meu senhor", "sou a única culpada por esse problema lamen-

tável" (que entonação! que segurança!), "realmente sinto muito" —
e toma de blablablá, como costumam dizer essas vagabundinhas.

Desci então, pigarreando, o coração nas mãos. Lô estava agora na
sala de visitas, esparramada em sua superestofada poltrona preferida.
Mordendo uma lasca de pele da unha, zombando de mim com aqueles olhos vaporosos e cruéis, balançando incessantemente um tamborete sobre o qual pousara o calcanhar descalço, percebi de repente,
com uma doentia sensação de náusea, quanto ela havia mudado desde que a tinha visto pela primeira vez dois anos antes. Ou isso tinha
ocorrido durante aquelas duas últimas semanas? *Tendresse?* Ora, esse
mito já fora pelos ares havia muito tempo. Lá estava ela, sentada, no
ponto focal de minha ira incandescente. Varrida a neblina de toda a
minha concupiscência, só restava aquela terrível lucidez. Ah, como
ela estava mudada! Sua tez parecia-se agora com a de qualquer ginasiana vulgar e negligente que, com dedos sujos, aplica num rosto
que nem ao menos foi lavado os cosméticos compartilhados por várias
colegas, sem se importar com as texturas poluídas, as epidermes pus-
tulentas que entram em contato com sua própria cútis. E quão tenra
havia sido outrora aquela pele de pêssego, regada pelas lágrimas, quando, brincalhão, eu rolava sobre o joelho sua cabeça desgrenhada! Um
rubor grosseiro substituíra aquela cândida fluorescência. O que por
ali se chamava de "resfriado de coelho" pintara de rosa brilhante as
bordas de suas narinas desdenhosas. Baixando a cabeça, aterrorizado,
meu olhar automaticamente percorreu a parte interna de suas coxas
nuas e retesadas — quão lisas e musculosas suas pernas se haviam tornado! Ela continuava a me contemplar fixamente com aqueles seus
olhos cinza de vidro enfumaçado, ligeiramente injetados de sangue, e
através deles vi passar, sub-reptício, o pensamento de que talvez, ao
fim e ao cabo, Mona tivesse razão, e que a órfã Lô podia me denunciar
sem que ela própria fosse punida. Como eu estava errado! Como estava louco! Tudo nela continuava a ter a mesma essência exasperante e
impenetrável — o vigor de suas pernas bem torneadas, as solas sujas
de suas soquetes brancas, a grossa suéter que ela usava apesar do calor
da sala, seu cheiro de fêmea, e especialmente a parte agora imóvel de
seu rosto, com o estranho rubor e os lábios recém-pintados. O batom
deixara manchas vermelhas em seus dentes da frente e fui assaltado
por uma medonha recordação: a imagem evocada não era a de Monique, mas a de outra jovem prostituta que vira num bordel havia
muitos e muitos anos, e que fora abocanhada por outro homem antes

que eu tivesse tempo de me decidir se sua mera juventude justificava o risco de pegar alguma doença pavorosa, e que tinha aquelas mesmas *pommettes* afogueadas e salientes de uma *maman* morta, e dentes da frente assim tão grandes, e uma fita vermelha desbotada nos cabelos cor de terra.

"Bom, e aí?", disse Lô. "Ficou satisfeito com a explicação?"

"Ah, fiquei", respondi. "Foi perfeita. E não tenho a menor dúvida de que vocês duas combinaram tudo. Na verdade, não tenho a menor dúvida de que você contou a ela tudo sobre nós."

"O quê?"

Controlei a respiração e prossegui: "Dolores, isso tem que acabar agora mesmo. Estou pronto a tirar você da escola e te colocar naquele lugar que você sabe qual é, mas isso tem que acabar. Estou pronto a ir embora neste minuto, é só o tempo de fazer a mala. Ou você acaba com isso ou tudo pode acontecer".

"Tudo pode acontecer, não é?"

Arranquei o tamborete que ela vinha balançando com o calcanhar, e seu pé caiu no chão com um baque.

"Ei", ela gritou, "calminha!"

"Antes de mais nada, trate de ir lá para cima", gritei também, ao mesmo tempo que a puxava para fora da poltrona. A partir daí, deixei de conter minha voz e nos pusemos a gritar um para o outro. Ela me disse coisas impublicáveis. Disse que me odiava. Fez caretas medonhas para mim, enchendo as bochechas de ar e depois soprando de um golpe, com um som diabólico. Disse que eu tentara violá-la várias vezes enquanto era inquilino de sua mãe. Que tinha a certeza de que eu a havia matado. Que dormiria com o primeiro sujeito que lhe pedisse e que não havia nada que eu pudesse fazer para impedir. Eu disse que ela precisava subir e me mostrar todos os seus esconderijos. Foi uma cena estridente e execrável. Agarrei-a pelo pulso ossudo enquanto ela torcia e puxava o braço para cá e para lá, tentando encontrar um ponto fraco a fim de desvencilhar-se no primeiro momento propício, mas a mantive bem presa e na verdade a machuquei bastante, pelo que espero meu coração apodreça no inferno; uma ou duas vezes Lô repuxou o braço com tal violência que temi que seu pulso pudesse se quebrar, e durante todo o tempo ela me olhava com aqueles seus olhos inesquecíveis, onde se entrechocavam a gélida raiva e as lágrimas férvidas, e nossas vozes abafavam a campainha do telefone, e quando por fim me dei conta de seu tilintar Lô escapou como um raio.

Tenho a impressão de que compartilho com as personagens cinematográficas os favores da *machina telephonica* e da brusca divindade que comanda seus atos. Dessa feita era uma vizinha indignada. A janela da sala estava escancarada, conquanto a cortina tivesse sido misericordiosamente baixada; atrás dela, as trevas úmidas da áspera primavera da Nova Inglaterra, prendendo a respiração, tinham estado a nos escutar. Sempre imaginei que aquele tipo de solteirona, seca como um bacalhau, de mente obscena, só existia nas obras de ficção, como o produto de vários cruzamentos bastardos dentro de uma mesma família literária; mas agora tenho a certeza de que a puritana e libidinosa vizinha da direita — ou, para arrancar a máscara que a mantém incógnita, a srta. Fenton Lebone — provavelmente estava com três quartas partes do corpo penduradas para fora da janela de seu quarto a fim de saber o motivo de nossa briga.

"Essa barulheira... não é admissível...", grasnava o receptor, "não vivemos numa casa de cômodos. Quero que fique muito claro..."

Desculpei-me pela algazarra dos amigos de minha filha. Essas crianças de hoje, a senhora sabe — e cortei sem piedade o grasnido que já vinha a caminho.

Embaixo, a porta de tela da varanda foi batida com força. Lô? Fugindo?

Através da vidraça da escada vi um fantasminha que passava, impetuoso, entre os arbustos; um reflexo prateado — uma roda de bicicleta — moveu-se na escuridão, luciluziu, e Lô se foi.

Por azar, o carro estava passando aquela noite numa oficina, no centro da cidade. Não tinha outra alternativa senão perseguir a pé a alada fugitiva. Ainda hoje, depois que três anos subiram e baixaram nas ondas do tempo, não consigo visualizar aquela rua na noite primaveril, aquela rua já tão bordada de folhagem, sem um arquejo de pânico. Em frente a sua varanda iluminada, a srta. Lester passeava com o bassê hidrópico da srta. Fabian. O sr. Hyde por pouco não o atropelou. Caminhando três passos, correndo outros três. Uma chuva morna começou a tamborilar nas folhas dos castanheiros. Na esquina, apertando Lolita contra uma grade de ferro, um indistinto adolescente abraçava e beijava — não, engano meu, não era ela. Com as garras ainda latejando, alcei vôo outra vez.

Quase um quilômetro a leste do número 14, a rua Thayer se embaralha com uma ruela particular e uma rua transversal, que leva ao centro da cidade. Em frente ao primeiro *drugstore*, vi — com que fanfarras de alívio! — a linda bicicleta de Lolita que esperava por ela. Empurrei a porta ao invés de puxar, puxei, empurrei, puxei de novo e entrei. Atenção! A dez passos da entrada, através do vidro de uma cabine telefônica (a divindade timpânica mais uma vez presente), Lô, envolvendo o bocal com a mão, debruçada confidencialmente sobre ele, apertou os olhos ao me ver, virou-se de costas para esconder seu tesouro, desligou às pressas e saiu com um teatral meneio de corpo.

"Tentei chamar você em casa", ela disse em tom alegre. "Tomei uma grande decisão. Mas antes, papai, posso beber alguma coisa?"

Ficou olhando enquanto a pálida e sonolenta moça do balcão punha o gelo no copo, despejava o refrigerante, acrescentava um xarope de cereja — e meu coração quase explodia de dor, de amor. Aquele pulso infantil. Minha adorável criança. O senhor tem uma filha adorável, sr. Humbert. Sempre a admiramos quando ela passa. O sr. Pim ficou vendo Pippa tomar o refresco de canudinho.

J'ai toujours admiré l'oeuvre ormonde du sublime Dublinois. E, enquanto isso, a chuva se transformara num voluptuoso aguaceiro.

"Olha", ela disse (seguindo a meu lado na bicicleta, um pé raspando na calçada escura e reluzente), "olha, decidi uma coisa. Quero sair da escola. Odeio essa escola. Odeio aquela peça, de verdade mesmo! Nem voltar lá. Achar outra. Vamos embora imediatamente. Fazer outra daquelas viagens enormes. Mas *dessa* vez só vamos aonde *eu* quiser, está bem?"

Concordei com a cabeça. Minha Lolita.

"Posso escolher? *C'est entendu?*", ela perguntou, bamboleando um pouco a meu lado. Só falava francês quando era uma menininha muito boazinha.

"Está bem. *Entendu.* Agora, depressinha para casa, Lenore, se não você vai ficar ensopada." (Uma tempestade de soluços enchia-me o peito.)

Ela mostrou os dentes e, com seu jeito encantador de ginasiana, debruçou-se sobre o guidom e partiu célere, ó meu passarinho!

A mão delicada da srta. Lester segurava a porta da varanda para um velho cachorro de passo gingado *qui prenait son temps.*

Lô esperava por mim perto da bétula espectral.

"Estou ensopada", ela declarou a plenos pulmões. "Está contente? Que se dane a peça! Entendeu agora o que eu quero dizer?"

A mão encarquilhada de uma bruxa invisível fechou com estrondo uma janela do segundo andar.

Em nosso vestíbulo, fulgurante de luzes acolhedoras, minha Lolita arrancou a suéter, sacudiu os cabelos salpicados de diamantes, estendeu para mim dois braços nus, ergueu um joelho:

"Me leva para cima, por favor. Hoje eu estou me sentindo um bocado romântica."

Talvez, a essa altura, interesse aos fisiologistas saber que sou capaz — um caso especialíssimo, presumo — de derramar torrentes de lágrimas durante toda a outra tempestade.

15

As lonas dos freios foram trocadas, os canos do radiador desentupidos, as válvulas reguladas e diversos outros consertos e melhoramentos foram pagos pelo papai Humbert, homem prudente embora pouco dado à mecânica, de tal forma que o carro da falecida sra. Humbert se encontrava num estado respeitável ao chegar o momento de empreender a nova viagem.

Havíamos prometido à Escola Beardsley, essa magnífica instituição de ensino, que voltaríamos tão logo eu terminasse o trabalho que ia fazer em Hollywood (Humbert, o Inventivo, havia dado a entender que seria o principal consultor na produção de um filme que tratava do "existencialismo", na época coisa ainda bastante em voga). Na realidade, eu estava namorando a idéia de cruzar discretamente a fronteira mexicana — sentia-me bem mais corajoso do que no ano anterior — e lá decidir o que fazer com minha pequena concubina, que agora media um metro e cinqüenta e dois e pesava quase quarenta e um quilos. Tínhamos desencavado nossos mapas e guias turísticos. Ela traçara nosso itinerário com imenso entusiasmo. Seria graças àquelas atividades teatrais que ela havia abandonado seu ar juvenil de enfado e se mostrava agora tão adoravelmente ansiosa para explorar a rica realidade que a circundava? Senti a insustentável leveza dos sonhos naquela pálida mas cálida manhã de domingo em que deixamos para trás a perplexa casa do professor de química e rolamos pela rua principal rumo à auto-estrada de quatro pistas. O vestido de algodão de listras brancas e pretas, a atrevida boina azul, as meias brancas e os mocassins marrons de minha bem-amada não combinavam muito com a grande água-marinha, lindamente lapidada e presa a uma corrente de prata, que dardejava em sua garganta — presente de um dia chuvoso de primavera. Passamos pelo Novo Hotel e ela riu. "Dou um centavo pelos teus pensamentos", eu disse, e ela estendeu imediatamente a mão aberta, mas naquele momento tive de frear de forma algo abrupta num sinal vermelho. Ao pararmos, outro carro freou, guinchando, ao lado do nosso, e uma jovem mulher extraordinariamente bonita e atleticamente esguia (onde é que a tinha visto?), pele rosada e luzidios cabelos cor de bronze que lhe caíam sobre os ombros, saudou Lô com um sonoro "Oi!", e depois, dirigindo-se a mim efusivamente, edusivamente (situei-a!), enfatizando certas palavras, ela disse: "Que *pena* que a Dolly tivesse que *largar* a peça — o senhor precisava *ouvir* as coisas *incríveis* que o autor disse sobre ela depois do ensaio...". "O sinal ficou verde, seu bobo", disse Lô baixinho, ao mesmo tempo que, acenando um vigoroso adeus com o braço coberto de braceletes, a Joana d'Arc (tal como a tínhamos visto no teatro da cidade) arrancou a toda, nos deixando para trás, e virou à direita, os pneus cantando, na avenida do Campus.

"Quem era, exatamente? Vermont ou Rumpelmeyer?"

"Não, nenhum dos dois, era a Edusa Gold, a moça que dirige a peça."

"Não estava me referindo a ela. Quem é que escreveu a peça?"

"Ah, sei! Claro, uma velhinha, Clare Qualquer-Coisa, acho que é. Tinha uma porção de velhas lá."

"Quer dizer que ela te elogiou?"

"Elogiou?! Ela pousou um ósculo em minha testa inocente" — e minha querida soltou outra vez aquele ganido de alegria que ultimamente passara a exibir, talvez por conta dos recém-adquiridos maneirismos teatrais.

"Você é uma criatura engraçada, Lolita", disse eu — ou qualquer outra expressão com o mesmo sentido. "Naturalmente, estou muito feliz que você tenha abandonado aquele interesse absurdo pelo teatro. Mas o que é curioso é que você tenha desistido de tudo quando só faltava uma semana para seu clímax natural. Ah, Lolita, você tem que ter cuidado com esse hábito de desistir das coisas. Lembro que você abandonou Ramsdale pelo acampamento, o acampamento por uma viagem de recreio, e podia citar outras mudanças repentinas nas tuas atitudes. Você precisa ter cuidado. Há coisas que a gente não deve abandonar. É preciso ter persistência. Você devia procurar ser delicada comigo, Lolita. Devia também ter cuidado com o que você come. A circunferência da tua coxa, como você sabe muito bem, não deve passar de quarenta e quatro centímetros e meio. Mais do que isso pode ser fatal [estava brincando, é óbvio]. Estamos começando agora uma longa viagem, em que vamos ser muito felizes. Lembro-me..."

16

Lembro-me de que, menino ainda na Europa, eu contemplava embevecido um mapa da América do Norte em que os montes Apalaches se estendiam em negrito do Alabama até New Brunswick, de tal modo que toda a região por eles atravessada — Tennessee, as duas Virgínias, Pensilvânia, Nova York, Vermont, New Hampshire e Maine — erguia-se em minha imaginação como uma gigantesca Suíça, ou mesmo o Tibete, um desfilar infindável de montanhas, sucessão de magníficos picos reluzentes, imensas coníferas, *le montagnard émigré* gloriosamente envolto numa pele de urso, e o *Felis tigris goldsmithi*, e peles-vermelhas sob a sombra das catalpas. Que tudo isso não passasse de insignificantes gramados suburbanos e fumegantes incineradores de lixo era simplesmente apavorante. Adeus, Apaláchia! Deixando-a para trás, cruzamos o Ohio, os três estados que começam com I e o Nebraska — ah, essa primeira aragem do Oeste! Viajávamos sem a menor pressa, tendo mais de uma semana para chegar a Wace, no divisor de águas do continente (onde ela desejava ardentemente ver as Danças Rituais que marcavam a abertura anual da caverna Mágica), e pelo menos três semanas para chegar a Elphinstone, jóia preciosa de um estado do Oeste onde ela ansiava por escalar o rochedo Vermelho, do qual uma estrela do cinema, já algo madura, se jogara recentemente após brigar com seu gigolô (ambos bêbados, por sinal).

Mais uma vez, motéis suspicazes nos acolheram com declarações do seguinte jaez:

Desejamos que vocês se sintam em casa. Todos os pertences do quarto foram verificados quando de sua chegada. O número da placa de seu carro foi anotado na recepção. Use com moderação a água quente. Reservamo-nos o direito de expulsar sem aviso prévio qualquer pessoa de conduta inconveniente. Não jogue objetos de qualquer espécie no vaso higiênico. Muito obrigado. Voltem sempre. A Gerência. PS: Consideramos nossos hóspedes as Melhores Pessoas do Mundo.

Nesses lugares assustadores em que pagávamos dez dólares por duas camas, as moscas faziam fila diante da porta desprovida de tela e freqüentemente conseguiam penetrar no quarto; as cinzas de nossos predecessores ainda jaziam nos cinzeiros; havia um cabelo de mulher no travesseiro; ouvia-se o vizinho do lado pendurar o paletó no closet; os cabides eram engenhosamente presos por arame à barra do armário para evitar furtos; e, supremo insulto, os quadros pendurados em cima das camas gêmeas eram absolutamente idênticos. Reparei também que o estilo arquitetônico estava mudando. Havia uma tendência para unir os chalés num único edifício, e logo (Lô não estava minimamente interessada nisso, mas o leitor talvez esteja) acrescentava-se um segundo andar, surgia um saguão, os carros eram conduzidos a uma garagem comum — e de repente o motel se havia transformado num hotel à moda antiga.

Neste ponto, rogo ao leitor que não zombe de mim nem de minha confusão mental. É fácil para ele e para mim decifrar, *agora*, um destino já cumprido; mas um destino em gestação, creia-me, não é como uma daquelas histórias de mistério honestas em que basta a gente ficar atento às pistas. Quando jovem, li certa vez um romance de detetive em francês no qual os indícios eram simplesmente grifados; porém, não é assim que trabalha o McKarma — mesmo que se aprenda a reconhecer certos sinais obscuros.

Por exemplo: não juro que, antes da etapa do Meio-Oeste ou logo em seu início, Lô não tenha tido pelo menos uma oportunidade de passar alguma informação a uma ou mais pessoas desconhecidas, se é que não entrou em contato direto com tal ou tais pessoas. Havíamos parado para abastecer o carro, sob o signo de Pégaso, e Lô, esgueirando-se do banco, escapuliu até os fundos do posto durante os poucos minutos em que, curvado sob o capô a fim de fiscalizar as manipulações do mecânico, eu não podia vê-la. Indulgente por natureza, limitei-me a sacudir a cabeça em benigna desaprovação, embora tais visitas fossem de todo proibidas, pois eu sabia instintivamente que os toaletes — assim como os telefones — eram, por razões insondáveis, os pontos em que meu destino poderia enredar-se. Temos todos esses sinais fatídicos — para alguém, uma paisagem que se repete, para outrem, determinado número —, cuidadosamente escolhidos pelos deuses a fim de atrair eventos de especial importância para cada um de nós; aqui fulano sempre tropeçará; ali fulana sempre terá o coração partido.

Bem, o fato é que, já tendo afastado o carro das bombas para ceder lugar a um furgão, o volume crescente da ausência de Lô começou a pesar sobre mim na tarde cinzenta e ventosa. Não era a primeira nem seria a última vez em que ficava contemplando, a alma invadida por surda angústia, aqueles objetos imóveis e triviais que pareciam quase surpresos, tal como camponeses à margem da estrada, ao serem apanhados no campo de visão de um viajante extraviado: aquela caixa de lixo pintada de verde, aqueles pneus à venda (as faixas tão brancas contrastando com a borracha tão negra), aquelas reluzentes latas de óleo de motor, aquelas geladeiras vermelhas com refrigerantes variados, as quatro, cinco, sete garrafas vazias enfiadas ao acaso nos quadriláteros do caixote (como um jogo incompleto de palavras cruzadas), aquela mosca que escala pacientemente a face interna da vidraça do escritório. Pela porta aberta vinha o som de um rádio e, como o ritmo da música não estava sincronizado com os adejos e palpitações da vegetação agitada pelo vento, eu tinha a impressão de estar vendo um daqueles velhos filmes mudos, desdobrando-se indiferente na tela enquanto o piano ou o violino seguiam uma linha melódica totalmente alheia à trêmula flor, ao ramo balouçante. O eco do último soluço de Charlotte vibrou incongruentemente dentro de mim no momento exato em que, seu vestido drapejando fora do ritmo, Lolita apareceu vinda de uma direção de todo inesperada. O toalete estava ocupado e ela havia atravessado a rua para se colocar sob a proteção do signo da Concha — onde eles diziam se orgulhar do fato de que seus banheiros eram tão limpos quanto os de nossas casas. Esses cartões-postais com porte pago, diziam também, estão a sua disposição para qualquer comentário ou reclamação sobre o serviço. Neca de cartões-postais. Neca de sabonete. Neca. Neca de comentários.

Naquele dia ou no dia seguinte, após uma tediosa viagem através de campos de cereais, chegamos a uma cidadezinha agradável e nos hospedamos no Motel dos Castanheiros — bangalôs confortáveis, gramados verdes e úmidos, macieiras, um velho balanço e um magnífico pôr-do-sol que a menina, cansada, nem quis apreciar. Ela queria passar por lá porque Kasbeam ficava apenas a uns cinqüenta quilômetros ao norte de sua cidade natal, mas, na manhã seguinte, encontrei-a totalmente apática, desinteressada até mesmo de rever a calçada em que pulara amarelinha cinco anos antes. Por razões óbvias, eu havia encarado com bastante reserva esse desvio de rumo, embora tivéssemos concordado em manter o máximo de discrição, não saindo do carro e não procurando nenhum de seus amigos daquela época. Meu alívio ao vê-la abandonar esse projeto foi comprometido pelo pensamento de que, se Lô achasse que eu continuava a me opor firmemente às perspectivas nostálgicas de Pisky, como o fizera no ano anterior, certamente não teria cedido com tanta facilidade. Quando mencionei isso com um suspiro, ela também suspirou e queixou-se de que não estava se sentindo muito bem. Queria ficar deitada pelo menos até a hora do chá, cercada de um monte de revistas, sugerindo que depois, se já estivesse melhor, seguíssemos viagem rumo ao Oeste. Devo dizer que ela se mostrava muito carinhosa e abatida; quando revelou o desejo de comer frutas frescas, decidi ir a Kasbeam comprar-lhe um delicioso lanche de piquenique. Da janela de nosso bangalô, situado no topo de uma colina arborizada, via-se a estrada descer serpenteando e depois correr entre duas fileiras de castanheiros, tão reta como se fosse uma risca de cabelo, até a bela cidadezinha, singularmente nítida, com suas casinholas de brinquedo, no ar puro da manhã. Era possível discernir ao longe uma menina de bicicleta, qual um elfo montado num inseto, e um cachorro desproporcionalmente grande, tudo tão claro quanto aqueles peregrinos e burricos que, nas velhas pinturas, sobem por caminhos cor de cera entre morros azulados e minúsculos camponeses vestidos de vermelho. Como tenho o hábito europeu de usar meus próprios pés sempre que é possível dispensar o carro, fui andando sem pressa, cruzando bem adiante com a ciclista — uma menina feiosa e gorducha de trancinhas, seguida por um enorme são-bernardo, com aquelas orlas pretas em volta dos olhos que o fazem parecer tão triste. Em Kasbeam, um barbeiro muito idoso cortou-me o cabelo de forma medíocre: ficou tagarelando sem parar acerca das façanhas de seu filho, um jogador de beisebol, e a cada consoante bilabial perdigotos aterrissavam em meu pescoço; vez por outra limpava os óculos no pano que me cobria os ombros ou interrompia a trêmula ação de sua tesoura para mostrar desbotados recortes de jornal; eu estava tão desatento que, quando ele apontou para uma fotografia em meio às loções descoloridas pelo tempo, fiquei chocado ao perceber que o jovem e bigodudo atleta já havia morrido fazia mais de trinta anos.

Tomei uma xícara de café quente e insípido, comprei uma penca de bananas para minha macaquinha e passei mais uns dez minutos numa mercearia. Pelo menos uma hora e meia havia transcorrido quando o pequeno peregrino, de volta à casa, surgiu na sinuosa estrada que levava ao Castelo dos Castanheiros.

A menina com quem eu cruzara a caminho da cidade carregava agora um monte de roupas de cama e ajudava um homem disforme (cuja enorme cabeça e traços grosseiros me lembravam a personagem chamada Bertoldo nas farsas italianas) a arrumar os dez ou doze bangalôs da Pousada dos Castanheiros, agradavelmente espalhados em meio à copiosa vegetação. Era meio-dia, e a maioria deles, com uma última batida da porta de tela, já se tinha livrado de seus ocupantes noturnos. Um casal velhíssimo, quase mumificado, estava saindo de uma das garagens contíguas em seu carro último tipo; um capô vermelho se projetava obscenamente para fora de outra garagem; e, mais perto de nosso bangalô, um jovem forte e bonitão, com uma vasta cabeleira preta e olhos azuis, estava colocando uma geladeira portátil numa caminhonete. Por alguma razão, dirigiu-me um sorrisinho acanhado quando passei por ele. No amplo relvado que se estendia à frente, sob a sombra das árvores luxuriantes, o são-bernardo tomava conta da bicicleta de sua dona e, bem próximo, uma jovem mulher em adiantado estado de gravidez havia instalado um embevecido bebê num balanço e o fazia oscilar suavemente, enquanto um enciumado menininho de dois ou três anos se empenhava em puxar ou empurrar a cadeirinha com força; finalmente, conseguiu ser derrubado pelo balanço e ficou estendido no gramado, chorando a plenos pulmões, enquanto sua mãe continuava a sorrir ternamente, alheia aos dois filhos já presentes. Talvez me recorde tão claramente dessas minúcias porque tive de passá-las em revista alguns minutos depois; além do mais, algo em mim se mantivera de sobreaviso desde aquela horrível noite em Beardsley. Por isso, não me deixava embalar pela sensação de bem-estar que minha caminhada provocara — a jovem brisa de verão que acariciava minha nuca, o ruído do cascalho úmido sendo triturado a cada passo, o suculento resíduo que por fim conseguira descolar da cavidade de um dente, e mesmo o agradável peso das compras, que a condição geral de meu coração não aconselhava que eu carregasse; mas até aquela miserável bomba parecia estar trabalhando a contento, e sentia-me *adolori d'amoureuse langueur,* para citar o bom e velho Ronsard, quando cheguei ao bangalô onde deixara minha Dolores.

Para minha surpresa, encontrei-a vestida. Estava sentada na beira da cama, de calças compridas e camiseta sem mangas, olhando para mim como se tivesse dificuldade em reconhecer-me. As curvas francas de seus seios pequenos e macios eram acentuadas, e não atenuadas, pelo caimento da fina camiseta de algodão — e aquela franqueza me irritou. Ela não tinha tomado banho; no entanto, a boca tinha sido pintada havia pouco, o batom lambuzando até mesmo seus grandes dentes, que luziam como teclas de marfim manchadas de vinho ou fichas rosadas de pôquer. E lá estava ela, sentada, as mãos cruzadas sobre o colo, sonhadora, irradiando um fulgor diabólico que nada tinha a ver comigo.

Depositei sobre a mesa com um baque o pesado saco de compras e fiquei olhando para seus tornozelos nus, os pés calçados de sandálias, depois para seu rosto abobalhado, e mais uma vez para os pés pecaminosos. "Você esteve lá fora", disse eu (as sandálias estavam sujas de cascalho).

"Acabei de levantar", ela respondeu, acrescentando rapidamente ao interceptar meu olhar dirigido para baixo: "Saí só um segundinho. Queria ver se você já estava voltando".

Reparou nas bananas e estendeu o corpo em direção à mesa. Que suspeita específica eu poderia ter? De fato, nenhuma — mas aqueles olhos lodosos e lunares, aquele calor singular que emanava dela! Não disse nada. Contemplei a estrada que serpenteava tão nitidamente na moldura da janela... Qualquer pessoa desejosa de trair minha confiança encontraria ali um lugar ideal para ficar de atalaia. Com um apetite crescente, Lô atacou as bananas. De repente, lembrei-me do sorriso untuoso do fulano do bangalô vizinho. Corri para fora. Todos os carros haviam desaparecido, exceto sua caminhonete; naquele momento, a mulher grávida estava entrando no carro com o bebê e a outra criança (praticamente posta para escanteio no esquema familiar).

"Que que há? Onde é que você vai?", gritou Lô da varanda.

Não disse nada. Empurrei seu corpo macio para dentro do quarto e entrei atrás dela. Rasguei a camiseta com um repuxão, arranquei-lhe a calça, as sandálias. Selvagemente persegui a sombra de sua infidelidade; mas os eflúvios que eu rastreava eram por demais tênues para que pudessem distinguir-se da imaginação de um louco.

17

O *gros* Gaston, com seu jeito afetado, gostava de dar presentes — presentes um pouquinho fora do comum, ou assim ele afetadamente acreditava. Notando certa noite que a caixa onde eu guardava minhas peças de xadrez estava quebrada, ele me mandou na manhã seguinte, por um de seus rapazinhos, um estojo de cobre: tinha na tampa um intrincado desenho oriental e uma robusta fechadura. Bastou-me uma olhada para ver que era um desses cofrinhos baratos, chamados sei lá por que de *luizetta*, que as pessoas compram em Argel ou outro desses lugares e depois não sabem o que fazer com ele. Revelou-se pequeno demais para guardar minhas peças maciças, mas tratei de conservá-lo — para um propósito inteiramente diferente.

A fim de romper certas teias do destino em que obscuramente me sentia enredado, eu havia decidido — apesar da evidente irritação de Lô — passar outra noite no Motel dos Castanheiros; de todo desperto às quatro da madrugada, certifiquei-me de que Lô estava dormindo profundamente (boca aberta, numa espécie de letárgica estupefação diante da vida curiosamente absurda que nós havíamos urdido para ela) e de que o precioso conteúdo da *luizetta* estava bem seguro. Lá, confortavelmente enrolada num cachecol de lã branca, jazia uma pistola automática de bolso: calibre 32, oito balas, comprimento total um pouco inferior a um nono da altura de Lolita, cabo de nogueira lavrado, cano de aço azulado. Era uma herança do falecido Harold Haze, juntamente com um catálogo de 1938 que dizia em tom alegre: "Particularmente apropriada para uso em casa e no carro, bem como para ser levada pela própria pessoa". Lá estava ela, pronta para ser imediatamente posta em uso contra a pessoa ou pessoas, carregada e armada, com a trava de segurança no devido lugar a fim de impedir qualquer disparo acidental. Cumpre lembrar que a pistola, na simbologia freudiana, representa o membro frontal de nosso pai primevo.

Estava feliz de tê-la comigo — e mais feliz ainda de ter aprendido a usá-la dois anos antes, no pinheiral que circundava o lago de Charlotte (e meu também). Farlow, com quem eu vagara por aquelas remotas florestas, era um atirador de primeira, e com seu 38 conseguiu acertar até mesmo um beija-flor, embora, cabe reconhecer, não tivesse sobrado grande coisa para comprovar seu feito — apenas algumas penugens iridescentes. Um troncudo ex-policial chamado Krestovski, que na década de 20 havia matado a tiros dois prisioneiros em fuga, juntou-se a nós e abateu um minúsculo pica-pau — aliás, inteiramente fora da estação de caça. Entre esses dois esportistas de escol, é claro que eu, um simples iniciante, não acertava um só tiro, conquanto tivesse ferido um esquilo ao voltar lá sozinho. "Trata de ficar bem quieta aí", sussurrei para minha amiguinha, tão leve e compacta, brindando a sua saúde metálica com um trago de gim.

<h1 style="text-align:center">18</h1>

O leitor deve agora esquecer os Castanheiros e os Colts, penetrando mais fundo conosco no Oeste. Os dias seguintes foram marcados por várias tempestades de verão — ou, quem sabe, havia uma única e imensa borrasca que avançava pelo continente, pulando daqui para ali como um sapo obeso, e da qual nós não conseguíamos escapar, assim como também não nos livrávamos do detetive Trapp: pois foi naqueles dias que se colocou para mim o enigma do Conversível Vermelho-Asteca, eclipsando totalmente o problema dos amantes de Lô.

Estranho! Eu, que tinha ciúmes de todos os machos que encontrávamos, estranhamente não soube interpretar os indícios do destino adverso. Talvez a virtuosa conduta de Lô durante o inverno tivesse me feito baixar a guarda, e de todo modo seria insensato demais, até mesmo para um lunático, supor que outro Humbert estivesse seguindo avidamente os passos do genuíno Humbert e de sua ninfeta, com fogos de artifício celestes, através daquelas imensas e soturnas planícies. Deduzi, *donc*, que o Iaque Vermelho que nos acompanhava a uma discreta distância, quilômetro após quilômetro, era dirigido por um detetive que algum intrometido contratara para verificar exatamente o que Humbert Humbert estava fazendo com sua enteada menor de idade. Como é de costume quando ocorrem perturbações elétricas e relâmpagos atroadores, tive algumas alucinações. Talvez fossem mais do que alucinações. Não sei o que ela ou ele, ou ambos, haviam posto na minha bebida, mas certa noite, dando-me conta de que alguém batia de leve na porta de nosso bangalô, abri-a de um golpe e notei duas coisas — que eu estava nu em pêlo e que, brilhando lividamente na escuridão gotejante de chuva, um homem a minha frente ocultava o rosto sob uma máscara de Dick Tracy, um grotesco detetive de histórias em quadrinhos. Soltando uma gargalhada abafada, ele desapareceu na noite; entrei cambaleante no quarto e voltei a dormir, e até hoje me pergunto se tudo não passou de um sonho provocado por alguma droga: estudei meticulosamente o tipo de humor de Trapp, e aquela visita noturna, se de fato ocorreu, era um exemplo plausível do que ele poderia ter feito. Ah, mas que baixeza, que crueldade! E pensar que alguém ganhava dinheiro com aquelas máscaras de monstros e imbecis populares! Será que vi na manhã seguinte dois garotos remexendo numa lata de lixo e experimentando uma máscara de queixo quadrado? Sei lá. Talvez tenha sido uma mera coincidência, causada — eu suponho — pelas condições atmosféricas.

Embora seja um assassino dotado de extraordinária memória (inda que incompleta e inortodoxa), não sou capaz de lhes dizer, senhoras e senhores, o dia exato em que fiquei inteiramente certo de que o conversível vermelho estava nos seguindo. Lembro-me muito bem, contudo, da primeira vez em que vi seu motorista com toda a clareza. Rodava devagar certa tarde, em meio a uma chuva torrencial, sem perder de vista o fantasma vermelho que nadava e tremia de lascívia no retrovisor; de repente, o dilúvio cedeu lugar a um chuvisco e logo cessou por completo. Com um som sibilante, o sol varreu a estrada. Precisando de um novo par de óculos escuros, parei num posto de gasolina. O que estava acontecendo era uma doença, um câncer, algo que eu não podia remediar, por isso simplesmente ignorei o fato de que nosso imperturbável perseguidor (cujo carro estava devidamente convertido) havia parado um pouco atrás de nós, num bar de nome idiota. Tendo satisfeito as necessidades do carro, entrei na loja para comprar os óculos e pagar a gasolina. Tinha acabado de assinar um cheque de viagem e tentava lembrar o nome do lugar em que nos encontrávamos, quando olhei por acaso através de uma janela lateral e vi uma coisa terrível. Um homem de costas largas e com uma calva incipiente, vestindo um casaco cor de mingau de aveia e calças marrom-escuras, estava ouvindo o que Lô lhe dizia apressadamente, debruçada para fora do carro, a mão aberta subindo e descendo para dar ênfase a suas palavras, como costumava fazer quando falava a sério. O que mais me chocou, o que me provocou uma sensação de náusea, foi — como dizê-lo — a volúvel intimidade que transparecia em seus gestos, como se eles já se conhecessem... ah, havia muitas e muitas semanas. Vi-o coçar o queixo e concordar com a cabeça, voltando depois para seu conversível — um homem corpulento e espadaúdo, da minha idade, algo parecido com Gustave Trapp, um primo suíço de meu pai: o mesmo rosto queimado de sol, mais cheio que o meu, com um bigodinho preto e uma boca depravada, em forma de botão de rosa. Lolita estava estudando um mapa de estradas quando retornei ao carro.

"Lô, o que é que aquele homem te perguntou?"

"Homem? Ah, aquele homem. Já sei. Ah, sei lá. Queria saber se eu tinha um mapa. Acho que estava perdido."

Retomamos o caminho e eu lhe disse:

"Escuta aqui, Lô. Não sei se você está mentindo para mim ou não, não sei se você ficou maluca ou não, e isso nem interessa agora; mas aquele sujeito vem nos seguindo o dia todo, seu carro estava ontem no motel e acho que ele é um policial. Você sabe perfeitamente bem o que vai acontecer e onde você vai parar se a polícia descobrir certas coisas. Por isso, quero saber exatamente o que ele te disse e o que você disse para ele."

Ela riu.

"Se ele é mesmo um policial", disse estridentemente mas não sem lógica, "a pior coisa que nós podíamos fazer era mostrar que estamos com medo. Esquece ele, papai."

"Ele te perguntou para onde estávamos indo?"

"Ah, isso ele já *sabe*" (zombando de mim).

"Seja como for", disse eu, desistindo, "agora já vi a cara dele. E não é bonito. Se parece muitíssimo com um parente meu chamado Trapp."

"Vai ver ele é o Trapp. Se eu fosse você... Ah, olha só, todos os noves estão virando zero! Quando eu era muito pequena", ela prosseguiu, inesperadamente, "achava que eles iam parar e podiam voltar a ser noves se mamãe concordasse em dar marcha à ré."

Foi a primeira vez, creio eu, que ela falou espontaneamente de sua infância pré-humbertiana; talvez tivesse aprendido esse truque no teatro. Prosseguimos em silêncio, agora sem ninguém em nosso encalço.

Mas no dia seguinte — tal como a dor de uma doença fatal, que retorna quando se dissipam o efeito da droga e a esperança — lá estava outra vez, atrás de nós, aquela fera rubra e rutilante. Naquela manhã, havia pouco tráfego na estrada; ninguém ultrapassava ninguém; e ninguém tentou se colocar entre nosso humilde carro azul e sua imperiosa sombra vermelha — como se um feitiço houvesse sido lançado sobre o espaço que nos separava, uma zona de malévolo júbilo e magia, uma zona cuja própria precisão e constância possuía a qualidade hialina de uma obra de arte. Com suas ombreiras e o bigode *à la* Trapp, o motorista às minhas costas assemelhava-se a um manequim, e seu conversível parecia mover-se apenas porque uma corda invisível de seda silenciosa o ligava a nosso surrado veículo. Éramos muito menos potentes que sua esplêndida e cintilante máquina, por isso nem tentei distanciar-me dele. *O lente currite noctis equi!* Oh, lentos cavalos da noite, oh pesadelos em câmera lenta! Subimos serras intermináveis para depois rolar morro abaixo, respeitamos limites de velocidade e poupamos crianças morosas, reproduzimos num balé majestoso os negros meandros das curvas entre seus anteparos amarelos e, não importa como dirigíssemos e onde fôssemos, o satânico intervalo deslizava intacto, matemático, como uma miragem — o equivalente viário de um tapete mágico. E, durante todo o tempo, eu tinha consciência de uma labareda à minha direita: seus olhos radiosos, sua face ardente.

Às quatro e meia da tarde, numa cidade fabril, um guarda de trânsito no centro de um cruzamento infernal foi a mão do acaso que quebrou o feitiço. Fez sinal para que eu passasse e, na seqüência do gesto, interceptou minha sombra. Vinte carros se precipitaram entre nós e eu acelerei ao máximo, para depois dobrar habilmente numa ruela estreita. Um pardal pousou com um enorme pedaço de pão no bico, foi atacado por outro e perdeu seu tesouro.

Quando retornei à estrada, após algumas paradas rigorosas e circunvoluções propositais, nossa sombra havia desaparecido.

Lola bufou e disse: "Se esse sujeito é o que você acha que ele é, foi uma besteira fugir desse jeito".

"Já tenho outras idéias sobre o assunto."

"Se você deseja... ah... verificar essas idéias... ah... não devia perdê-lo de vista, meu paizinho querido", disse Lô, num tom empolado e sarcástico. "Poxa, você é mau mesmo, hem!", acrescentou em voz normal.

Passamos uma noite pavorosa num motel abjeto, sob a amplitude sonora da chuva e com trovões pré-históricos ribombando acima de nossas cabeças.

"Não sou nenhuma dama e não gosto de relâmpagos", disse Lô, cujo medo de tempestades elétricas me dava um consolo patético.

Tomamos o café da manhã na cidadezinha de Soda, que se gabava de ter mil e um habitantes.

"Olha, pelo último algarismo", observei, "o Cara de Broa já chegou por aqui."

"Seu senso de humor é extraordinário, meu paizinho querido."

A essa altura, estávamos naquela região coberta de campos de artemísia e tivemos um ou dois dias de adorável descontração (eu havia me comportado como um idiota, tudo corria às mil maravilhas, aquele mal-estar não passara de uma flatulência mal resolvida). Logo depois as mesetas cederam lugar a montanhas de verdade e, no dia aprazado, chegamos a Wace.

Ah, desastre! Ocorrera alguma confusão, ela havia lido errado a data no guia turístico, as cerimônias da caverna Mágica já haviam terminado. Devo admitir que Lô levou a coisa na esportiva — e, quando descobrimos que na sofisticadíssima Wace a temporada teatral de verão estava a todo o vapor, naturalmente fomos assistir a um espetáculo numa amena tarde de meados de junho. Honestamente não saberia contar o enredo da peça. Uma historiazinha trivial, sem dúvida, com efeitos de luz pretensiosos e uma medíocre atriz principal. O único detalhe que me agradou foi uma guirlanda de sete pequenas Graças, mais ou menos imóveis, lindamente maquiadas, pernas e braços nus — sete meninas púberes e atônitas envoltas em musselinas coloridas e recrutadas localmente (a julgar pela comoção partidária que uma ou outra provocava nos espectadores). Supostamente deviam representar um arco-íris vivo, que permanecia em cena durante todo o último ato até dissipar-se, com requintes de maldade, por trás de uma série de véus. Lembro-me de haver pensado que os autores da peça, Clare Quilty e Vivian Darkbloom, tinham surrupiado a idéia das crianças-cores de uma passagem de James Joyce, e lembro-me também de que duas das cores eram excruciantemente adoráveis — Laranja, que não parava de se mexer um só instante, e Esmeralda, que, quando seus olhos se habituaram ao negrume da platéia onde estávamos pesadamente sentados, de repente sorriu para sua mãe ou seu protetor.

Tão logo o troço terminou e os aplausos começaram a crescer a meu redor (meus nervos não suportam esse som), tratei de puxar e empurrar Lô rumo à saída, movido por minha naturalíssima impaciência amorosa em levá-la de volta a nosso bangalô azul-néon na noite estrelada e extasiada: sempre digo que a natureza se extasia com as coisas que vê. Dolly-Lô, no entanto, arrastava os pés, num róseo enlevo, os olhos beatificamente semicerrados, seu senso de visão submergindo de tal forma todos os demais sentidos que suas mãos, frouxas, mal se tocavam na ação mecânica do aplauso que ela ainda esboçava. Já tinha visto anteriormente esse tipo de automatismo em crianças, mas, convenhamos, aquela era uma criança especial, lançando olhares míopes mas radiosos em direção ao já distante palco onde mal entrevi os dois autores — o smoking de um homem e os ombros nus de uma mulher excepcionalmente alta, de cabelos negros e perfil de falcão.

"Você machucou outra vez meu pulso, seu bruto", disse Lolita baixinho ao sentar-se no carro.

"Sinto muito, minha querida, minha querida ultravioleta", respondi, tentando sem êxito segurar-lhe o cotovelo. E acrescentei, para mudar de assunto — ó Deus, ó Deus, para mudar o rumo do destino: "Vivian é uma mulher e tanto. Tenho certeza que nós a vimos ontem naquele restaurante, lá em Soda".

"Às vezes", disse Lô, "você é de uma burrice revoltante. Primeiro, Vivian é o nome do homem, e a mulher se chama Clare; em segundo lugar, ela tem quarenta anos, é casada e alguns dos seus antepassados são pretos."

"Pensei", disse eu brincando com ela, "que você antigamente tinha uma paixonite pelo Quilty, na época em que me amava, nos velhos e bons tempos de Ramsdale."

"O quê?", replicou Lô, os músculos do rosto contraindo-se. "Aquele dentista gordo? Você deve estar me confundindo com alguma vagabundinha."

E pensei, com meus botões, como essas vagabundinhas se esquecem de tudo, de tudo, enquanto nós, velhos amantes, entesouramos cada migalha de suas ninfescências.

19

Com o conhecimento e a concordância de Lô, instruímos o correio de Beardsley a enviar toda a nossa correspondência para as postas-restantes de Wace e Elphinstone. Na manhã seguinte, fomos à primeira das duas e tivemos de esperar numa fila tão pequena quanto lenta. Lô ficou serenamente examinando os retratos dos criminosos mais procurados pela polícia. Sobre o bonitão Bryan Bryanski, também conhecido como Anthony Bryan e Tony Brown, olhos castanhos e pele clara, pesava a acusação de rapto. Um velho senhor de olhos tristes tinha cometido o *faux-pas* de envolver-se em fraudes postais e, como se isso não bastasse, tinha uma deformação na arcada dentária. O sombrio Sullivan vinha acompanhado de uma advertência: devia estar armado e era considerado extremamente perigoso. Se os senhores quiserem fazer um filme baseado no meu livro, façam com que um desses rostos gradualmente se transforme no meu, enquanto eu estiver olhando. Havia ainda uma fotografia pouco nítida de uma jovem desaparecida, catorze anos e um mês, calçando mocassins marrons ao ser vista pela última vez — até que rima. Favor notificar o xerife Buller.

Não me recordo de minha correspondência; quanto à de Dolly, incluía seu boletim escolar e um envelope de aparência muito especial. Abri-o deliberadamente e passei os olhos no conteúdo. Ficou óbvio que isso já era esperado, pois ela não pareceu se importar e foi andando sem pressa na direção de uma banca de jornais próxima à saída.

Dolly-Lô. Bem, a peça foi um grande sucesso. Os três cachorros ficaram quietinhos (desconfio que Cutler deu algum calmante para eles) e Linda não errou nenhuma das tuas falas. Ela estava bem, demonstrando bastante vivacidade e segurança, mas faltava alguma coisa da *sensibilidade*, da *vitalidade tranqüila*, do charme da Diana que eu e o autor apreciávamos tanto; mas ele não estava lá para nos aplaudir como da última vez, e uma tremenda tempestade elétrica do lado de fora abafou nossos modestos trovões no palco. Ah, minha querida, o tempo voa mesmo. Agora que tudo acabou, a escola, a peça, a enrascada com o Roy, a gravidez de mamãe (infelizmente, o bebê nasceu morto), parece que tudo aconteceu há séculos, embora eu tenha a impressão de que nem tirei ainda a maquiagem do rosto.

Vamos para Nova York depois de amanhã e acho que não vou poder escapar da viagem à Europa com meus pais. Tenho notícias ainda piores para você, Dolly-Lô. Talvez eu não esteja mais na Escola Beardsley se e quando você voltar. Por uma razão ou por outra (uma sendo você sabe quem, e a outra não sendo quem você pensa que é), papai quer que eu vá estudar em Paris por um ano enquanto ele estiver por lá com a bolsa da Fundação Fullbright.

Como era de se esperar, o pobre Poeta tropeçou na cena III quando tinha de dizer aquela bobagem em francês. Você se lembra? "Ne manque pas de dire à ton amant, Chimène, comme le lac est beau car il faut qu'il t'y mène." Que amante sortudo! *Qu'il t'y* — essa é de quebrar a língua! Muito bem, te cuida, Lolliquinha. Todo o carinho do teu Poeta e saudações cordiais para o patrão. Tua Mona. PS: Por uma razão ou por outra, minha correspondência está sendo rigidamente controlada. Por isso, é melhor você esperar até que eu te escreva da Europa. [Coisa que ela nunca fez, tanto quanto eu saiba. A carta continha algo misteriosamente odioso que hoje estou cansado demais para analisar. Encontrei-a preservada num dos guias turísticos e reproduzo-a aqui *à titre documentaire*. Li-a duas vezes.]

Levantei os olhos da carta e estava prestes a... mas Lô havia desaparecido. Enquanto eu ficara sujeito ao feitiço de Mona, Lô dera de ombros e sumira. "Por acaso o senhor viu...?", perguntei a um corcunda que varria o chão perto da entrada. Claro que sim, respondeu o velho devasso. Achava que ela vira um amigo e correra para a rua. Corri para fora também. Parei — ela não tinha parado. Apertei o passo de novo. Parei outra vez. Afinal tinha acontecido. Ela havia ido embora para sempre.

Nos anos que se seguiram, freqüentemente me perguntei por que ela realmente não foi embora para sempre naquele dia. Teria sido a força magnética das roupas novas de verão trancadas no carro? Teria sido alguma partícula ainda não amadurecida num vasto plano geral? Ou foi simplesmente porque, bem consideradas as coisas, eu ainda podia ser usado para levá-la até Elphinstone — que era, de todo modo, o ponto final secreto? Só sei que estava absolutamente convencido de que ela me abandonara para sempre. As circunspetas montanhas cor de malva que descreviam um semicírculo em volta da cidade pareciam fervilhar de Lolitas arquejantes, que as galgavam sorridentes até se dissolverem, ofegando, na névoa das alturas. Ao longe, entrevisto numa rua transversal, um grande W formado com pedras brancas numa íngreme escarpa gravava a ferro e fogo em minha memória a inicial daquela cidade fatídica.

A nova e bonita agência de correios da qual eu acabara de sair situava-se na rua mais movimentada do lugar, entre um cinema adormecido e uma conspiração de choupos. Eram nove da manhã no fuso horário local. Fui andando pelo lado que as sombras pintavam de azul, de olho na calçada oposta, embelezada por uma dessas frágeis e jovens manhãs de verão, com reflexos de vidro aqui e ali, que parecem hesitar e quase desfalecer diante da perspectiva de um meio-dia intoleravelmente tórrido. Atravessando a rua, divaguei por um longo quarteirão: Farmácia, Agência Imobiliária, Modas Femininas, Acessórios para Automóveis, Café, Artigos Esportivos, Agência Imobiliária,

Móveis, Eletrodomésticos, Agência de Telégrafo, Lavanderia, Mercearia. Seu guarda, seu guarda, minha filha fugiu. Ajudada por um detetive, apaixonada por um chantagista. Aproveitou-se de meu total desamparo. Olhei para dentro de todas as lojas. Debati comigo mesmo se devia perguntar por ela aos poucos pedestres. Desisti. Sentei-me durante algum tempo no carro estacionado. Inspecionei o jardim público no lado em sombra da rua. Voltei à loja de modas femininas e à de acessórios para automóveis. Disse-me, com uma explosão de furioso sarcasmo — *un ricanement* —, que eu estava maluco para desconfiar dela, que Lô apareceria dentro de um minuto.

Apareceu.

Dei meia-volta e afastei, com uma sacudidela, a mão que ela pousara sobre meu braço, oferecendo-me um sorriso tímido e imbecil.

"Entra no carro", disse-lhe.

Ela obedeceu e eu continuei a andar para cima e para baixo, lutando com pensamentos inomináveis, tentando conceber algum meio de desmascarar sua duplicidade.

Passado algum tempo, ela saltou do carro e mais uma vez se aproximou de mim. Aos poucos, meu sentido de audição sintonizou de novo com a estação Lolita e percebi que ela estava dizendo que havia encontrado uma velha amiga.

"É? Quem?"

"Uma garota de Beardsley."

"Muito bem. Sei o nome de todas as tuas colegas de classe. Alice Adams?"

"Essa garota não era da minha turma."

"Muito bem. Tenho a lista completa das alunas da escola. O nome dela, por favor."

"Ela não estava na minha escola. Só mora em Beardsley."

"Ótimo. Também tenho aqui o catálogo telefônico de Beardsley. Vamos procurar em todos os Brown."

"Só sei o primeiro nome dela."

"Mary ou Jane?"

"Não... Dolly, como eu."

"Então estamos num beco sem saída, não é mesmo?", perguntei (o espelho em que a gente esborracha o nariz). "Muito bem. Vamos tentar outro caminho. Você desapareceu durante vinte e oito minutos. O que é que as duas Dollys fizeram?"

"Fomos a um *drugstore.*"

"E lá vocês tomaram..."

"Ah, só duas cocas."

"Cuidado, Dolly. Podemos checar isso, você sabe."

"Pelo menos, ela tomou. Bebi um copo d'água."

"Bem. Foi naquele lugar ali?"

"Claro."

"Muito bem, vem comigo. Vamos lá interrogar o rapaz do balcão."

"Espera um instante. Pensando melhor, acho que foi mais lá para baixo... dobrando a esquina."

"Então vem, de qualquer maneira. Entra aqui, por favor. Bem, vejamos." (Abrindo o catálogo preso por uma corrente.) "Faculdades, Fardamentos. Não, ainda não. Cá estamos: Farmácias e *Drugstores. Drugstore* Hill, Farmácia Larkin. E mais duas. É tudo que parece existir aqui em Wace em matéria de *drugstore*, pelo menos no centro comercial. Muito bem, vamos verificar uma por uma."

"Vai pro inferno!", ela disse.

"Lô, não adianta apelar para a grosseria."

"Está bem", ela disse. "Mas você não vai me pegar em nenhuma armadilha. Está bem, então não bebemos nada. Só ficamos conversando e olhando os vestidos nas vitrines."

"Quais? Aquela ali, por exemplo?"

"É, aquela ali, por exemplo."

"Ah, Lô, vamos ver ela mais de perto."

Era, de fato, uma cena notável. Um rapaz garboso estava passando o aspirador de pó numa espécie de tapete, no meio do qual se erguiam duas figuras que pareciam ter sido atingidas por violenta explosão. Uma delas estava inteiramente nua, sem peruca e sem braços. Sua estatura relativamente baixa e seu sorriso malicioso faziam crer que, quando vestida, havia representado e voltaria a representar uma menina do tamanho de Lolita. No entanto, em seu estado atual, era assexuada. Ao lado dela havia uma noiva de véu e grinalda, bem mais alta que sua companheira e virginalmente intacta não fosse pela falta de um braço. No chão, aos pés dessas donzelas, onde o sujeitinho se arrastava laboriosamente com o aspirador de pó, amontoavam-se três braços delgados e uma cabeleira loura. Dois dos braços, retorcidos, pareciam unir-se num gesto de súplica e de horror.

"Olha, Lô", disse eu calmamente. "Olha bem. Não é um símbolo bastante bom de alguma coisa? No entanto", continuei ao entrarmos no carro, "tomei certas precauções. Aqui [abrindo delicadamente o porta-luvas], neste bloco, anotei a placa do carro do teu amiguinho."

Imbecil que sou, não havia memorizado a placa. O que dela restava, em minha mente, era a letra inicial e o último algarismo, como se todo o anfiteatro de seis caracteres formasse um arco côncavo atrás de um vidro demasiado fosco para permitir que a série central fosse decifrada, mas suficiente translúcido para que se pudessem discernir as extremidades — um P maiúsculo e um 6. Sou obrigado a entrar nesses detalhes (que, por si sós, terão interesse apenas para um psicólogo profissional) porque, de outro modo, o leitor (ah, como eu gostaria de visualizá-lo como um intelectual de barba loura e lábios rosados, chupando la *pomme de sa canne* enquanto sorve em grandes goles meu manuscrito!) talvez não entenda a natureza do choque que senti ao notar que o P havia adquirido as anquinhas de um B, e que o 6 fora simplesmente apagado. O resto — com rasuras que revelavam o vaivém apressado de uma borracha de lápis e números parcialmente obliterados ou reconstruídos numa caligrafia infantil — erguia uma intransponível barreira de arame farpado a qualquer interpretação lógica. Tudo o que eu sabia agora era o nome do estado — adjacente àquele em que se encontrava Beardsley.

Não disse nada. Pus o bloco de volta em seu lugar, fechei o porta-luvas e saí da cidade. Lô apanhara algumas revistas de quadrinhos no banco de trás e, a blusa branca esvoaçante, um cotovelo bronzeado para fora da janela, mergulhou nas últimas aventuras de algum patife ou paspalhão. Uns cinco ou seis quilômetros além de Wace, penetrei nas sombras de uma área de piquenique onde a manhã despejara numa mesa vazia alguns refugos de luz; Lô levantou os olhos com um semi-sorriso de surpresa e, sem dizer uma palavra, desferi com as costas da mão uma tremenda bofetada que atingiu em cheio a maçã dura e quente de seu rosto.

E depois o remorso, a pungente doçura dos soluços de penitência, as patéticas juras de amor, a desesperança da reconciliação sensual. Na noite aveludada, chegados ao Motel Mirana (Mirana!), cobri de beijos as solas amareladas de seus pés de longos dedos num ato de imolação... Mas de nada adiantou. Estávamos ambos condenados. E muito em breve eu entraria num novo ciclo de perseguição.

Numa rua de Wace, na sua periferia... Ah, tenho certeza de que não foi uma ilusão. Numa rua de Wace, eu tinha vislumbrado o Conversível Vermelho-Asteca ou seu irmão gêmeo. Em vez do Trapp, ele transportava então quatro ou cinco jovens barulhentos de vários sexos — mas não disse nada. Depois de Wace, defrontei-me com uma situação totalmente nova. Durante um ou dois dias, desfrutei a ênfase mental com que dizia a mim mesmo que não estávamos sendo seguidos nem nunca o tínhamos sido; e então me dei conta, com uma onda de náusea, de que Trapp mudara de tática e continuava em nosso encalço, só que agora num carro qualquer de aluguel.

Verdadeiro Proteu das estradas, com incrível facilidade ele passava de um veículo para outro. Tal técnica implicava a existência de garagens especializadas, como as postas onde antigamente se trocavam os cavalos das diligências, mas jamais descobri as que ele usava. Inicialmente, parecia ter preferência pelo *genus* Chevrolet, começando com um conversível Bege-Campus e passando depois para um pequeno sedã Azul-Horizonte, antes de escorregar para um Cinza-Onda-do-Mar e um Cinza-Pérola. Mais tarde dedicou-se a outras marcas e percorreu toda a gama de cores desbotadas e sem brilho, até que certo dia tive dificuldade em definir a sutil distinção entre nosso próprio Melmoth Azul-Sonho e o Oldsmobile Azul-Montanha que ele havia alugado; o cinza, contudo, continuou a ser seu recurso criptocrômico predileto e, em angustiantes pesadelos, eu tentava em vão classificar de forma adequada os matizes espectrais do Chrysler Cinza-Concha, do Chevrolet Cinza-Cardo e do Dodge Cinza-Paris...

A necessidade de estar constantemente à espreita do bigodinho e da camisa aberta, da calva incipiente e das largas espáduas, levou-me a fazer um estudo profundo de todos os carros que encontrava na estrada — atrás, adiante, ao lado, vindo, indo, todos os veículos sob o sol dançarino: o carro do turista tranqüilo, com a caixa de lenços de papel encostada à janela traseira; o calhambeque imprudentemente veloz, cheio de crianças pálidas e uma cabeça hirsuta de cachorro espetada para fora da janela, além de um pára-lama amassado; o sedã de duas portas do solteirão, pilhas de ternos pendurados nos cabides; o enorme e gordo trailer onde segue toda a família, ziguezagueando pela estrada, indiferente à fila indiana de fúria homicida que vem na sua cola; o carro com a jovem passageira polidamente plantada no meio do banco dianteiro para ficar mais perto do jovem motorista; o que traz um barco vermelho emborcado no teto... O carro cinza reduzindo a velocidade a nossa frente, o carro cinza que se aproxima por trás...

Estávamos numa região montanhosa, em algum lugar entre Snow e Champion, rolando por um declive quase imperceptível, quando tornei a ver, com toda a clareza, o detetive Paramour Trapp. A névoa cinzenta atrás de nós fora ficando mais densa até adquirir a forma compacta de um sedã Azul-Ultramar. De repente, como se o carro que eu dirigia pudesse reagir às pontadas de meu pobre coração, estávamos rabeando para cá e para lá, enquanto embaixo de nós algo fazia um plop-plop-plop desalentador.

"Meu senhor, o pneu furou", disse Lô jovialmente.

Encostei — à beira de um precipício. Ela cruzou os braços e descansou os pés sobre o painel de instrumentos. Desci e examinei a roda traseira do lado direito. A base do pneu estava horrorosa e envergonhadamente achatada. Trapp havia parado uns cinqüenta metros atrás de nós. A distância, seu rosto jubilante parecia uma mancha de graxa. Era minha chance. Comecei a andar na direção dele — com a idéia brilhante de pedir-lhe emprestado um macaco, embora o meu estivesse no carro. Ele recuou um pouco. Dei uma violenta topada numa pedra — e tive a sensação de ouvir uma gargalhada geral. Nesse momento, um caminhão gigantesco surgiu atrás de Trapp e passou por mim, tonitruante, deixando em seu rastro um toque convulsivo de buzina. Virei por instinto a cabeça e vi que meu próprio carro deslizava lentamente. Lô, incongruentemente, havia tomado o volante e sem dúvida o motor estava funcionando, embora eu me lembrasse que havia desligado a ignição — sem ter, porém, puxado o freio de mão. Durante o breve latejar de tempo que levei para alcançar o veículo crocitante, já agora parado, dei-me conta de que nos últimos dois anos a pequena Lô tivera ampla oportunidade de aprender os rudimentos da arte de dirigir. Quando abri a porta com um repuxão, alucinado de ódio, estava certo de que ela pusera o carro em marcha para impedir que eu chegasse até o Trapp. Mas seu truque se revelou desnecessário, porque, enquanto eu a perseguia, ele fizera uma volta em U e se escafedera. Descansei por uns minutos. Lô perguntou se eu não ia agradecer-lhe: o carro tinha começado a andar sozinho e... Não obtendo resposta, mergulhou no estudo do mapa. Saí de novo e me submeti ao "suplício da roda", como Charlotte costumava dizer. Quem sabe eu estava perdendo o juízo.

Continuamos nossa grotesca viagem. Após uma descida melancólica e inútil, subimos cada vez mais alto. Numa rampa íngreme, vi-me na traseira do caminhão gigantesco que nos ultrapassara. Agora gemia para grimpar a serra, bloqueando a estrada sinuosa. Da cabine, um pedacinho retangular de papel prateado — o invólucro interior de uma tira de chiclete — voou de encontro a nosso pára-brisa. Ocorreu-me que, se de fato estivesse perdendo o juízo, eu terminaria por matar alguém. Na verdade — disse o Humbert do alto da proa para o Humbert que se debatia nas águas —, talvez seja uma boa idéia preparar tudo, transferir a arma do estojo para o bolso, a fim de aproveitar o acesso de loucura quando ele vier.

20

Ao consentir em que Lolita estudasse teatro, eu havia também permitido, na minha cândida tolice, que ela cultivasse a arte da perfídia. Compreendia agora que não tinha sido apenas uma questão de saber qual o conflito básico em *Hedda Gabler*, quais os momentos culminantes em *Amor sob as tílias* ou como analisar o clima emocional prevalecente em *O jardim das cerejeiras*; tratava-se simplesmente de aprender a trair-me. Deplorava os exercícios de simulação sensual que tão freqüentemente a vira praticar em nossa sala de visitas de Beardsley, observando-a de algum ponto estratégico enquanto ela, como se fosse uma paciente hipnotizada ou a sacerdotisa num ritual místico, apresentava versões sofisticadas do faz-de-conta infantil ao reproduzir as ações miméticas de quem ouve um gemido no escuro, ou vê pela primeira vez uma jovem madrasta novinha em folha, ou toma alguma coisa que detesta (no caso dela, coalhada), ou sente o cheiro de grama cortada num jardim luxuriante, ou toca miragens de objetos com mãos finas e astutas de menina. Entre meus papéis, guardo ainda uma folha mimeografada que sugeria:

Exercícios táteis: Imagine-se apanhando e segurando nas mãos: uma bola de pingue-pongue, uma maçã, uma tâmara pegajosa, uma bola de tênis nova e felpuda, uma batata quente, um cubo de gelo, um gatinho, um cachorrinho, uma ferradura, uma pena, uma lanterna.

Manipule os seguintes objetos imaginários: um naco de pão, um pedaço de borracha, a fronte dolorida de uma amiga, uma amostra de veludo, uma pétala de rosa.

Você é cega. Apalpe o rosto de: um jovem grego, Cirano, Papai Noel, um bebê, um fauno sorridente, um estranho adormecido, seu pai.

Mas quão linda era ela ao tecer aqueles delicados sortilégios, na sonhadora execução de seus feitiços e deveres de casa! Em certas noites atrevidas, ainda em Beardsley, eu também a fazia dançar para mim com a promessa de algum presente ou alguma surpresa; embora aqueles seus saltos triviais, de pernas abertas, mais se assemelhassem aos das chefes de torcida nos jogos de futebol americano do que aos movimentos ao mesmo tempo langorosos e bruscos das estudantes de balé de Paris, os ritmos de seu corpo ainda não inteiramente núbil sempre me haviam dado prazer. Mas tudo isso não era nada, absolutamente nada, quando comparado à indescritível comichão de volúpia que eu sentia ao vê-la jogar tênis — a sensação delirante, provocadora, de estar dependurado à borda de um esplendor e de uma harmonia que não eram deste mundo.

Apesar de sua idade avançada, ela era mais ninfeta do que nunca, com seus membros cor de damasco, ao vestir aquelas roupas de tênis de corte infantil! Senhores alados! Nenhum além é aceitável se não a incluir tal como a vi naquele dia, numa estação de veraneio entre Snow e Elphinstone, quando tudo era perfeito: os calções brancos e largos de menino, a cintura delgada, a barriguinha também cor de damasco, a frente-única branca cujas alças lhe cingiam o pescoço e terminavam num nó bamboleante, deixando nuas as jovens e adoráveis omoplatas adamascadas que me tiravam o fôlego, com aquela pubescência e aqueles ossos delicadamente cinzelados, e as costas acetinadas que se afinavam a caminho da cintura. Seu boné tinha uma pala branca. A raquete me custara uma pequena fortuna. Idiota, três vezes idiota! Eu poderia tê-la filmado! E agora a teria comigo, diante de meus olhos, na sala escura de minha dor e de meu desespero!

Antes de iniciar o movimento do saque, ela costumava imobilizar-se, descontraindo-se por um ou dois compassos de tempo forrado de branco, e freqüentemente quicava a bola algumas vezes ou raspava de leve o pé no chão, sempre sem pressa, sempre desatenta com relação à contagem, sempre alegre — como tão raramente o era na vida sombria que levava fora das quadras. Tanto quanto eu imagine, seu tênis era o ponto mais alto a que pode chegar a arte do faz-de-conta de uma jovem criatura, embora para ela, estou certo, tudo aquilo correspondesse à geometria da mais comezinha realidade.

A imaculada clareza de todos os seus movimentos tinha uma contrapartida acústica no som puro e vibrante de cada batida. Ao penetrar na aura de seu controle, a bola de alguma forma se tornava mais branca, sua resiliência mais rica, e o instrumento de precisão que Lô aplicava sobre ela parecia infinitamente preênsil e incisivo no momento do contato envolvente. Na verdade, seu estilo era uma imitação absolutamente perfeita do melhor tênis — sem quaisquer fins utilitários. Como me disse certo dia Electra Gold (irmã de Edusa e uma jovem treinadora notável), enquanto eu me sentava num banco duro e palpitante vendo Dolores Haze fazer gato-sapato de Linda Hall (e perder para ela): "Dolly tem um ímã no centro da raquete, mas por que diabos ela tem tão pouca vontade de ganhar?". Ah, Electra, que importância tinha isso, quando Lô era tão graciosa! Lembro que, ao vê-la jogar pela primeira vez, senti-me engolfado por uma convulsão quase dolorosa de plenitude estética. Minha Lolita tinha um jeito especial de dobrar e erguer o joelho esquerdo no início do amplo e elástico ciclo de seu saque, quando então se formava e pairava sob o sol por um segundo uma teia vital de equilíbrio entre a ponta do pé de apoio, a prístina axila, o braço luzidio e a raquete puxada bem para trás — e ela sorria com dentes cintilantes para o pequeno globo suspenso lá em cima, no zênite do tênue e poderoso cosmo por ela criado com o único propósito de abatê-lo de um golpe límpido e ressonante de seu dourado chicote.

O serviço de Lô era todo feito de beleza, precisão, juventude e pureza de trajetória, mas, apesar de sua impressionante velocidade, era bem fácil de devolver, porque faltava à longa e elegante curva da bola qualquer efeito ou malícia.

E pensar que eu poderia ter imortalizado em tiras de celulóide todas as suas batidas, todos os seus encantamentos, me faz hoje gemer de frustração. Significariam tão mais do que as fotografias que queimei! Os voleios altos estavam para seu serviço assim como o ofertório está para uma balada poética, pois minha querida havia sido instruída a subir imediatamente à rede com seus pés ágeis, vívidos e calçados de branco. Impossível escolher entre sua batida de direita ou de revés: uma era a imagem no espelho da outra — e minhas entranhas ainda ressoam com aqueles disparos que se multiplicavam num eco cristalino e nas exclamações de Electra. Uma das pérolas do jogo de Dolly era um semivoleio curto que Ned Litam lhe havia ensinado na Califórnia.

Ela preferia o teatro à natação, e a natação ao tênis; insisto, porém, em que, se algo dentro dela não houvesse sido quebrado por mim — não que eu o soubesse então! —, Lô teria, além de seu estilo perfeito, a fome de vencer, transformando-se numa verdadeira campeã. Dolores em Wimbledon, sobraçando duas raquetes. Dolores como garota-propaganda dos cigarros Dromedários. Dolores tornando-se profissional. Dolores fazendo o papel de uma jovem campeã num filme de Hollywood. Dolores e seu marido-treinador, o velho Humbert — grisalho, humilde e taciturno.

Não havia nada de errado ou de fraudulento no espírito de seu jogo — a menos que se considerasse sua alegre indiferença com respeito ao resultado da partida como uma artimanha de ninfeta. Ela, que era tão cruel e ardilosa na vida de todos os dias, revelava uma inocência, uma franqueza, uma cortesia na colocação das bolas que permitia a uma jogadora medíocre mas resoluta, por mais canhestra e incompetente que fosse, chegar à vitória com rebatidas frouxas e sem direção. Apesar de sua baixa estatura, ela cobria os quase cem metros quadrados de sua metade da quadra com maravilhosa facilidade, desde que entrasse no ritmo de uma longa troca de bolas e conseguisse dirigi-la: mas qualquer ataque abrupto ou mudança súbita de tática por parte de sua adversária a deixava sem defesa. No ponto decisivo, seu segundo serviço — que, tipicamente, era mais forte e mais elegante que o primeiro (pois Lô não tinha nenhuma das inibições do vencedor cauteloso) — tocava o alto da rede com um vibrante acorde de harpa, ricocheteando para fora da quadra. A pedra preciosa de sua bola amortecida era devolvida e posta longe do alcance de Lô por uma adversária que parecia ter quatro pernas e empunhar um remo torto. Seus potentes golpes de direita e adoráveis voleios aterrissavam ingenuamente a um passo do inimigo. Repetidamente ela mandava na rede as bolas mais fáceis — e alegremente simulava decepção assumindo uma postura de balé, os cabelos caindo-lhe pela testa. Sua graça e suas chicotadas eram tão inócuas que ela não conseguia ganhar nem mesmo de mim, com meu fôlego curto e minhas antiquadas batidas de efeito.

Acho que sou especialmente suscetível à magia dos jogos. Nas minhas partidas de xadrez com Gaston, o tabuleiro me parecia um poço quadrado de águas límpidas, com raríssimas conchas e estratagemas roseamente visíveis contra o fundo liso e lajeado, ali onde meu confuso adversário via apenas lodo e as nuvens de tinta lançadas pelas lulas. Do mesmo modo, as primeiras aulas de tênis que eu havia infligido a Lolita — antes das revelações que a Califórnia lhe proporcionou — pesavam em minha mente como recordações opressivas e angustiosas, não apenas porque ela se mostrara tão irremediável e irritantemente exasperada com cada conselho que eu lhe dava, mas porque a preciosa simetria da quadra, ao invés de refletir-se nas harmonias que lhe eram inatas, se perdia de todo devido à falta de jeito e à lassitude da criança rancorosa que eu tão mal ensinava. Tudo agora era diferente e, naquele dia, no ar puro de Champion, Colorado, naquela admirável quadra ao pé da íngreme escada de pedra que levava ao Hotel Champion (onde havíamos passado a noite), imaginei que poderia escapar do pesadelo das traições desconhecidas vivendo apenas da inocência de seu estilo, de sua alma, de sua graça essencial.

Ela estava batendo firme, com o movimento amplo e fácil que lhe era familiar, lançando-me bolas longas e rentes à rede — mas todas tão ritmicamente coordenadas e tão desprovidas de malícia que meu jogo de pernas se limitava praticamente a uma corridinha cadenciada para um lado e para o outro (os bons jogadores saberão o que quero dizer). Meu serviço cheio de efeito — que meu pai me ensinara depois de aprendê-lo com Decugis ou Borman, ambos bons amigos dele e grandes campeões — teria criado sérias dificuldades para minha Lô, caso eu realmente quisesse colocá-la em dificuldade. Mas quem desejaria perturbar uma menina tão radiosa? Por acaso já mencionei que seu braço nu trazia a marca em oito da vacina? Que eu a amava perdidamente? Que ela só tinha catorze anos?

Uma borboleta inquisitiva passou, num mergulho, entre nós.

Duas pessoas em uniforme de tênis — um sujeito ruivo, com uns oito anos menos do que eu, canelas brilhantes e avermelhadas pelo sol, e uma moça morena e indolente, de olhos duros e boca petulante, uns dois anos mais velha do que Lolita — apareceram vindas não sei de onde. Como é comum entre os principiantes conscienciosos, suas raquetes estavam encapadas e aparafusadas a molduras de madeira, e eles não as carregavam como se fossem a extensão confortável e natural de certos músculos especializados, mas antes como martelos, bacamartes, verrumas — ou meus pecados, meus terrivelmente incômodos pecados. Sentando-se sem-cerimoniosamente junto a meu precioso paletó, num banco adjacente à quadra, eles se puseram a admirar, com entusiástico acompanhamento vocal, uma troca de cerca de cinqüenta bolas que Lô inocentemente me ajudou a manter — até que ocorreu uma síncope na série, fazendo com que Lô desse um gritinho de surpresa quando seu *smash* foi cair fora da quadra, logo seguido da doce gargalhada de minha adorada criança.

Sentindo sede, dirigi-me ao bebedouro, onde o Cabelo de Cenoura se aproximou de mim e humildemente sugeriu um jogo de duplas mistas. "Eu me chamo Bill Mead", ele disse. "E aquela lá é a Fay Page, que é atriz de teatro. Minha noiva", acrescentou (apontando com sua raquete ridiculamente encapotada em direção à cintilante Fay, que já começara a conversar com Dolly). Estava prestes a responder: "Desculpe, mas..." (pois odeio que minha pupila se sujeite às cortadas e estocadas de reles novatos), quando um grito notavelmente melodioso desviou-me a atenção: um rapazinho, empregado do hotel, descia aos saltos pela escada que levava à quadra gesticulando em minha direção. Por favor, havia uma chamada interurbana urgente para mim — tão urgente que a pessoa ainda estava esperando na linha. Certamente. Vesti o paletó (a pistola pesando no bolso de dentro) e disse a Lô que estaria de volta num minuto. Ela estava apanhando uma bola do chão — no estilo europeu, usando o pé e a raquete, uma das poucas coisas boas que eu lhe havia ensinado — e sorriu, sorriu para mim!

Uma terrível calma mantinha meu coração à tona enquanto seguia o rapaz escada acima até o hotel. Para usar uma expressão vulgar — que engloba em duas palavras a descoberta, a punição, a tortura, a morte e a eternidade —, eu "estava frito". Havia deixado Lô aos cuidados de mãos medíocres, mas isso pouco importava agora. Iria lutar, claro. Ah, como eu iria lutar. Melhor destruir tudo que renunciar a ela. Epa, que subida desgraçada!

Na portaria, um homem de aparência distinta (com um nariz romano e, permito-me sugerir, um passado muito obscuro que mereceria ser investigado) passou-me uma mensagem escrita de próprio punho. Afinal de contas, quem quer que fosse não esperara na linha. A nota dizia: "Sr. Humbert. A diretora da Escola Birdsley (sic!) telefonou. Favor chamar imediatamente em sua casa de verão — Birdsley 2-8282. Assunto muito importante".

Enfiei-me numa cabine telefônica, tomei uma pequena pílula e durante uns vinte minutos batalhei com fantasmas sonoros. Um quarteto de assertivas se tornou gradualmente audível: soprano — não existia tal número em Beardsley; contralto — a srta. Pratt estava viajando de navio para a Inglaterra; tenor — a Escola Beardsley não havia telefonado; baixo — não poderia ter chamado, pois ninguém sabia que, naquele dia, eu estava em Champion, Colorado. Depois de devidamente aguilhoado por mim, o senador romano deu-se ao trabalho de verificar com a telefonista se tinha havido alguma chamada interurbana. Negativo. Não se podia excluir a possibilidade de uma chamada falsa a partir de um telefone local. Agradeci-lhe. Ele disse: "Estamos aí". Após uma visita às águas murmurantes do banheiro de homens e uma respeitável talagada no bar, iniciei o caminho de volta. Já do primeiro terraço vi, lá embaixo, na quadra que a distância fazia parecer uma lousa cheia de rabiscos infantis, minha dourada Lolita jogando em dupla. Ela se movia como um anjo gracioso em meio a três horrendos aleijados saídos de uma tela de Bosch. Um deles, seu parceiro, ao mudar de lado bateu-lhe jocosamente com a raquete no traseiro. Ele tinha uma cabeça extraordinariamente redonda e usava calças marrons, de todo impróprias para uma partida de tênis. Houve uma comoção momentânea: ele me viu, jogou para o lado sua raquete — a minha! — e galgou o declive coberto de grama. Batendo os pulsos e os cotovelos numa imitação supostamente cômica de asas rudimentares, subiu com suas pernas tortas até a rua, onde um carro cinza o esperava. Um instante depois, ele e a mancha cinzenta haviam desaparecido. Quando cheguei ao fim da escada, o trio remanescente estava recolhendo e separando as bolas.

"Senhor Mead, quem era aquele homem?"

Bill e Fay, com ar muito solene, balançaram a cabeça.

Aquele intruso absurdo tinha chegado se oferecendo para fazer uma dupla, não tinha, Dolly?

Dolly. O cabo da minha raquete ainda estava repugnantemente morno. Antes de voltarmos ao hotel, empurrei-a para uma pequena aléia quase sufocada por arbustos perfumados, com flores que se contorciam como a fumaça em ar parado; estava a ponto de romper em soluços ardentes diante de seu sonho impassível, suplicando da forma mais abjeta alguma explicação, por mais meretrícia que fosse, para aquele lento horror que me envolvia, quando nos vimos de repente bem atrás da dupla Mead, que se dobrava de rir — exatamente como nas velhas comédias, em que as pessoas mais disparatadas estão sempre esbarrando umas nas outras nos mais idílicos cenários. Bill e Fay estavam já sem fôlego de tanto rir: havíamos chegado no fim da piadinha particular do casal. Mas isso não tinha mesmo a menor importância.

Falando como se de fato nada daquilo tivesse a mínima importância, e pelo jeito convencida de que a vida seguia automaticamente seu curso, com todos os seus prazeres rotineiros, Lolita disse que gostaria de vestir o maiô e passar o resto da tarde na piscina. Fazia um dia maravilhoso. Lolita!

21

"Lô! Lola! Lolita!", ouço-me gritar do umbral de uma porta que se abre para o sol, e a acústica do tempo, do tempo em forma de abóbada, conferia a meu chamado — e à rouquidão nervosa que o acentuava — uma tal carga de angústia, de paixão e de dor que teria sido suficiente para abrir, de um golpe, sua mortalha de náilon caso ela estivesse morta. Lolita! Encontrei-a afinal no centro de um terraço de relva bem aparada — ela havia corrido para fora antes que eu estivesse pronto. Ah, Lolita! Lá estava ela brincando com um maldito cachorro, não comigo. O animal, uma espécie de *terrier*, deixava cair e apanhava outra vez, ajustando-a entre as mandíbulas, uma pequena e luzidia bola vermelha; dedilhava rapidamente com suas patas dianteiras a grama elástica, e depois, aos saltos, se lançava numa corrida desabalada. Eu só queria saber seu paradeiro, não tinha condições de nadar com meu coração naquele estado, mas que importava isso — lá estava ela, ali estava eu, em meu roupão — e por isso parei de chamá-la. De repente, porém, algo na arquitetura de seus movimentos, enquanto ela corria para cá e para lá no maiô de duas peças vermelho-asteca, chamou minha atenção... havia um êxtase, um quê de loucura em suas brincadeiras que ultrapassava de muito os limites da simples alegria. Até o cachorro parecia perplexo com a extravagância das reações de Lô. Levando de leve a mão ao peito, examinei a situação. A piscina azul-turquesa, que se via mais além da área coberta de grama, já não estava lá, e sim dentro de meu tórax, onde vários de meus órgãos boiavam como pedaços de excremento na água azul do mar em Nice. Um dos banhistas saíra da piscina e, semi-oculto pela sombra pavonácea das árvores, permanecia de pé, totalmente imóvel, segurando as pontas da toalha passada por trás do pescoço e seguindo Lolita com seus olhos de âmbar. Lá estava ele, sob a camuflagem do sol e da sombra que o desfigurava, mascarado por sua própria nudez, os cabelos negros e molhados (ou o que deles sobrava) grudados ao crânio redondo, o bigodinho não mais do que um úmido borrão, a lanugem do peito espraiada como um troféu simétrico, o umbigo palpitante, gotas reluzentes deslizando por suas coxas hirsutas, o calção preto e muito justo parecendo inchado, quase estourando de vigor ali onde os gordos bagos estavam repuxados para cima, tal qual um escudo acolchoado que protegesse sua bestialidade invertida. E, enquanto olhava para seu rosto oval e bronzeado, ocorreu-me que o havia reconhecido simplesmente porque ele refletia o semblante de minha filha — a mesma beatitude e os mesmos trejeitos faciais, só que tornados odiosos por sua masculinidade. E me dei conta também de que a criança, minha criança, sabia que ele a observava, saboreava a concupiscência de seu olhar e estava montando apenas para ele — oh, vil e adorada vigaristinha — aquela exibição de saltos e correrias. Errando um bote sobre a bola, ela caiu de costas, suas pernas jovens e obscenas pedalando alucinadamente no ar; de onde eu estava, podia sentir o almíscar de sua excitação — e então vi (petrificado por uma espécie de sagrada repugnância) o homem fechar os olhos e desnudar seus dentes pequenos, horrivelmente pequenos e regulares, apoiando-se numa árvore em que se agitava uma multidão de Priapos salpicados de sol. Imediatamente depois, operou-se uma maravilhosa transformação. Ele já não era um sátiro, mas meu tolo e bonachão primo suíço, o Gustave Trapp que mencionei mais de uma vez e que costumava compensar suas "farras" (o safado bebia cerveja com leite) com façanhas de levantamento de peso — grunhindo e cambaleando à beira de um lago na sua roupa de banho completa, embora, num toque audacioso, deixasse um ombro descoberto. Esse outro Trapp notou de longe minha presença e, esfregando a toalha na nuca, caminhou com fingida displicência de volta para a piscina. E então, como se o sol tivesse se retirado da brincadeira, Lô encolheu as pernas e lentamente se pôs de pé, desprezando a bola que o *terrier* depositara na sua frente. Quem saberá dizer que lancinante desgosto causamos a um cachorro ao dar assim por encerrado, sem mais nem menos, um folguedo tão animado? Comecei a dizer alguma coisa, mas tive de sentar-me no gramado com uma dor monstruosa no peito — e vomitei uma torrente de coisas marrons e verdes que não me recordava de haver jamais comido.

Vi os olhos de Lolita, que pareciam mais calculistas do que assustados. Ouvi-a dizer a uma bondosa senhora que seu pai estava tendo um ataque. Depois, durante largo tempo fiquei prostrado numa espreguiçadeira, tomando cálice após cálice de gim. E, na manhã seguinte, senti-me suficientemente forte para seguir viagem (coisa que, alguns anos mais tarde, nenhum médico acreditou fosse possível).

22

O bangalô de dois quartos que tínhamos reservado no Motel Espora de Ouro, em Elphinstone, provou ser daquele tipo falsamente rústico (toras de pinheiro escurecidas e envernizadas) de que Lolita tanto gostava na época de nossa primeira e despreocupada viagem. Ah, como tudo era diferente agora! Não me refiro ao Trapp ou aos Trapps. Afinal de contas — bem, realmente... Afinal de contas, meus senhores, estava se tornando cada vez mais óbvio que todos aqueles detetives idênticos, em carros que se transmudavam prismaticamente, nada mais eram do que reflexos de minha mania de perseguição, imagens recorrentes baseadas em coincidências ou semelhanças fortuitas. *Soyons logiques*, cocoricava a parte arrogante e gaulesa de meu cérebro — tratando de botar para correr a noção de um caixeiro-viajante ou um gângster de comédia que, apaixonado por Lolita e com a ajuda de vários asseclas, estivesse me perseguindo, me pregando peças, abusando vergonhosamente de minhas insólitas relações com a lei. Lembro-me de que assoviava para afastar o pânico. Lembro-me de ter até mesmo elaborado uma explicação para o telefonema de "Birdsley"... Mas, se podia apagar da minha mente o Trapp, como apagara minhas convulsões no gramado do hotel de Champion, não havia remédio para a angústia de lidar com uma Lolita tão dolorosamente, tão miseravelmente inacessível e amada no limiar mesmo de uma nova era, quando meus alambiques me diziam que ela deixaria de ser uma ninfeta, deixaria de torturar-me.

Uma preocupação adicional — abominável e inteiramente gratuita, preparada com todo o carinho — me esperava em Elphinstone. Lô se havia mostrado apática e silenciosa durante a última etapa, trezentos quilômetros de estradas montanhosas não poluídas por detetives acinzentados ou palermas ziguezagueantes. Ela mal olhou para o famoso rochedo, com seu estranho formato e esplêndida coloração vermelha, que se projetava acima das montanhas e servira a uma atriz temperamental como trampolim para o nirvana. A cidade tinha sido recém-construída, ou reconstruída, no fundo de um vale situado a dois mil e trezentos metros de altitude; minha esperança era de que Lô cedo se aborreceria com o lugar, permitindo que seguíssemos viagem rumo à Califórnia, à fronteira com o México, golfos míticos, desertos de cactos e miragens. Como todos se recordam, José Lizzarrabengoa planejava levar sua Carmen para os *Etats Unis*. Imaginei um torneio de tênis centro-americano no qual Dolores Haze e várias campeãs escolares da Califórnia teriam uma participação deslumbrante. Nesse nível sorridente, as excursões de "boa vontade internacional" eliminam a distinção entre esporte e passaporte. Por que eu acreditava que seríamos felizes no estrangeiro? Uma mudança de ares constitui a tradicional falácia a que recorrem os amantes — e os pulmões — condenados.

A sra. Hays, a ativa viúva de olhos azuis e ruge cor de tijolo que dirigia o motel, perguntou-me se por acaso eu era suíço, porque sua irmã se casara justamente com um instrutor de esqui helvécio. Disse que sim, e que minha filha tinha sangue irlandês por parte da mãe. Assinei o registro, Hays deu-me a chave e um sorriso cintilante, e depois, cintilando ainda, mostrou-me onde estacionar o carro; Lô desceu se arrastando e teve um calafrio: o ar luminoso da tarde estava decididamente friorento. Ao entrar no bangalô, ela sentou numa cadeira diante de uma mesinha de armar, afundou o rosto na dobra do braço e disse que estava se sentindo muito mal. Fingimento, pensei eu, puro fingimento para escapar de minhas carícias; eu estava sedento de paixão, mas, quando tentei abraçá-la, ela começou a choramingar de um modo anormalmente triste. Lolita doente. Lolita à morte. Sua pele estava pegando fogo! Tirei-lhe a temperatura, pela boca. Consultando uma fórmula que felizmente havia anotado num caderninho, transformei com grande esforço os graus Fahrenheit, que não faziam o menor sentido para mim, nos graus centígrados de minha infância: descobri que ela estava com 40,4, o que, pelo menos, dava para entender. Bem sabia que as pequenas ninfas histéricas são capazes de exibir uma gama incrível de temperaturas, excedendo até o nível fatal. E lhe teria dado meio copo de vinho quente condimentado e duas aspirinas, expulsando a febre com alguns beijos, se, ao examinar sua adorável úvula, uma das gemas de seu corpo, não tivesse visto que se transformara num rubro tição. Despi-a. Seu hálito estava agridoce. Sua rosa marrom tinha gosto de sangue. Tremia dos pés à cabeça. Queixou-se de um enrijecimento doloroso das vértebras superiores — e pensei em poliomielite como o faria qualquer pai americano. Abandonando qualquer esperança lúbrica, embrulhei-a numa manta de viagem e levei-a no colo para o carro. Entrementes, a bondosa sra. Hays havia alertado o médico. "O senhor teve sorte que isso aconteceu aqui", ela disse; não apenas porque o dr. Blue era o melhor clínico da região, mas porque havia em Elphinstone um hospital moderníssimo, apesar de sua capacidade limitada. Com um Rei dos Elfos heterossexual no meu encalço, toquei o carro para lá, ofuscado por um majestático pôr-do-sol na boca do vale e guiado por uma velhinha — uma feiticeira portátil, talvez a filha do rei — que me havia sido emprestada pela sra. Hays e a quem nunca mais vi. O dr. Blue, cujos conhecimentos eram sem dúvida muito inferiores a sua fama, assegurou-me de que se tratava de uma infecção virótica e, quando aludi ao fato de que ela pouco antes tivera uma gripe forte, retrucou secamente que uma coisa nada tinha a ver com a outra e que estava a braços com uns quarenta casos semelhantes ao de Lô — o que soava a meus ouvidos como a "sezão" de antigamente. Perguntei-me se devia mencionar, com uma risadinha casual, que minha filha de quinze anos sofrera um ligeiro acidente ao subir numa cerca escorregadia junto com o namorado, mas, sabendo que não estava muito sóbrio, decidi guardar a informação para mais tarde, caso se revelasse necessária. A uma cadela loura que fazia o papel de secretária e não sabia o que era sorrir, declarei que minha filha tinha "praticamente dezesseis anos". Enquanto estava às voltas com essas providências, desapareceram com minha criança! Em vão insisti para que me deixassem passar a noite deitado sobre um capacho em qualquer canto do maldito hospital. Subi correndo vários lances da escada em estilo modernoso, tentei localizar minha querida para dizer-lhe que era melhor não ficar falando à toa, especialmente se ela se sentisse tão tonta quanto todos nós estávamos. Em dado momento, fui monstruosamente rude com uma enfermeira muito jovem e muito atrevida, dotada de avantajados hemisférios glúteos e chamejantes olhos negros. Como vim a saber depois, ela era de descendência basca, filha de um criador de ovelhas imigrado que se transformara em treinador de cães pastores. Finalmente, voltei para o carro e lá fiquei durante não sei quantas horas, encolhido no escuro, aturdido com aquela solidão a que não estava mais acostumado, olhando boquiaberto ora para o hospital — um edifício debilmente iluminado, baixo e quadrado, acocorado no meio de uma vasta área coberta de grama —, ora para a poeira de estrelas e os contrafortes recortados de prata da *haute montagne*, onde naquele momento o pai de Mary, o solitário Joseph Lore, estava sonhando com Oloron, Lagore, Rolas — *que sais-je!* — ou seduzindo uma ovelha. Tais pensamentos olorosos e vadios sempre me serviram de lenitivo nas horas de grande e insólita tensão, e só quando, a despeito de liberais libações, me senti razoavelmente entorpecido por aquela noite interminável é que me dispus a dirigir de volta ao motel. A velhinha havia desaparecido e eu não estava muito seguro quanto ao caminho. Largas ruas de cascalho entrecruzavam-se em meio a sombras retangulares e sonolentas. Divisei o que parecia ser a silhueta de um patíbulo no que era provavelmente o pátio de recreio de uma escola; e em outro quarteirão quase deserto surgiu, encimado por uma cúpula de silêncio, o pálido templo de alguma seita local. Por fim achei a estrada, depois o motel, onde milhões de minúsculos insetos revoluteavam em torno das letras de néon que proclamavam "Lotado"; e às três da madrugada (depois de um desses banhos quentes de chuveiro que, como uma substância mordente, só servem para fixar o desespero e o cansaço de quem os toma), deitei na cama de Lô, que cheirava a castanhas, a rosas e a chiclete de menta, além do perfume francês muito sutil e muito especial que ultimamente permitira que ela usasse; vi-me, então, incapaz de assimilar o simples fato de que, pela primeira vez em dois anos, estava separado de minha Lolita. Subitamente ocorreu-me que sua doença de certo modo representava o desenvolvimento de um tema já conhecido — que tinha o mesmo timbre e o mesmo tom da série de impressões interligadas que tanto me haviam intrigado e atormentado durante nossa viagem; imaginei aquele agente secreto, ou amante secreto, ou brincalhão, ou alucinação, ou o que quer que fosse, rondando o hospital — e a Aurora não havia nem ao menos "aquecido as mãos", como dizem em meu país natal os colhedores de alfazema, quando me encontrei outra vez tentando penetrar naquele calabouço, batendo em suas portas verdes, estômago vazio, intestinos cheios, em pleno desespero.

Estávamos numa terça-feira, e na quarta ou na quinta, reagindo esplendidamente, como a boa criança que era, a algum "soro" (esperma de espadarte ou cocô de colibri), Lô melhorou muito e o médico disse que dentro de poucos dias estaria "saltitante" de novo.

Das oito vezes em que a visitei, só a última permanece nitidamente gravada em minha memória. Tinha sido um grande feito ir até lá, pois me sentia completamente oco devido à infecção que a essa altura também me pegara em cheio. Ninguém saberá o que me custou carregar aquele buquê, aquele fardo de amor, e os livros que viajara cem quilômetros para comprar: *Obras dramáticas*, de Browning; *A história da dança*; *Palhaços e colombinas*; *O balé russo*; *Flores das montanhas Rochosas*; *A antologia da Associação dos Artistas Teatrais*; *Tênis*, de Helen Wills, que aos quinze anos se sagrara campeã americana de simples feminina na categoria júnior. Ao me aproximar cambaleante da porta do quarto particular de minha filha (treze dólares por dia), Mary Lore, a jovem e detestável enfermeira de tempo parcial que se tomara de indisfarçada ojeriza por mim, surgiu com uma bandeja de café da manhã já tomado, depositou-a com um baque seco sobre uma cadeira do corredor e, sacudindo o traseiro, voltou como um raio para dentro do quarto, provavelmente a fim de avisar à pobre Doloresinha que seu tirânico pai se aproximava sorrateiro nos sapatos de sola de borracha, com um monte de livros e um buquê — composto de flores silvestres e belas ramagens que eu colhera com minhas próprias mãos enluvadas, ao nascer do sol, numa garganta de montanha (quase não havia dormido durante toda aquela fatídica semana).

Estão alimentando bem minha Carmencita? Examinei distraidamente a bandeja. Num prato manchado de gema de ovo havia um envelope amassado. Contivera algo, pois uma das bordas estava rasgada, mas não trazia nenhum endereço — nada mesmo, exceto um brasão fajuto acima das palavras "Pousada Ponderosa" em letras verdes; dancei então uns passos de quadrilha com Mary, que já saía a galope do quarto — incrível como essas jovens enfermeiras bundudas se movem tão rapidamente e trabalham tão pouco. Olhou furiosa o envelope que eu havia posto de volta, desamassado.

"É melhor não pegar nisso", disse ela, apontando com a cabeça na direção da bandeja. "Pode queimar seus dedos."

Estava abaixo de minha dignidade retrucar. Disse apenas, em francês:

"Je croyais que c'était un *bill*, pas un billet doux." E, entrando no ensolarado quarto, dirigi-me a Lolita: "Bonjour, mon petit".

"Dolores", disse Mary Lore, a gorducha rameira, entrando comigo, adiante de mim, através de mim, piscando os olhos e começando a dobrar muito rapidamente uma coberta de flanela branca, sem parar de piscar: "Dolores, teu papai acha que meu namorado está escrevendo para você. Foi para mim [batendo orgulhosamente na cruzinha de metal dourado que usava] que ele escreveu. E meu pai também sabe parlê-vu igualzinho ao seu."

Foi embora do quarto. Dolores — tão rósea e ruiva, os lábios recém-pintados, os cabelos escovados e reluzentes, os braços nus estendidos sobre a colcha imaculada — sorria inocentemente para mim ou para nada. Na mesa-de-cabeceira, junto a um lenço de papel e um lápis, seu anel de topázio cintilava ao sol.

"Que flores mais tristes, parece coisa de enterro", ela disse. "De qualquer modo, obrigada. Mas você se importa muito de parar de ficar falando francês? Irrita todo mundo."

Com sua velocidade costumeira, entrou de volta a jovem e adiposa piranha, cheirando a urina e a alho, com o jornal da região, *Deseret News*, que sua adorável paciente aceitou com avidez, desprezando os volumes suntuosamente ilustrados que eu trouxera.

"Minha irmã Ann", disse Mary (reforçando tolamente sua primeira informação), "trabalha na Pousada Ponderosa."

Pobre Barba-Azul! Aqueles irmãos brutais. *Est-ce que tu ne m'aimes plus, ma Carmen?* Ela nunca me amara. Compreendi naquele instante que nosso amor era tão ilusório como sempre o fora — e compreendi também que as duas conspiravam contra mim, em basco ou em zenfiriano, contra meu amor sem esperança. E vou mais longe: Lô estava fazendo um jogo duplo, enganando também a sentimental Mary a quem havia dito, segundo suponho, que desejava viver com seu jovem e divertido tio e não mais comigo, um homem cruel e melancólico. E outra enfermeira, que nunca cheguei a identificar, e o débil mental que carregava as macas e os caixões no elevador, e os periquitos idiotas que ocupavam uma gaiola na sala de espera — todos eram parte da conspiração, da sórdida conspiração. Acho que Mary considerava que aquele pai de comédia, o prof. Humbertoldi, estava interferindo no romance entre Dolores e seu pai-substituto, o rechonchudo Romeu (porque, Rom, cá entre nós, você era bem gordinho, apesar do uso daquele "pó branco" e das pílulas que garantiam a felicidade imediata).

Minha garganta doía. Fiquei de pé junto à janela, engolindo em seco e contemplando as montanhas, os românticos rochedos que se erguiam no céu cúmplice e sorridente.

"Minha Carmen", disse eu (às vezes a chamava assim), "vamos dar o fora dessa cidade feia e deprimente tão logo você saia da cama..."

"Aliás, quero que você me traga todas as minhas roupas", disse a ciganinha, dobrando os joelhos sob o lençol e virando a página do jornal.

"...porque", prossegui, "não faz o menor sentido ficar aqui."

"Não faz o menor sentido ficar em lugar nenhum", disse Lolita.

Deixei-me arriar numa poltrona forrada de cretone e, abrindo a interessante obra sobre botânica, tentei, no silêncio febricitante do quarto, identificar minhas flores. Não consegui. Pouco depois, uma campainha musical soou baixinho em alguma parte do corredor.

Não creio que, naquele modelar nosocômio, houvesse mais do que meia dúzia de pacientes (três ou quatro eram lunáticos, como Lô me informara alegremente alguns dias antes), motivo pelo qual os funcionários desfrutavam de um excesso de lazer. No entanto — por simples exibicionismo —, os regulamentos eram muito severos. É verdade também que eu aparecia com freqüência nas horas erradas. Não sem um fluxo secreto de sonhadora *malice*, a visionária Mary (na próxima vez ela talvez aparecerá como *une belle dame toute en bleu* flutuando acima da grota do Diabo!) pegou a manga de meu paletó para me fazer sair. Olhei para sua mão, que prontamente foi recolhida. Quando estava saindo, saindo voluntariamente, Dolores Haze lembrou-me de trazer de manhã... Ela não sabia mais onde estavam as coisas que queria... "Traz para mim", ela gritou (já fora de minha vista, a porta em movimento, se fechando, fechada), "a mala cinza nova e o malão da mamãe." Mas, na manhã seguinte, eu estava sentindo calafrios, enchendo a cara, morrendo na cama de motel que ela ocupara durante alguns poucos minutos, e o melhor que pude fazer, naquelas circunstâncias pulsantes e giratórias, foi mandar-lhe as duas malas pelo xodó da viúva, um simpático e robusto chofer de caminhão. Imaginei Lô exibindo seus tesouros a Mary... Sem dúvida, estava delirando um pouco; e no dia seguinte eu ainda era antes uma vibração do que um sólido, pois, quando olhei pela janela do banheiro, vi no gramado a bela e jovem bicicleta de Dolly erguida sobre seu suporte, a graciosa roda dianteira como sempre evitando encarar-me de frente, e um pardal empoleirado no selim — mas era a bicicleta da dona do motel, e com um sorriso chocho, sacudindo minha pobre cabeça para afastar aquelas doces ilusões, cambaleei de volta à cama, onde fiquei quieto como um santo...

> Santo, por certo! Enquanto ali Dolores
> Tão trigueira, cheirando a alfazema,
> Vê Sanchicha, que conta os mil amores
> Colhidos nas revistas de cinema...

...dos quais sempre havia numerosos espécimens onde quer que Dolores aterrissasse. Havia alguma grande festa nacional na cidade, a julgar pelos foguetes, verdadeiras bombas, que explodiam sem parar, e às cinco para as duas da tarde ouvi o som de lábios sussurrantes perto da porta entreaberta de meu bangalô, seguido de uma sonora batida.

Era o grandalhão do Frank. Ficou emoldurado pela porta aberta, uma das mãos no umbral, ligeiramente inclinado para dentro do quarto. Oba. Como vai. A dona Lore, a enfermeira, está no telefone. Quer saber se o senhor está melhor e vai lá hoje.

A vinte passos de distância, Frank me havia dado a impressão de ser uma montanha de saúde; agora, a apenas alguns metros, era um mosaico avermelhado de cicatrizes — durante a guerra uma explosão o impelira através de uma parede, mas, apesar de seus incontáveis ferimentos, era capaz de dirigir um tremendo caminhão, pescar, caçar, beber e fazer a felicidade de muitas senhoras que moravam à beira da estrada. Naquele dia, seja porque se tratava de um feriado tão importante, seja porque simplesmente queria distrair um homem doente, ele havia tirado a luva que costumava usar na mão esquerda (a que estava apoiada contra a ombreira da porta) e revelou ao fascinado paciente não apenas a ausência total do quarto e quinto dedos, mas também uma mulher nua, com mamilos cor de cinabre e as partes pudendas em azul-anil, encantadoramente tatuada nas costas da mão mutilada, cujos dedos indicador e médio faziam o papel das pernas e o pulso abrigava a cabeça coroada de flores. Ah, deliciosa... reclinando-se no batente da porta como uma ardilosa fadinha.

Pedi-lhe que dissesse a Mary Lore que ia passar o dia na cama e que visitaria minha filha no dia seguinte, caso me sentisse mais polinésio.

Frank notou a direção de meu olhar e fez com que a anca direita da ninfa desnuda se movesse amorosamente.

"Está certo, doutor", cantarolou e, dando uma palmada no umbral, saiu assoviando com minha mensagem. Fiquei bebendo e, na manhã seguinte, a febre havia desaparecido. Embora me sentisse mole como um sapo, vesti meu robe cor de púrpura sobre o pijama amarelo-milho e caminhei até o telefone do escritório. Tudo estava bem. Uma voz alegre e competente informou-me de que sim, tudo estava muito bem, minha filha tinha deixado o hospital na véspera, por volta das duas da tarde, seu tio, o sr. Gustave, tinha ido apanhá-la com um filhote de cocker spaniel, sorrisos para todos e um Cadillac preto, havia pago em dinheiro a conta de Dolly e lhes pedira para dizer-me que não me preocupasse, que me mantivesse bem agasalhado, pois eles estariam na fazenda do vovô tal como havíamos combinado.

Elphinstone era, e espero que ainda seja, uma cidadezinha muito bonita. Estendia-se pelo fundo do vale como uma maquete, com suas bem-ordenadas árvores de lã verde e casinhas de telhado vermelho; acho que já mencionei também a escola-modelo, o templo mórmon e os espaçosos quarteirões retangulares, alguns dos quais, curiosamente, eram apenas descampados pouco convencionais onde uma mula ou um unicórnio pastava na névoa matinal daquele começo de julho. Muito divertido: numa curva apertada, que fez ranger o cascalho, arranhei um carro estacionado, mas me disse — e disse telepaticamente (assim esperava) a seu gesticulante proprietário — que voltaria mais tarde, que meu endereço era a Escola Bird, na cidade de Bird, no estado de New Bird. O gim mantinha meu coração vivo, mas me anuviava a mente e, após alguns lapsos e lápides comuns nas seqüências de sonho, encontrei-me na recepção do hospital, tentando surrar o médico, urrando para as pessoas que se tinham enfiado embaixo das cadeiras e chamando aos berros por Mary, que, felizmente para ela, não estava lá; mãos rudes agarraram meu robe, arrancando um bolso, e não sei como reparei que estava sentado na cabeça calva e bronzeada de um paciente que julgara fosse o dr. Blue e que por fim se levantou, observando com uma pronúncia absurda: "E agora, eu é que sou neurrótico?", e então uma enfermeira magra e sisuda entregou-me sete belos, *belíssimos* livros e a manta escocesa impecavelmente dobrada, exigindo um recibo; no súbito silêncio, notei que entrara no saguão um policial, a quem meu colega automobilista me apontava, e assinei servilmente o recibo tão simbólico, entregando assim minha Lolita a todos aqueles primatas. Que outra coisa poderia fazer? Um simples e severo pensamento ocupava minha mente: "Nesse momento, tudo o que conta é a liberdade". Um passo em falso — e talvez tivesse de explicar uma vida de crimes. Por isso, fingi que saía de um transe. Paguei a meu colega motorista o que ele estimou razoável. Ao dr. Blue, que a essa altura estava dando tapinhas tranqüilizadores em minha mão, falei em lágrimas sobre o álcool com que, talvez em excesso, eu procurava sustentar um coração melindroso mas não necessariamente enfermo. Ao hospital em geral pedi desculpas com uma ampla mesura que quase me fez cair no chão, acrescentando, contudo, que não me dava muito bem com o resto do clã humbertiano. Para mim mesmo, sussurrei que ainda tinha minha pistola e ainda era um homem livre — livre para perseguir a fugitiva, livre para exterminar meu irmão.

23

Mil e seiscentos quilômetros de estrada lisa como seda separavam Kasbeam (onde, tanto quanto eu sabia, o demônio rubro entrara em cena pela primeira vez) e a fatídica Elphinstone, a que havíamos chegado cerca de uma semana antes do Dia da Independência. A viagem tomara a maior parte do mês de junho, pois raramente fazíamos muito mais de duzentos quilômetros por dia, passando o restante do tempo, até cinco dias em certa ocasião, nas diferentes paradas — todas, sem dúvida, também arranjadas com antecedência. Portanto, era naquele trecho que eu devia procurar o rasto do demônio, e a essa tarefa me entreguei após vários dias abomináveis que perdi correndo para cá e para lá pelas estradas que se irradiavam sem trégua a partir de Elphinstone.

Imagine-me, leitor, com minha timidez, minha repugnância por qualquer espécie de ostentação, meu senso inato do *comme il faut*, imagine-me mascarando o furor de meu desespero sob um sorriso trêmulo e insinuante enquanto recorria a algum pretexto banal para folhear o registro dos hotéis: "Ah", eu diria, por exemplo, "tenho a certeza quase absoluta de que já passei uma noite aqui... Deixe-me ver as entradas de meados de junho... Não, então quer dizer que estava enganado... *Tepeguei*, que nome curioso para uma cidade! Muito obrigado". Ou ainda: "Um freguês meu se hospedou aqui, perdi seu endereço. Posso...?". E, de tempos em tempos, especialmente quando o encarregado da recepção era um homem de maus bofes, eu não tinha acesso aos livros.

Guardo aqui algumas anotações: entre 5 de julho e 18 de novembro, quando retornei a Beardsley por alguns dias, registrei-me em trezentas e quarenta e duas pensões familiares, hotéis e motéis, embora nem sempre neles pernoitasse. Esse número inclui alguns registros entre Chestnut e Beardsley, um dos quais enegrecido pela sombra lexicográfica do demônio ("N. Petit, Larousse, Ill."); eu tinha de coordenar cuidadosamente minhas pesquisas no tempo e no espaço a fim de não atrair uma atenção indesejável; e deve ter havido pelo menos uns cinqüenta lugares em que apenas fiz algumas perguntas no balcão — mas esse era um método ineficiente, e eu preferia estabelecer uma base de verossimilhança e boa vontade pagando adiantado por um quarto desnecessário. Minhas pesquisas revelaram que, dos trezentos e poucos livros que examinei, ao menos vinte continham alguma pista: o demônio errante havia parado ainda mais freqüentemente do que nós, ou então — coisa de que ele era bem capaz — havia feito registros adicionais a fim de me manter bem fornido de indícios zombeteiros. Apenas uma vez ele ficara no mesmo motel que nós, a alguns passos do travesseiro de Lolita. Em alguns casos, hospedara-se no mesmo quarteirão ou no seguinte; não raro, ficara à espreita entre dois lugares predeterminados. Com que nitidez revejo Lolita, às vésperas de nossa partida de Beardsley, deitada de barriga para baixo no tapete da sala de visitas, estudando os mapas e os guias turísticos, marcando trajetos e paradas com seu batom!

Logo descobri que ele previra minhas investigações e plantara pseudônimos insultuosos para meu gáudio especial. No primeiro motel que visitei, a Pousada Ponderosa, seu registro, entre uma dúzia de outros obviamente humanos, dizia: "Dr. Gratiano Forbeson, Mirandola, NY". Os ecos de comédia italiana não podiam escapar a minha atenção. A gerente dignou-se informar-me de que o cavalheiro havia ficado de cama durante cinco dias com um forte resfriado, que deixara o carro para consertar em alguma oficina e que partira no dia 4 de julho. Sim, uma moça chamada Ann Lore tinha trabalhado havia algum tempo na pousada, mas estava agora casada com o dono de um armazém em Cedar City. Certa noite enluarada, peguei de surpresa Mary (um autômato de sapatos brancos) numa rua deserta, e ela estava prestes a gritar por socorro quando consegui humanizá-la graças ao simples ato de cair de joelhos e, com ganidos de humildade, suplicar que me ajudasse. Jurou que não sabia de nada. Quem era esse Gratiano Forbeson? Pareceu hesitar. Puxei do bolso uma nota de cem dólares. Ela a ergueu à luz da lua. "É o seu irmão", murmurou finalmente. Arranquei a nota de sua fria mão selênica e, cuspindo um palavrão em francês, dei meia-volta e saí correndo. Isso ensinou-me a depender apenas de mim mesmo. Nenhum detetive seria capaz de descobrir as pistas que Trapp havia adaptado para minha mente e meus pendores. Naturalmente, não podia jamais contar com que deixasse seu nome e endereço corretos; no entanto, tinha a firme esperança de que ele pudesse escorregar no verniz de sua própria sutileza (ousando, por exemplo, acrescentar uma pincelada de cor mais viva e mais pessoal do que era estritamente necessário) ou revelasse mais do que desejava graças ao acúmulo qualitativo de pequenos indícios quantitativamente pouco significativos. Numa coisa ele teve êxito: conseguiu enredar-me, a mim e a minha turbilhonante angústia, em seu jogo diabólico. Com infinita habilidade, gingava de um lado para o outro, cambaleava, mas acabava por recuperar um equilíbrio impossível, sempre me deixando a esperança esportiva — se é que posso usar tal termo ao falar de perfídia, fúria, desolação, horror e ódio — de que na próxima vez iria trair-se. Nunca o fez — embora tivesse chegado muitíssimo perto disso. Todos admiramos o acrobata reluzente em seu traje de lantejoulas que, com clássica elegância, atravessa meticulosamente a corda tensa sob a luz prateada dos refletores; mas que arte muito mais rara exibe o especialista da corda bamba, vestido como um espantalho e imitando um bêbado grotesco! Eu que o diga.

As pistas por ele deixadas não eram suficientes para identificá-lo, mas refletiam sua personalidade, ou quando nada uma certa personalidade notável e homogênea; seu estilo, seu tipo de humor (ao menos nos melhores momentos), as modulações de seu cérebro guardavam muitas afinidades com os meus. Ele me imitava, escarnecia de mim. Suas alusões denotavam sem dúvida grande sofisticação intelectual. Sabia francês. Era muito lido, versado em logodedalia e logomancia. Amante de mitos e aberrações sexuais. Tinha uma caligrafia feminina. Mudava o nome, mas não podia disfarçar a forma peculiaríssima com que grafava as letras *t*, *w* e *l*, por mais inclinadas que as fizesse. A ilha de Quelquepart era uma de suas residências prediletas. Não usava caneta-tinteiro, o que, como qualquer psicanalista pode confirmar, significa que o paciente era um ondinista reprimido. É de se esperar, misericordiosamente, que existam náiades no Estige.

Seu traço principal era o gosto pela tantalização. Deus meu, que prazer ele tinha em supliciar o próximo! Desafiou minha erudição. Sou suficientemente orgulhoso de saber alguma coisa para ter a modéstia de admitir que não sei tudo — e confesso que me escapou um ou outro indício naquela gincana criptogrâmica. Que frêmito de triunfo e asco sacudia meu frágil esqueleto quando, dentre os nomes triviais e inocentes no registro dos hotéis, sua demoníaca charada ejaculava em minha cara! Reparei que, quando achava que seus enigmas estavam se tornando demasiado abstrusos até mesmo para alguém com meus dotes de decifração, ele me engodava de novo com algo bem fácil. "Arsène Lupin" era óbvio para um francês que se recordava das histórias de detetive de sua juventude; e não era necessário ser um especialista em Coleridge para apreciar a cutucada banal de "A. Person, Porlock, Inglaterra". De péssimo gosto, mas inegavelmente reveladores de um homem culto — não um policial, não um bandido comum, não um lascivo caixeiro-viajante —, eram alguns de seus pseudônimos, tais como "Arthur Rainbow" (claramente o autor disfarçado de *O barco azul* — permitam-me que também ria um pouco, meus senhores) e "Morris Schmetterling", famoso por seu *O pássaro bêbado* (*touché*, leitor!). O tolo mas engraçado "D. Orgon, Elmira, NY" era evidentemente tirado de Molière e, havendo pouco antes tentado interessar Lolita numa famosa peça do século XVIII, saudei como a um velho amigo "Harry Bumper, Sheridan, Wyo." Uma enciclopédia comum me informou quem era o estranho "Phineas Quimby, Lebanon, NH"; e qualquer freudiano de nome germânico e alguma curiosidade pela prostituição de cunho religioso reconheceria num relance a conotação de "Dr. Kitzler, Eryx, Miss.". Até aí, tudo bem. Esse tipo de divertimento podia ser de baixo nível, mas, no todo, era impessoal e por isso inócuo. Não me estenderei muito sobre os registros que atraíram minha atenção como pistas per se indubitáveis mas cujo sentido não cheguei a captar, pois aí tenho a sensação de estar lutando em meio ao nevoeiro com fantasmas verbais que talvez se transformem a qualquer momento em turistas de carne e osso. Quem seria "Johnny Randall, Ramble, Ohio"? Uma pessoa real que por acaso tivesse uma caligrafia semelhante à de "N. S. Aristoff, Catagela, NY"? Qual o sentido oculto de "Catagela"? E que dizer de "James Mavor Morell, Logroton, Inglaterra"? "Aristófanes", "logro" — tudo bem, mas o que é que estaria escapando a minha compreensão?

Misturado a toda aquela logomaquia, havia um tipo de pseudônimos que me provocava dolorosas palpitações sempre que o encontrava. Nomes tais como "G. Trapp, Geneva, NY" denotavam a traição de Lolita. "Aubrey Beardsley, ilha de Quelquepart" sugeria, mais claramente do que aquela falsa chamada telefônica, que a origem de tudo tinha de ser procurada bem mais perto da costa atlântica. "Lucas Picador, Merrymay, Pa." Insinuava que minha Carmen traiçoeiramente transmitira ao impostor as patéticas juras de amor que eu lhe fazia. Terrivelmente cruel era, por certo, "Will Brown, Dolores, Colo." O tétrico "Harold Haze, Tumba, Arizona" (que, em outra época, teria agradado a meu senso de humor) implicava uma familiaridade com o passado da menina que, como num pesadelo, me fez crer por um momento que o objeto de minha caçada era um antigo amigo da família, talvez uma velha paixão de Charlotte, talvez alguém dedicado a corrigir os erros do mundo ("Donald Quix, Sierra, Nev.").

Mas o punhal mais afiado foi a entrada no Albergue dos Castanheiros: "K. Sador, Cain, NH".

As placas truncadas que toda aquela chusma de Persons, Orgons, Morells e Trapps havia deixado para trás só serviram para convencer-me de que os gerentes de motel não se dão ao trabalho de verificar se os hóspedes registram corretamente as licenças de seus carros. Obviamente, eram inúteis as referências — incompletas ou imprecisamente anotadas — dos carros que o demônio alugara nas curtas etapas entre Wace e Elphinstone; a placa do Asteca inicial não passava de uma miragem de números cambiantes, alguns transpostos, outros modificados ou omitidos, mas que formavam sempre algumas combinações estranhamente inter-relacionadas (tais como "WS 1564" ou "SH 1616", e "Q32888" ou "CU 88322"), as quais, no entanto, eram tão astuciosamente elaboradas que jamais revelavam um denominador comum.

Ocorreu-me que, tendo ele entregado o conversível aos cúmplices de Wace e passado a usar o sistema de troca sucessiva de carros, seus asseclas, talvez menos cuidadosos, poderiam ter registrado em algum motel o arquétipo daquelas combinações. Mas, se já era tão complicado, tão vago e improfícuo procurar o demônio ao longo de uma estrada que ele sabidamente havia percorrido, que poderia eu esperar da tentativa de descobrir o rasto de motoristas desconhecidos seguindo trajetos também desconhecidos?

24

Quando cheguei a Beardsley, a excruciante recapitulação que acabo de apresentar com tantos detalhes produzira em minha mente uma imagem completa; e, mediante um processo de eliminação (sempre arriscado), eu havia reduzido essa imagem à única fonte concreta que uma memória tórpida e uma cerebração mórbida podiam atribuir-lhe.

Exceto o rev. Rigor Mortis (nome que as moças davam ao capelão) e um velho cavalheiro que ministrava os cursos facultativos de alemão e latim, nenhum outro representante do sexo masculino lecionava na Escola Beardsley. Contudo, por duas vezes um professor de arte da Universidade de Beardsley tinha ido mostrar às meninas diapositivos de castelos franceses e de quadros do século XIX. À época, eu havia demonstrado o desejo de assistir às projeções e palestras; mas Dolly, como era de costume, pediu-me que não fosse, ponto final. Recordava-me também de que Gaston se referira ao tal professor como um brilhante *garçon*. Mas isso era tudo, minha memória se recusava a fornecer o nome desse amante de castelos.

No dia marcado para a execução, atravessei o campus sob uma tempestade de neve molhada até o balcão de informações do Pavilhão Maker, na Universidade de Beardsley. Lá soube que o sujeitinho se chamava Riggs (parecido com o nome do capelão), era solteiro e dentro de dez minutos sairia do "Museu", onde estava dando uma aula. No corredor que conduzia ao auditório, sentei-me num banco supostamente de mármore, doado por uma certa Cecilia Dalrymple Ramble. Enquanto esperava — em prostático desconforto, bêbado, morto de sono, empunhando a pistola no bolso da capa de chuva —, de repente ocorreu-me que eu estava louco e prestes a cometer uma besteira. Não havia nem uma chance em um milhão de que Albert Riggs, professor-assistente, estivesse escondendo minha Lolita na sua casa de Beardsley, rua Pritchard, 24. Não podia ser o vilão. Era totalmente absurdo. Eu estava perdendo meu tempo e meu juízo. Ele e ela se encontravam na Califórnia e não ali, de jeito nenhum.

Pouco depois, ouvi um ruído indistinto atrás de algumas estátuas brancas; uma porta — não aquela que eu vinha contemplando com olhar fixo — abriu-se bruscamente e, flutuando acima de um enxame de alunas, uma cabeça com cabelos ralos e dois olhos castanhos e brilhantes cumprimentou-me com um aceno, avançando em minha direção.

Era um total estranho para mim, mas insistiu em que nos havíamos encontrado numa festa ao ar livre na Escola Beardsley. Como estava minha encantadora filha, que jogava tênis tão bem? Ele tinha outra aula. Prazer em rever-lhe.

Outra tentativa de identificação revelou-se menos rápida: mediante um anúncio numa das revistas de Lô, atrevi-me a entrar em contato com um detetive particular, um ex-pugilista, e, simplesmente para dar-lhe uma idéia do *método* adotado pelo inimigo, descrevi os tipos de nomes e endereços que havia colecionado. Ele exigiu uma boa soma a título de pagamento adiantado, e durante dois anos — dois anos, leitor! — o imbecil se dedicou a checar aqueles dados ridículos. Já havia cortado fazia muito tempo todas as relações pecuniárias com ele quando, certo dia, veio trazer-me a triunfal informação de que um índio de oitenta anos, chamado Bill Brown, morava nas cercanias de Dolores, Colorado.

25

Este livro é sobre Lolita; e, chegando agora à parte que (caso não se tivesse antecipado a mim um outro mártir da combustão interna) poderia intitular-se "Dolorès disparue", faria pouco sentido analisar os três anos vazios que se seguiram. Conquanto seja indispensável registrar alguns pontos pertinentes, a impressão geral que desejo transmitir é a de uma porta lateral que se abre violentamente numa vida em pleno vôo, deixando entrar uma negra e retumbante golfada de tempo que abafa, com suas chicotadas de vento, o grito da catástrofe solitária.

É bastante curioso, mas raramente, se é que isso aconteceu alguma vez, sonhei com Lolita tal como dela me lembrava — como a via constante e obsessivamente, enquanto desperto, nos meus pesadelos diurnos e nas minhas insônias. Para ser mais preciso, ela de fato perseguia-me nas horas de sono, mas o fazia sob estranhos e ridículos disfarces, como Valéria ou Charlotte, ou um cruzamento de ambas. Esse complexo fantasma se aproximaria de mim, despindo peça por peça do vestuário, numa atmosfera de grande mágoa e melancolia, e se reclinaria num convite apático e indiferente sobre uma tábua estreita ou um duro sofá, a carne entreaberta como uma válvula de borracha. E eu me veria, com a dentadura postiça quebrada ou irremediavelmente perdida, em horrorosos quartos de aluguel onde me ofereciam tediosas festas de vivissecção, que geralmente terminavam com Charlotte ou Valéria chorando em meus braços ensangüentados e sendo beijadas ternamente por meus lábios fraternais, numa mixórdia onírica de bibelôs vienenses de segunda mão, lástima, impotência e as trágicas perucas marrons de velhas senhoras recém-levadas para a câmara de gás.

Um dia tirei do carro e destruí um monte de revistas para adolescentes. Os senhores conhecem o gênero. Na substância, acham-se ainda na idade da pedra; em matéria de higiene, são bem moderninhas, ou pelo menos se equiparam aos padrões da civilização grega. Uma bela e bem fornida atriz, cílios enormes, lábio inferior rubro e polpudo, recomendando uma marca de xampu. Anúncios e modas passageiras. As universitárias adoram as saias pregueadas — *que c'était loin, tout cela!* Cabe à anfitriã fornecer robes de chambre a seus convidados. Pormenores supérfluos tiram o brilho de sua conversa. Todos nós conhecemos muito bem aquele tipo de garota que fica arrancando a cutícula das unhas nas festas do escritório. A menos que seja muito idoso ou muito importante, um cavalheiro deve sempre tirar as luvas ao apertar as mãos de uma senhora. Faça um Convite ao Amor, Usando a Cinta Primor. Tristão e Isolda abrilhantando as matinês. O casal Joe-Roe está dando o que falar. Três segredos de beleza para quem quer ficar ainda mais charmosa. Histórias em quadrinhos. Menina má cabelos negros pai gordo charuto; menina boa cabelos ruivos papai simpático bigodinho aparado. Ou aquela história assquerosa, com o gorilão psicopata e sua mulher nanica. *Et moi qui t'offrais mon génie...* Lembro-me dos versinhos encantadoramente tolos que eu costumava escrever para Lô quando ela era criança: "Tolos", me dizia debochadamente, "é apelido".

> Encontrei uma jibóia
> Com o braço na tipóia,
> Explicando que o acidente
> Era culpa da serpente.
> Mas a cobra, que não mente,
> Conta história diferente:
> "A jibóia é uma boboca,
> Tropeçou numa minhoca".

Era mais difícil separar-me de outras coisas dela. Até fins de 1949, venerei, manchando com meus beijos e minhas lágrimas de tritão, um par de estropiadas sandálias, uma camisa de menino que ela havia usado, alguns velhos jeans que descobri na mala do carro, um gorro escolar todo amassado e outros tesouros galhofeiros da mesma estirpe. Quando por fim compreendi que minha razão estava indo a pique, reuni esses pertences variegados, juntei o que havia sido guardado num depósito de Beardsley — um caixote de livros, a bicicleta, velhos casacos, galochas —, e no dia em que ela fazia quinze anos mandei tudo, como doação anônima, para um orfanato de moças próximo a um lago ventoso, na fronteira com o Canadá.

Caso eu houvesse consultado um competente hipnotizador, talvez ele tivesse extraído de mim — e organizado de forma racional — algumas recordações fortuitas que fui semeando por estes escritos com muito mais nitidez do que elas hoje se apresentam a meu espírito, quando já sei o que deveria buscar no passado. Na época, sentia apenas que estava perdendo contato com a realidade; e, após passar o resto do inverno e a maior parte da primavera num sanatório de Quebec onde havia estado antes, decidi inicialmente resolver alguns assuntos pessoais em Nova York e depois seguir para a Califórnia, a fim de lá empreender uma pesquisa exaustiva.

Eis aqui algo que compus durante meu retiro:

Procura-se Dolores Haze, há grande urgência.
Tem cabelos castanhos e a pele é bronzeada.
Cinco mil e trezentos dias de existência.
Ocupação: artista de cinema — ou nada.

Onde te esconderás sem dó de mim, Dolores?
Por que razão insistes em fugir, querida?
(Ofuscam-me estas luzes e são tantas cores,
Diz no seu cativeiro a ave entristecida.)

Por que novos caminhos andarás, Dolores?
De que marca será teu mágico tapete?
Algum carro da moda atiça teus ardores?
Ou terás outro mais que sirva de joguete?

Quem agora povoa os sonhos teus, Dolores?
Um daqueles heróis de força sobre-humana?
Houve dias de sol, houve campos de flores:
Não te esqueças jamais, não te esqueças, cigana!

Minha Dolly, a vitrola, os discos me enlouquecem!
Eu te vejo dançando, ainda, no salão
(Nos desbotados jeans vocês de mim se esquecem
Enquanto no meu canto eu rosno como um cão).

Um McKarma qualquer anda alegre, feliz,
Conspurcando a mulher-criança em plena paz
E em cada estado desta terra onde se diz
Que é criminoso quem maltrata os animais.

Eram cinzentos, eram poços de neblina,
Os olhos que de amor você jamais fechou
Toda vez que eu beijava a boca de menina.
Seria tão amargo o vinho, minha Lô?

L'autre soir un air froid d'opéra m'alita:
Son félé — bien fol est qui s'y fie!
Il neige, le décor s'écroule, Lolita!
Lolita, qu'ai-je fait de ta vie?

De ódio e de remorso, Lola, estou morrendo,
O remorso me fere e o ódio me devora.
Outra vez ergo o braço hirsuto, o punho horrendo,
E outra vez no cair da tarde você chora.

Seu guarda, por favor, são eles! Não permita
Que se percam no fundo desta noite escura!
A de meias soquetes é a minha Lolita,
Dolores, meu amor, tormento de ternura!

Lá vão eles, seu guarda, siga aquele carro!
Vão fugindo, Dolores Haze e seu amante!
Saque a pistola, mas abaixe-se se o agarro,
Pois toda a glória me pertence nesse instante!

Procura-se Dolores Haze em mil estradas.
Seus olhos são cruéis, sonhadores, tranqüilos.
De altura apenas tem sessenta polegadas
E seu peso não passa de quarenta quilos.

Meu carro, Dolly, já rateia, não resiste
À derradeira etapa, que é mais longa e dura.
O motor pára, morre num gemido triste.
Das estrelas a poeira é tudo o que perdura.

Psicanalisando esse poema, verifico que é, sem dúvida, a obra-prima de um louco. As rimas áridas, rígidas e sombrias correspondem exatamente a certas paisagens e figuras terríveis e sem perspectiva, ou aos detalhes hipertrofiados de paisagens e figuras, que os psicopatas desenham em testes inventados por seus astutos domadores. Escrevi muitos outros poemas. Mergulhei na poesia de outros autores. Mas nem por um segundo esqueci o fardo da vingança.

Eu seria um hipócrita se dissesse — e o leitor um tolo se acreditasse — que o choque de perder Lolita me havia curado da pedofilia. Minha maldita natureza não podia mudar, por mais que mudasse meu amor por Lô. Nas praias e nas pracinhas, meu olhar soturno e furtivo continuava a procurar, contra minha vontade, o clarão de um braço ou de uma perna de ninfeta, os dissimulados anúncios das escravas, das damas de honor de Lolita. Mas uma visão essencial fenecera em mim: nunca mais contemplei as possibilidades de êxtase com uma menina, específica ou sintética, em algum lugar esconso; nunca mais minha fantasia cravou seus caninos nas irmãs de Lolita, longe, muito longe, nas enseadas de ilhas quiméricas. *Isso* acabara, ao menos então. Por outro lado, pobre de mim, aqueles dois anos de monstruosa prodigalidade haviam gerado certos hábitos lascivos: temia que o vazio de minha vida pudesse fazer-me mergulhar na liberdade de uma súbita demência caso confrontado com alguma tentação fortuita na ruela escura entre a escola e o jantar. A solidão estava me corrompendo. Precisava de companhia, de alguém que cuidasse de mim. Meu coração era um órgão precário, histérico. E foi assim que Rita entrou em cena.

26

Ela tinha o dobro da idade de Lolita e três quartos da minha: uma mulher muito esguia, de cabelos pretos e pele clara, pesando quarenta e sete quilos, com olhos adoravelmente assimétricos, um perfil angular que parecia ter sido esboçado às pressas, uma fascinante curva dorsal realçando-lhe as costas flexíveis — acho que tinha nas veias sangue espanhol ou babilônico. Encontrei-a numa depravada noite de maio, entre Montreal e Nova York (ou, mais precisamente, entre Toylestown e Blake), num bar sombriamente incandescente sob o signo da Mariposa Tigrada. Ela estava amistosamente bêbada: insistiu em que tínhamos sido colegas de escola e pousou sua mãozinha trêmula na minha pata simiesca. Meus sentidos excitaram-se só muito ligeiramente, mas decidi dar-lhe uma chance; assim foi feito — e a adotei como companheira permanente. Ela era tão boa, minha Rita, tão generosa, que (me atrevo a dizer) se daria a qualquer criatura ou ilusão patética — uma velha árvore desgalhada, um porco-espinho carente — por pura camaradagem e compaixão.

Quando nos conhecemos, ela havia se divorciado de seu terceiro marido e, mais recentemente ainda, fora abandonada por seu sétimo *cavalier servant* — os outros eram demasiado numerosos e móveis para se registrar. Seu irmão era — e sem dúvida ainda é — um político conhecido (um desses sujeitos de cara redonda, que usa suspensórios e gravatas de cores berrantes), prefeito e paladino de sua cidade natal, onde todos se dedicam com idêntico zelo a torcer pelo time de beisebol, a ler a Bíblia e a comercializar cereais. Durante os últimos oito anos, ele pagava a sua adorada irmãzinha várias centenas de dólares por mês com a estrita condição de que ela jamais, mas jamais mesmo, poria os pés na progressista Grainball. Não obstante, segundo Rita me contou com gemidos de consternação, a primeira coisa que seus novos namorados faziam, só Deus sabe por que, era levá-la rumo a Grainball. Tratava-se de uma atração fatal e, antes que pudesse fazer qualquer coisa para evitá-lo, caía na órbita lunar da cidade, o carro seguindo pela avenida margeada de anúncios de néon que a circundava — "como se eu fosse uma idiota de uma mariposa, rodando em volta da luz".

Tinha um carrinho esporte dos mais elegantes, e foi nele que viajamos para a Califórnia a fim de dar um descanso a meu venerável sedã. Cento e cinqüenta era sua velocidade normal. Rita querida! Viajamos juntos durante dois anos nebulosos, do verão de 1950 ao verão de 1952, e ela se revelou a Rita mais carinhosa, mais simples, mais doce e mais burrinha que alguém pudesse imaginar. Comparadas a ela, Valechka era um Schlegel e Charlotte um Hegel. Não há a menor razão no mundo pela qual deva perder tempo com ela à margem destas sinistras memórias, mas permitam-me dizer (oi, Rita, onde quer que você esteja, bêbada ou de ressaca, Rita, tudo de bom para você!) que jamais tive uma companheira tão tranqüilizante e tão compreensiva. Foi ela quem me salvou do hospício. Disse-lhe que estava procurando encontrar uma garota e meter uma bala na barriga de seu algoz. Rita aprovou solenemente o plano — e, na seqüência de uma investigação que empreendeu por conta própria (sem na verdade saber de nada) nas imediações de San Humbertino, ela própria acabou nas mãos de um terrível crápula; tive um trabalhão dos diabos para recuperá-la — usada e abusada, mas corajosa como sempre. E então, certo dia, ela propôs fazer uma roleta-russa com minha sagrada automática; disse que não podia fazer aquilo, que não era um revólver, e lutamos pela posse da pistola até que a arma disparou, produzindo um pequeno e cômico esguicho de água quente que escapava do buraco feito pela bala na parede de nosso quarto de motel; lembro-me ainda de suas estrondosas gargalhadas.

A curvatura curiosamente pré-pubescente de suas costas, sua pele cor de arroz, seus beijos columbinos, lentos e langorosos, impediram que eu fizesse qualquer bobagem. Não são as aptidões artísticas que constituem caracteres sexuais secundários, como pretendem certos xamãs e charlatães; muito pelo contrário, a sexualidade não passa de uma expressão subsidiária da arte. Vale a pena relatar aqui um evento bastante misterioso, que teve interessantes repercussões. Eu havia abandonado a busca: o demônio partira para a Tartária ou estava sendo consumido pelas labaredas de meu cerebelo (atiçadas por minha imaginação e minha dor), mas certamente não se encontrava na costa do Pacífico preparando Dolores Haze para disputar campeonatos de tênis. Certa tarde, quando voltávamos rumo ao Leste, num hotel horroroso — desses que promovem convenções e onde homens gordos e rosados, com crachás nas lapelas, chamam-se pelos primeiros nomes, falam de negócios e enchem a cara —, a querida Rita e eu, ao acordarmos, descobrimos uma terceira pessoa no nosso quarto, um sujeito jovem e louro, quase albino, com cílios brancos e parentes, que nenhum de nós dois se recordava de jamais ter visto em nossas tristes vidas. Suando nas roupas de baixo grossas e sujas, calçando velhas botas militares, ele roncava na cama de casal, do outro lado de minha casta Rita. Faltava-lhe um dos dentes da frente, pústulas cor de âmbar pululavam em sua testa. Ritochka envolveu sua nudez sinuosa em minha capa de chuva — a primeira coisa à mão — e eu enfiei uma cueca de listras coloridas, após o que examinamos a situação. Cinco copos haviam sido usados, o que, em matéria de pistas, constituía um excesso indesculpável. A porta não estava bem fechada. Uma suéter e um par de calças cáqui, sem vinco, jaziam no chão. Sacudimos o proprietário das roupas até que ele recobrou um mínimo de consciência. Estava completamente amnésico. Com um sotaque que Rita reconheceu ser do Brooklyn, insinuou impertinentemente que havíamos roubado sua identidade (a qual não tinha o menor valor). Tratamos de vesti-lo às pressas e o deixamos no hospital mais próximo, dandonos conta no caminho de que, sabe-se lá como, estávamos em plena Grainball. Seis meses depois Rita escreveu para o médico, pedindo notícias. Jack Humbertson, como fora apelidado com muito mau gosto, continuava segregado de seu passado. Ah, Mnemósine, a mais doce, a mais brincalhona das musas!

Nem teria mencionado esse incidente caso ele não houvesse dado origem a uma série de idéias, mais tarde recolhidas no ensaio que, sob o título de "Mimir e a memória", publiquei na *Cantrip Review*. Propunha ali, dentre outras coisas que pareceram originais e importantes aos olhos dos benevolentes editores daquela esplêndida revista, uma teoria sobre a percepção do tempo que se baseava na circulação do sangue e dependia conceitualmente (para resumir o troço) de que a mente tivesse consciência não apenas da matéria, mas também de sua própria existência, a partir do que se criava uma vinculação contínua entre dois pontos (o futuro a ser registrado e o passado já registrado). Como fruto desse audacioso vôo intelectual — que coroava a impressão deixada por meus trabalhos anteriores —, fui convidado a abandonar Nova York (onde Rita e eu vivíamos num pequeno apartamento, do qual se viam, lá embaixo, crianças reluzentes banhando-se numa fonte do Central Park) a fim de passar um ano na Universidade Cantrip, a seiscentos quilômetros da costa. Lá fiquei, nos alojamentos especiais para poetas e filósofos, de setembro de 1951 a junho de 1952, enquanto Rita (que eu preferia não exibir aos colegas) vegetava — de forma algo indecorosa, cumpre reconhecer — numa espelunca de beira de estrada onde eu a visitava duas vezes por semana. Um dia desapareceu — de forma menos cruel que sua predecessora: um mês depois encontrei-a na cadeia local. Ela se comportou de forma *très digne:* tinha extraído o apêndice e conseguiu convencer-me de que as belas peles azuladas que era acusada de haver roubado de uma certa sra. Roland MacCrum constituíam um presente espontâneo, embora algo alcoolizado, do próprio Roland. Dei um jeito de tirá-la da prisão sem recorrer a seu colérico irmão e logo depois voltamos de carro para o Central Park West, via Briceland, onde havíamos parado por algumas horas no ano anterior.

Movia-me uma estranha e insopitável necessidade de reviver as horas que lá passara com Lolita. Tendo entrado numa fase de minha existência em que abandonara qualquer esperança de encontrá-la (ou a seu raptor), tentava agora retornar aos lugares em que havíamos estado juntos a fim de salvaguardar o que ainda podia ser salvaguardado na linha do *souvenir, souvenir que me veux-tu?* O outono vibrava no ar. Em resposta ao cartão-postal em que pedia um quarto com duas camas de solteiro, o prof. Hamburg recebeu uma pronta manifestação de pesar. O hotel estava cheio. Tinham apenas um quarto no porão, com quatro camas mas sem banheiro, que certamente não seria de meu agrado. O papel de carta exibia o seguinte cabeçalho:

OS CAÇADORES ENCANTADOS

PRÓXIMO A VÁRIAS IGREJAS   NÃO SE ACEITAM CACHORROS

Todas as bebidas permitidas por lei

Perguntei-me se a última informação era verdadeira. Todas? Teriam, por exemplo, licor de romã? Perguntei-me também se um caçador, fosse ou não encantado, não precisaria mais de um perdigueiro que de um banco de igreja e, com um espasmo de dor, lembrei-me de certa cena digna de um grande artista: *petite nymphe accroupie* — mas talvez aquele sedoso cocker spaniel houvesse sido batizado. Não, não podia suportar a agonia de revisitar aquele saguão de hotel. Havia, porém, uma possibilidade muito maior de que eu recuperasse o tempo perdido na suave Briceland, que o outono pintava com ricas cores. Deixando Rita num bar, segui para a biblioteca da cidade. Uma solteirona tagarela mostrou-se muito solícita quando lhe pedi que desenterrasse, na coleção encadernada da *Gazeta* de Briceland, os números de meados de agosto de 1947; pouco depois, num nicho solitário e sob uma lâmpada nua, comecei a virar as grandes e frágeis páginas de um volume negro como um ataúde, e quase tão grande quanto Lolita.

Ah, leitor! *Bruder!* Como era tolo aquele Hamburg! Já que, graças a seu espírito supersensível, temia enfrentar o palco das glórias passadas, imaginou que podia ao menos desfrutar de uma parte secreta delas — algo parecido com a história do décimo ou vigésimo soldado numa fila de estupradores, que cobre o rosto lívido da vítima com seu xale preto a fim de não encarar aqueles olhos impossíveis enquanto obtém seu prazer militar na triste aldeia saqueada. O que eu ansiava obter era o registro impresso que havia capturado fortuitamente minha imagem quando o fotógrafo da *Gazeta* focalizara o dr. Braddock e seu grupo. Esperava ardentemente encontrar preservado o retrato do artista quando animal mais jovem. Uma câmera inocente surpreendendo-me em meu sombrio caminho rumo à cama de Lolita — que irresistível atração para Mnemósine! Não posso explicar com precisão a verdadeira natureza daquela ânsia. Era algo similar, assim suponho, à curiosidade mórbida que nos leva a examinar com uma lupa as testemunhas de uma execução realizada nas primeiras horas da manhã — pequenas figuras de semblante miserável, à beira da náusea, quase compondo uma natureza-morta —, embora seja impossível distinguir na fotografia a expressão do condenado. Fosse como fosse, eu estava praticamente sem fôlego, e um canto do tétrico volume apunhalava-me o estômago enquanto eu o folheava, esquadrinhando cada página. *Força bruta* e *A possessa* estariam entrando nos dois cinemas da cidade no dia 24. O sr. Purdom, um leiloeiro autônomo de tabaco, dizia que desde 1925 só fumava os cigarros Omen Faustum. Após a cerimônia nupcial, o grandalhão Hank e sua diminuta noiva seriam homenageados com uma recepção pelo sr. e sra. Reginald G. Gore no número 58 da avenida das Lagartas. Certos parasitas atingem um sexto do tamanho do organismo anfitrião. Dunquerque foi fortificada no século X. Meias para senhoras: trinta e nove centavos. Sapatos de salto baixo: três dólares e noventa e oito centavos. "Vinho, vinho, vinho", declarou em tom jocoso o autor de *A idade das trevas* (que não se deixou fotografar), "pode ser muito bom para o rouxinol de um bardo persa, mas, quanto a mim, peço sempre chuva, chuva, chuva, que é bom para as rosas e para a inspiração." As covinhas são causadas pela aderência da pele a tecidos mais profundos. Os gregos rechaçaram um violento ataque de guerrilheiros — e, ah, finalmente, uma pequena silhueta branca, o dr. Braddock de preto, mas o ombro espectral que estava roçando suas formas volumosas nada tinha de meu.

Fui ao encontro de Rita, que, com seu sorriso de *vin triste*, me apresentou a um velhinho encarquilhado e truculentamente bêbado como se eu fosse — "Como é seu nome mesmo, meu filho?" — um ex-colega de ginásio. Ele tentou retê-la e, na breve escaramuça que se seguiu, machuquei meu polegar contra seu duro crânio. No silencioso e policromado parque para onde a levei a fim de que caminhasse um pouco e respirasse o ar puro, ela começou a soluçar e disse que em breve, muito em breve, eu a abandonaria como todos os outros a haviam abandonado. Cantei-lhe então uma melancólica balada francesa, acrescentando para diverti-la algumas rimas fugitivas:

Por que, nos Caçadores Encantados,
Você, Diana, pintou de rubro o céu,
E as árvores de amarelo, e meus pecados
De azul como as paredes desse hotel?

Rita perguntou: "Por que azul, se elas são brancas? Que diabo, por que azul?", começando a chorar de novo. Levei-a para o carro e retomamos a estrada rumo a Nova York, onde bem cedo ela voltou a ficar razoavelmente feliz, lá no alto, em meio à neblina que envolvia a pequena varanda de nosso apartamento. Noto que, curiosamente, misturei dois episódios, minha visita a Briceland com Rita a caminho de Cantrip e nossa passagem por lá ao regressarmos a Nova York, mas o artista não pode desdenhar tais inundações de cores flutuantes no porão de sua memória.

27

Minha caixa de correio no hall de entrada era daquelas cuja tampa tem uma parte de vidro, permitindo que se vislumbre o que está dentro. Já por várias vezes, um enganoso efeito de luz havia transmudado a caligrafia de estranhos num simulacro da letra de Lolita e, quase desmaiando, eu era obrigado a apoiar-me numa urna que ficava ao lado da caixa de correio (e por pouco não se transformava em minha própria urna funerária). Cada vez que isso acontecia — cada vez que suas adoráveis garatujas de curvas infantis se convertiam horrivelmente nas letras insossas de alguma das poucas pessoas com quem me correspondia —, eu costumava lembrar-me, com divertida angústia, daquelas ocasiões no meu crédulo e pré-doloriano passado em que, iludido pelo brilho de uma janela oposta, meu olhar espreitante, aquele periscópio sempre alerta de meu maldito vício, entrevia a distância uma ninfeta seminua que penteava os cabelos, qual Alice no país das minhas maravilhas. Havia naquele ígneo fantasma uma perfeição que também fazia perfeita minha selvagem volúpia, exatamente porque a visão estava fora de alcance, sem qualquer possibilidade de ser atingida e corrompida pela consciência de um tabu inarredável; na verdade, a atração que a imaturidade exerce sobre mim talvez resida não tanto na limpidez da beleza pura e proibida de uma menina encantada, como na segurança de uma situação em que infinitas perfeições preenchem o abismo entre o pouco que é dado e o muito que é prometido — os picos cinzentos e rosados do inatingível. *Mes fenêtres!* Suspenso acima das manchas do pôr-do-sol e da noite que avançava pelas calçadas, rangendo os dentes, eu espremia todos os demônios de minha concupiscência contra as grades de uma sacada latejante: eles estavam prestes a decolar no adamascado negrume da noite úmida... decolavam — e de pronto a imagem iluminada se movia, Eva voltava a ser uma costela, e na janela havia apenas um homem obeso, lendo seu jornal vespertino em roupas de baixo.

Como às vezes eu ganhava a corrida entre minha fantasia e a realidade, a decepção era suportável. Insuportável era a dor que me acometia quando o acaso entrava na liça e roubava o sorriso que me era destinado. "Savez-vous qu'à dix ans ma petite était folle de vous?", disse certo dia uma mulher com quem conversei tomando chá em Paris — e a *petite* acabara de casar-se, longe dali, e eu nem mesmo conseguia lembrar-me se havia reparado nela quando brincava naquele jardim, próximo às quadras de tênis, doze anos antes. E agora, do mesmo modo, o vislumbre radioso, a promessa de realidade, uma promessa que seria não apenas sedutoramente simulada, mas cumprida fielmente... tudo isso me era recusado pelo acaso, pelo acaso e pelo repentino encolhimento das letras de minha pálida e bem-amada correspondente. Minhas fantasias eram ao mesmo tempo proustianizadas e procustianizadas; pois que, naquela manhã, em fins de setembro de 1952, quando desci para apanhar a correspondência, o empertigado e irascível porteiro (com quem eu mantinha uma péssima relação) começou a queixar-se de que um homem que recentemente acompanhara Rita até em casa tinha "vomitado como um cachorro" nos degraus da entrada. Enquanto o ouvia e lhe dava uma gorjeta, ganhando em troca uma versão revista e mais cortês do incidente, tive a impressão de que um dos dois envelopes trazidos pelo bendito carteiro provinha da mãe de Rita, uma mulherzinha maluca que visitáramos certa vez em Cape Cod e que não parava de me escrever nos meus vários endereços dizendo que eu e sua filha formávamos um casal maravilhoso, e como seria maravilhoso se nos casássemos; a outra carta, que abri e li rapidamente no elevador, era de John Farlow.

Observo, com freqüência, que tendemos a atribuir a nossos amigos aquela estabilidade de caráter que as personagens literárias adquirem na mente do leitor. Não importa quantas vezes relemos o *Rei Lear*, jamais encontraremos o bom monarca levantando seu canecão de cerveja, todas as desventuras esquecidas, num festim palaciano a que estão presentes as três filhas e seus cãezinhos de estimação. Jamais veremos Emma se curar, reavivada pelos sais contidos na lágrima oportunamente vertida pelo pai de Flaubert. Qualquer que seja a evolução desta ou daquela personagem entre as capas do livro, seu destino está cristalizado em nossas mentes, e, da mesma forma, esperamos que nossos amigos sigam esta ou aquela trajetória lógica e convencional que traçamos para eles. Assim, X jamais comporá a música imortal que conflitaria com as sinfonias de segunda classe a que nos habituou. Y jamais cometerá um assassinato. Aconteça o que acontecer, Z nunca nos trairá. Temos tudo bem arranjado em nossas mentes e, quanto mais raramente vemos determinada pessoa, maior é o nosso prazer ao verificar, quando ouvimos falar dela, como se vem adaptando obedientemente ao padrão de comportamento que lhe impusemos. Qualquer desvio nos destinos que decretamos nos ofenderia como algo não apenas anômalo, mas imoral. Preferiríamos nem ter conhecido nosso vizinho, o vendedor aposentado de cachorros-quentes, caso venhamos a saber que ele acaba de publicar o melhor livro de poesias dos últimos tempos.

Estou dizendo tudo isso a fim de explicar como me espantou a carta histérica de Farlow. Sabia que sua mulher havia morrido, mas certamente imaginava que, no curso de uma devota viuvez, ele continuaria a ser a pessoa insípida, serena e confiável que sempre fora. Pois agora me dizia que, após uma breve visita aos Estados Unidos, regressara à América do Sul e decidira passar todos os assuntos de que se ocupava em Ramsdale às mãos de Jack Windmuller, um advogado da cidade que ambos conhecíamos. Parecia particularmente aliviado por ficar livre das "complicações" de Haze. Acabara de casar-se com uma espanhola. Parara de fumar e engordara catorze quilos. Ela era uma mulher ainda jovem e campeã de esqui. Iam passar a lua-de-mel (ou de monção) na Índia. Como se preparava para (em suas próprias palavras) "constituir uma família", não teria mais condições de cuidar de meus assuntos, que considerava "muito estranhos e muito exasperantes". Soubera, por intermédio de pessoas intrometidas — aparentemente, um comitê de abelhudos —, que o paradeiro da pequena Dolly Haze era desconhecido e que eu estava vivendo na Califórnia com uma mulher divorciada e de reputação notória. O sogro dele era um conde riquíssimo. As pessoas que vinham alugando a casa de Haze nos últimos anos queriam agora comprá-la. Sugeria que eu devia aparecer com Dolly o quanto antes. Quebrara uma perna. Juntava à carta uma foto dele em companhia de uma morena envolta num casaco de lã branca, trocando olhares embevecidos num pico nevado do Chile.

Lembro que entrei no apartamento me dizendo: "Bem, pelo menos agora realmente vamos ter que descobrir onde eles estão" — quando a outra carta começou a me falar baixinho, num tom familiar:

Querido papai,

Como vão as coisas? Estou casada. Vou ter um bebê. Acho que ele vai ser bem grandinho. Acho que vai chegar lá pelo Natal. É difícil escrever esta carta. Estou ficando maluca porque não temos dinheiro para pagar nossas dívidas e sair daqui. Prometeram ao Dick um emprego muito bom no Alasca, onde ele poderia aproveitar seus conhecimentos de mecânica. É tudo que eu sei, mas parece uma ótima oportunidade. Desculpe se não dou o endereço de nossa casa, mas você pode estar ainda muito zangado comigo e não quero que o Dick saiba de nada. A cidade onde estamos é uma coisa! Felizmente, o nevoeiro misturado com a fumaça das fábricas é tão forte que nem dá para ver os idiotas que moram aqui. Por favor, papai, mande um cheque para nós. Acho que podemos resolver tudo com uns trezentos ou quatrocentos dólares, talvez até menos, qualquer coisa já ajudaria. Pode vender minhas coisas velhas, porque, quando chegarmos lá, vamos ganhar um dinheirão. Escreva, por favor. Passei por muitas tristezas e sofrimentos.

Aguardando notícias,

Dolly (Sra. Richard F. Schiller)

28

Lá estava eu de novo na estrada, de novo ao volante do velho sedã azul, de novo sozinho. Quando acabei de ler a carta e lutei contra as montanhas de agonia que ela erguia dentro de mim, Rita habitava ainda outro mundo. Olhei-a por um instante, enquanto ela sorria em pleno sono. Beijei-lhe a testa úmida e deixei-a para sempre, colando um carinhoso bilhete de adeus em seu umbigo com uma fita adesiva — de outro modo, ela talvez não o achasse.

Terei dito "sozinho"? *Pas tout à fait.* Trazia comigo meu pequeno Companheiro negro e, tão logo cheguei a um lugar ermo, ensaiei a morte violenta do sr. Richard F. Schiller. Tendo encontrado no porta-malas uma velha e enxovalhada suéter cinza, pendurei-a num galho em meio a muda clareira, bem distante da estrada principal, à qual chegara por um caminho de floresta. A execução da sentença foi algo prejudicada por uma certa rigidez no funcionamento do gatilho e me perguntei se não deveria lubrificar o misterioso mecanismo, mas decidi que não tinha tempo a perder. Joguei de volta no carro a velha suéter morta, agora com perfurações adicionais, recarreguei o Companheiro ainda morno e segui viagem.

A carta era datada de 18 de setembro de 1952 (estávamos no dia 22), e trazia o seguinte endereço: "Posta-Restante, Coalmont" (o estado não era "Va.", nem "Pa.", nem "Tenn.", como a cidade também não era "Coalmont": camuflei tudo, meu amor). Breves pesquisas revelaram que se tratava de uma cidadezinha industrial, a cerca de mil e trezentos quilômetros de Nova York. De início, planejei viajar todo o dia e toda a noite, mas depois pensei melhor e descansei durante algumas horas antes de o sol nascer num motel bem próximo a meu destino. Havia chegado à conclusão de que o inimigo, o tal de Schiller, era um vendedor de automóveis que possivelmente tinha conhecido minha Lolita ao lhe dar carona em Beardsley — no dia em que o pneu de sua bicicleta furou a caminho da casa da srta. Emperor —, e que desde então perdera o emprego ou se metera em alguma encrenca. Por mais que eu modificasse seus contornos no banco de trás do carro, o cadáver da suéter fuzilada continuava a se amoldar à figura de Trapp-Schiller, a sua pachorrenta e obscena gordura. Por isso, ao desligar o alarme do despertador um segundo antes que ele explodisse às seis horas da manhã, decidi neutralizar aquele sabor de grosseira corrupção preparando-me com todo o esmero. Com o rigoroso e romântico requinte de um fidalgo que se apresta para um duelo, passei em revista meus documentos, banhei e perfumei meu delicado corpo, barbeei o rosto e o peito, selecionei uma camisa de seda e cuecas limpas, puxei até o alto as meias transparentes de cor bege e congratulei a mim mesmo por haver trazido na bagagem algumas peças especialmente elegantes — por exemplo, um colete com botões de madrepérola, uma pálida gravata de lã fina, e assim por diante.

Infelizmente, não me foi possível manter no estômago o café da manhã, mas considerei essa ligeira indisposição como um contratempo banal, sequei os lábios com um lenço diáfano tirado da manga do paletó e, com um bloco de gelo azul no lugar do coração, uma pílula sobre a língua e a sólida morte no bolso traseiro da calça, entrei de passo firme numa cabine telefônica de Coalmont ("Ha-ha-ha!", disse-me a porta enferrujada), discando para o único Schiller — Paul, Móveis em Geral — que constava do semidestroçado catálogo. O rouco Paul de fato conhecia Richard, que era filho de um primo seu e morava, deixe-me ver, no número 10 da rua do Assassino (não estou me esforçando muito para encontrar meus pseudônimos). "Ha-ha-ha", repetiu a porta da cabine.

No número 10 da rua do Assassino, um verdadeiro cortiço, interroguei vários velhos decrépitos e duas ninfetas incrivelmente sujas, com longos cabelos acobreados (de uma forma quase abstrata, o velho animal que havia em mim estava buscando a seu redor alguma meni-ninha num vestido leve que eu pudesse apertar contra o peito por um minuto após o crime, quando nada mais importasse, quando tudo fosse permitido). Sim, Dick Schiller havia morado lá, mas se mudara depois do casamento. Ninguém conhecia o seu endereço. "Talvez alguém saiba no armazém", disse uma voz de contrabaixo do fundo de um bueiro aberto, junto ao qual eu por acaso estava conversando com as duas garotinhas de braços finos e pés descalços, juntamente com suas indistintas avós. Entrei na loja errada e um preto velho, de semblante cauteloso, sacudiu a cabeça antes mesmo que eu pudesse perguntar qualquer coisa. Atravessei a rua, entrei num lúgubre armazém e lá, respondendo à pergunta que um freguês fizera a meu pedido, uma voz de mulher, vinda de um buraco no chão de madeira (a contrapartida subterrânea do bueiro), gritou: "Rua do Caçador, última casa".

A rua do Caçador ficava a quilômetros de distância, num bairro ainda mais deprimente, com depósitos de ferro-velho e valas na rua, hortas comidas pelas lagartas, barracões, lama vermelha sob uma garoa cinzenta, chaminés fumegantes no horizonte. Parei diante da última "casa" — um mero barraco de madeira, com dois ou três outros mais afastados da calçada, em meio a um terreno coberto de ervas ressequidas. Dos fundos da casa vinham sons de marteladas, e durante alguns minutos fiquei imóvel dentro do meu velho carro, eu próprio velho e alquebrado ao final de minha viagem, atingida a cinzenta meta, *finis*, meus amigos, *finis*, meus demônios. Eram aproximadamente duas da tarde. Meu coração batia quarenta vezes num minuto, cem vezes no minuto seguinte. A chuva miúda crepitava no capô do carro. Minha pistola migrara para o bolso direito da calça. Um vira-lata, sem nenhum traço que minorasse sua mediocridade, saiu de trás da casa, parou surpreso e latiu bem-humoradamente para mim; os olhos semicerrados, os pêlos da barriga todos enlameados, deu uma voltinha e latiu de novo.

29

Saí do carro e bati a porta. Como soou prosaica, vulgar, aquela batida no oco do dia sem sol! O cachorro latiu de novo, por dever de ofício. Apertei a campainha, que fez vibrar cada um de meus nervos.

Personne. Je resonne. Repersonne. De que profundezas brotava aquela rebobagem? Mais um latido. Passos rápidos, um arrastar de pés — e a porta se abriu com um gemido.

Alguns centímetros mais alta. Óculos de aros cor-de-rosa. Penteado novo, os cabelos repuxados para cima, novas orelhas. Como tudo era simples! O momento, a morte que eu tinha evocado sem cessar durante três anos era tão banal quanto um pedaço de lenha seca. Ela estava obviamente, imensamente grávida. Sua cabeça parecia menor (na verdade só se haviam passado dois segundos, mas deixem que dê a eles a duração de uma árvore, de toda uma vida), pálidas sardas salpicavam-lhe as faces encovadas, as canelas e os braços nus exibiam cabelos que o bronzeado do sol outrora ocultara. Usava um vestido de algodão marrom, sem mangas, e surrados chinelos de feltro.

"U-fa!", ela exalou após um instante de silêncio, com toda a ênfase da surpresa e do prazer de rever-me.

"Teu marido está em casa?", crocitei, a mão no bolso.

Claro que não podia matá-la, como alguns talvez tenham imaginado. Já deviam saber que eu a amava — um amor à primeira vista, à última vista, a cada uma e a todas as vistas.

"Entra", disse com veemente alegria. Dolly Schiller encolheu-se tanto quanto pôde contra a madeira apodrecida e lascada da porta (até mesmo erguendo-se um pouco na ponta dos pés) para me deixar passar, momentaneamente crucificada, os olhos baixos, rindo para a soleira, fundas covas sob as roliças maçãs do rosto, os braços cor de leite aguado estendidos contra a madeira. Entrei sem tocar seu volumoso bebê. Cheiro de Dolly, com um leve traço adicional de fritura. Meus dentes batiam como se eu fosse um completo idiota. "Não, você fica aí fora" (para o cachorro). Fechou a porta e seguiu-nos, a mim e a sua barriga, até a diminuta sala.

"Dick está lá atrás", ela disse, apontando com uma raquete de tênis invisível, convidando meu olhar a viajar da esquálida sala-quarto em que estávamos, atravessando a cozinha e saindo pela porta dos fundos até o lugar em que, numa perspectiva bastante primitiva, um jovem desconhecido de cabelos pretos, cuja sentença de morte foi instantaneamente perdoada, estava trepado de costas para mim numa escada, enfiado num macacão, consertando alguma coisa no teto do barraco de seu vizinho, um sujeito corpulento e maneta que olhava para cima.

Ela explicou a cena de longe, em tom de desculpa ("Os homens são assim mesmo, estão sempre consertando alguma coisa"), queria que ela o chamasse?

Não.

Plantada no centro do aposento de assoalho inclinado, ela emitiu "hum-huns" interrogativos e fez gestos familiares de bailarina javanesa com os pulsos e as mãos, numa breve exibição de jocosa cortesia, convidando-me a escolher entre uma cadeira de balanço e o sofá (que depois das dez da noite lhes servia de cama). Digo "familiares" porque ela me recebera com a mesma dança de mãos na noite em que havia dado aquela festa em Beardsley. Sentamo-nos ambos no sofá. Curioso: embora seu rosto de fato houvesse perdido algo da antiga formosura, dei-me conta de forma definitiva, conquanto dolorosamente tardia, de como ela se parecia — sempre se parecera — com a Vênus ruiva de Botticelli: o mesmo nariz delicado, a mesma beleza embaciada. No fundo do bolso, meus dedos aos poucos afrouxaram a pressão sobre a arma inutilizada, envolvendo-a mais completamente no lenço em que estava aninhada.

"Não é esse o sujeito que eu estou procurando."

O brilho difuso de boas-vindas apagou-se em seu olhar. A testa enrugou-se como nos dias amargos de antigamente:

"Não é *quem*?"

"Onde é que ele está? Diz logo!"

"Olha", ela disse, inclinando a cabeça de lado e a sacudindo, "você não vai começar com isso, vai?"

"Claro que vou", respondi, e por um momento — estranhamente, o único momento misericordioso, suportável, de toda a conversa — encaramo-nos com ferocidade, como se ela ainda fosse minha.

Esperta que era, Dolly tratou de controlar-se.

Dick não sabia nada daquela confusão. Pensava que eu era seu pai, que ela havia fugido de um lar de gente rica só para ir lavar pratos num restaurante mambembe. Ele acreditava em qualquer coisa. Por que razão eu desejaria tornar as coisas ainda mais difíceis do que já eram, remexendo em toda aquela sujeira?

Respondi que ela precisava ser razoável, já estava bem grandinha (com aquele enorme tambor debaixo do ralo vestido marrom), devia entender que, se queria contar com minha ajuda, eu pelo menos tinha o direito de conhecer melhor a situação.

"Vamos, o nome dele!"

Ela pensou que eu já tinha adivinhado havia muito tempo. Era (com um sorriso maroto e melancólico) um nome tão conhecido! Eu não acreditaria nunca. Ela própria mal podia acreditar.

O nome dele, minha ninfa outonal.

Não tinha a menor importância, ela disse. Sugeriu que deixasse aquilo de lado. Será que eu queria um cigarro?

Não. O nome dele.

Ela sacudiu energicamente a cabeça. Achava que já era tarde demais para fazer um escândalo e que, de qualquer modo, eu não iria acreditar numa coisa tão incrivelmente incrível...

Então era melhor eu ir embora, passe bem, prazer em revê-la.

Ela insistiu em que era inútil, não ia dizer nunca, mas, pensando melhor... "Você quer mesmo saber quem era ele? Então, foi..."

E num tom sereno, quase confidencial, arqueando as finas sobrancelhas e franzindo os lábios ressequidos, ela enfim pronunciou num cício abafado, com um quê de ironia e tédio, mas não sem um certo toque de ternura, o nome que o leitor sagaz há muito já adivinhou.

À prova d'água. Por que relampejou em minha cabeça um breve reflexo daquele lago próximo a Ramsdale? Eu também o sabia, sem o saber, fazia muito tempo. Não houve nenhum choque, nenhuma surpresa. Tranqüilamente a fusão se operou, todas as peças caíram em seus lugares, completou-se o desenho dos galhos que fui traçando ao longo de todas estas memórias com o exclusivo propósito de fazer com que o fruto maduro caísse no momento preciso; sim, com o propósito expresso e perverso de transmudar — ela estava falando, mas eu continuava sentado no meu canto, dissolvendo-me numa paz dourada —, de converter aquela paz dourada e monstruosa na satisfação do reconhecimento lógico, que até o mais hostil de meus leitores também deve estar sentindo agora.

Como disse, ela estava falando, as palavras por fim fluindo livremente. Ele tinha sido o único homem que ela jamais amara. E Dick? Ah, Dick era um anjo, viviam muito felizes juntos, mas se tratava de algo diferente. E *eu*, nem entrava nessa história, não é mesmo?

Ela me olhou como se de repente tomasse consciência do fato incrível — e também de certo modo tedioso, perturbador, desnecessário — de que aquele quarentão distante, esguio e enfermiço, vestindo um elegante paletó de veludo, havia conhecido e adorado cada poro e cada folículo de seu corpo pubescente. Nos seus olhos de um cinza lavado, por trás dos inusitados óculos, nosso pobre romance refletiu-se por um instante, foi examinado e de pronto descartado como uma festa enfadonha, como um piquenique debaixo de chuva a que só compareceram os mais chatos da turma, como um trabalho de casa maçante, como uma crosta de lama seca que recobrisse sua infância.

Por pouco, com um movimento rápido do joelho, evitei receber uma palmadinha que ficou pendurada no ar — um dos novos gestos em seu repertório.

Ela me pediu que não fosse tão teimoso. O que passou, passou. Achava que eu tinha sido um bom pai para ela — *isso* ela me concedia. Continua, Dolly Schiller.

Bom, sabia que ele tinha conhecido a mãe dela? Que era quase um velho amigo da família? Que havia visitado o tio em Ramsdale — ah, muitos anos antes —, quando fizera uma palestra no clube de Charlotte, e depois havia puxado Dolly pelo braço, sentando-a em seu colo na frente de todo mundo, beijando-a no rosto, quando ela só tinha dez anos e havia ficado furiosa com ele? Sabia que nos tinha visto no hotel onde ele estava escrevendo aquela peça que, dois anos depois, ela ensaiou em Beardsley? Sabia — sim, realmente tinha sido uma sujeira danada dela me fazer acreditar que o Clare era uma velha solteirona, ou talvez uma parenta ou antiga companheira dele — e, ah, que susto ela havia passado quando o jornal de Wace publicou o retrato dele.

A *Gazeta* de Briceland não havia publicado aquela fotografia. Muito engraçado.

É verdade, o mundo era mesmo uma piada e, se alguém escrevesse um livro contando a vida dela, ninguém iria acreditar.

A essa altura, chegaram até nós uns animados ruídos caseiros vindos da cozinha, onde Dick e Bill, com passos pesados, procuravam uma cerveja. Notaram o visitante através da porta e Dick entrou na sala.

"Dick, esse aqui é o meu pai!", disse Dolly numa voz muito alta e ressoante, que me pareceu totalmente estranha — além de nova, alegre, velha e triste, pois o sujeito, embora jovem, já era veterano de uma guerra longínqua e bastante surdo.

Olhos de um azul ártico, cabelos pretos, rosto avermelhado, barba por fazer. O discreto Bill, que evidentemente se orgulhava de fazer misérias com uma só mão, trouxe as latas de cerveja que ele mesmo abrira. Fez menção de retirar-se. A admirável cortesia das pessoas simples. Foi-lhe dito que ficasse. Um anúncio de cerveja. Na verdade, eu preferia que fosse assim, e o casal Schiller também. Passei para a trêmula cadeira de balanço. Mastigando avidamente, Dolly insistiu em me oferecer marshmallows e batatas fritas. Os dois homens ficaram olhando seu pai, aquele europeu frágil, friorento, ainda moço mas de ar doentio, vestindo um paletó de veludo e colete bege, quem sabe um visconde.

Pelo jeito pensaram que eu tinha vindo para ficar, e Dick, a testa franzida denotando um grande esforço mental, sugeriu que Dolly e ele podiam dormir na cozinha, havia um colchão de sobra. Fiz um gesto ligeiro com a mão e disse a Dolly, que transmitiu a mensagem a Dick por meio de uns gritos especiais, que só estava de passagem, a caminho de Readsburg, onde me esperava um grupo de amigos e admiradores. Verificou-se então que o único polegar que restava a Bill estava sangrando (afinal de contas, não comprovara ser o maneta mais habilidoso do mundo). Como era feminina — e insólita para mim — aquela fenda ensombrecida entre seus pálidos seios quando ela se curvou sobre a mão dele! Levou-o para fazer um curativo na cozinha. Durante alguns minutos, três ou quatro pequenas eternidades positivamente transbordantes de cordialidade artificial, Dick e eu ficamos a sós. Ele, sentado numa cadeira de assento duro, esfregando as patas dianteiras e franzindo as sobrancelhas. Senti uma vaga vontade de espremer, com minhas longas garras de ágata, os cravos que brotavam nas asas de seu nariz reluzente de suor. Ele tinha belos olhos tristes, com longos cílios, e dentes muito brancos. Seu pomo-de-adão era grande e coberto de pêlos. Por que eles não aprendem a se barbear, esses jovens parrudões? Ele e sua Dolly haviam copulado vigorosamente ali, naquele sofá, pelo menos umas cento e oitenta vezes, provavelmente muito mais; e antes... quanto tempo fazia que se conheciam? Nenhum ressentimento. Gozado, nem um pingo de ciúmes dele, só sentia tristeza e náusea. Ele agora estava coçando o nariz. Tinha a certeza de que, quando finalmente abrisse a boca, ele diria (sacudindo de leve a cabeça): "Olha, doutor Haze, ela é uma garota legal. No duro. E vai ser uma mãezinha legal". Abriu a boca — e tomou um gole de cerveja. Mais seguro de si, continuou a beber até ficar com a boca cheia de espuma. Era mesmo um anjo. Havia abrigado em suas mãos os seios florentinos de Dolly. As unhas eram negras e rachadas, mas as falanges, todo o carpo, o pulso forte e bem torneado eram mais bonitos, muito mais bonitos que os meus: com minhas pobres mãos disformes, já feri em demasia um número grande demais de corpos para que delas possa me orgulhar. Nomes franceses, nós dos dedos dignos de um camponês de Dorset, as pontas chatas como as de um alfaiate austríaco — eis aí Humbert Humbert.

Bom. Se ele continuava calado, eu também podia ficar calado. Na verdade, eu bem que precisava descansar um pouco naquela submissa e aterrorizada cadeira de balanço antes de seguir viagem rumo ao covil da fera, onde quer que ficasse — antes de puxar para trás o prepúcio da pistola e saborear o orgasmo do gatilho ao ser apertado: sempre fui um humilde e fiel seguidor do curandeiro vienense. Mas logo depois fiquei com pena do pobre Dick, a quem, de alguma forma hipnótica, eu estava cruelmente impedindo de formular o único comentário que lhe vinha à cabeça ("Ela é uma garota legal...").

"Então", disse eu, "vocês vão para o Canadá?"

Na cozinha, Dolly estava rindo de alguma coisa que Bill havia dito ou feito.

"Então", gritei, "vocês vão para o Canadá? Canadá, não", regritei, "quer dizer, para o Alasca, não é mesmo?"

Ele acariciou o copo e, acenando gravemente com a cabeça, respondeu: "É, acho que ele se cortou numa lasca de madeira. Perdeu o braço direito na Itália".

Lindas amendoeiras em flor. Um braço surrealista pendurado lá em cima, em meio às pinceladas cor de malva em estilo pontilhista. Uma vendedora de flores tatuada na mão. Dolly e Bill (com um esparadrapo no dedo) reapareceram. Ocorreu-me que sua beleza ambígua, morena e pálida, excitava o aleijado. Dick levantou-se, com uma careta de alívio. Achava que já era hora de Bill e ele voltarem para consertar aqueles fios. Achava que o dr. Haze e Dolly tinham uma porção de coisas para conversar. Achava que ainda me veria antes de eu ir embora. Por que será que esse tipo de gente acha tanto e se barbeia tão pouco, além de desprezar os aparelhos para surdez?

"Senta aí", ela disse, batendo audivelmente com as mãos nas cadeiras. Deixei-me cair de novo na negra cadeira de balanço.

"Quer dizer que você me traiu, não é? Para onde vocês foram? Onde é que ele está agora?"

Ela pegou de cima da lareira uma fotografia côncava e lustrosa. Uma velha vestida de branco, gorducha, risonha, de pernas arqueadas, saias curtas demais; um velho em mangas de camisa, bigode caindo pelos lados da boca, corrente de relógio. Seus sogros. Viviam com a família do irmão de Dick em Juneau.

"Tem certeza que você não quer um cigarro?"

Ela estava fumando. Era a primeira vez que a via fumar. *Streng verboten* durante o reinado de Humbert, o Terrível. Graciosamente, em meio a uma névoa azul, Charlotte Haze levantou-se do túmulo. Eu o encontraria por intermédio do titio Ivory se Dolly se recusasse a me dizer onde ele estava.

"Trair você? De jeito nenhum." Ela apontou o dardo de seu cigarro em direção à lareira, batendo de leve com o dedo indicador para soltar a cinza, exatamente como sua mãe e — ah, meu Deus — raspou com a unha o lábio inferior para remover um fragmento de papel. Não. Ela não me havia traído. Eu estava entre amigos. Edusa a advertira de que o Quil gostava de menininhas, de fato (belo fato!) uma vez quase havia ido parar na cadeia por causa disso, e ele sabia que ela sabia. Sim... Cotovelo sobre a palma da mão, baforada, sorriso, fumaça exalada, lançamento de dardo. Um borbotão de reminiscências. É (sorrindo), ele enxergava através da gente e das coisas, porque não era como eu e ela, e sim um gênio. Um sujeito formidável. Tão divertido! Tinha morrido de rir quando ela confessou o que nós fazíamos, disse que já desconfiava de tudo. Dadas as circunstâncias, não havia nenhum perigo em lhe contar...

Muito bem, Quil... todo mundo o chamava de Quil...

Parecido com o nome de seu acampamento de férias, havia cinco anos. Curiosa coincidência... Levou-a para uma dessas fazendas onde os ricos fazem de conta que são caubóis, a mais ou menos um dia de viagem de Elefante (Elphinstone). Como se chamava? Ah, um nome boboca, Rancho Fuque-Fuque, um troço assim bem ridículo, mas não tinha a menor importância, porque a casa desaparecera, se desintegrara. Sem brincadeira, eu não podia imaginar o luxo incrível do lugar, tinha de tudo, mas tudo mesmo, até uma cachoeira coberta. Será que eu me lembrava daquele sujeito ruivo com quem nós (o "nós" era uma graça) tínhamos jogado tênis um dia? Pois bem, a fazenda na verdade pertencia ao irmão dele, que a havia emprestado para o Quil durante todo o verão. Quando chegaram lá, os outros haviam organizado uma cerimônia de coroação para eles, e depois os tinham jogado dentro d'água, como quando a gente atravessa o equador. "Você *sabe* o que estou dizendo, não é?"

Ergueu os olhos para os céus, num sumário de resignação.

"Continua, por favor."

Bem. A idéia é que ele ia levá-la em setembro para fazer um teste em Hollywood, tentando ver se ela conseguia um papel na partida de tênis do filme *A vontade de vencer*, baseado numa peça dele. Talvez ela até pudesse servir de dublê para uma das sensacionais estrelas sob os refletores da quadra de tênis. Mas nada disso tinha acontecido.

"E agora, onde é que anda esse safado?"

Não era nenhum safado. Sob muitos aspectos era um grande sujeito. Mas vivia tomando álcool e drogas. E, naturalmente, era um tarado completo em matéria de sexo, seus amigos serviam de escravos para ele. Eu simplesmente não podia imaginar (eu, Humbert, não podia imaginar!) as coisas que eles faziam no Rancho Fuque-Fuque. Ela havia se recusado a participar porque o amava, e então foi posta no olho da rua.

"Que coisas?"

"Ah, uns troços estranhos, sujos, esquisitos. Quer dizer, tinha duas meninas lá, dois rapazes e uns três ou quatro homens, e a idéia era que nós ficássemos nus, todo mundo embolado, enquanto uma velha filmava a cena." (A Justine de Sade tinha doze anos quando começou.)

"Que coisas, exatamente?"

"Ah, uma porção de coisas... Ah, eu... olha, para dizer a verdade, eu...", ela pronunciou o "eu" como um lamento abafado, enquanto prestava atenção na fonte da dor, e na falta de palavras ficou sacudindo a mão para cima e para baixo, os dedos espraiados. Não, desistiu, recusou-se a entrar em pormenores com aquele bebê no ventre.

O que era bem compreensível.

"Isso agora não tem a menor importância", ela disse, amaciando com o punho cerrado uma almofada e se deitando no sofá de barriga para cima. "Coisas malucas, coisas sujas. Eu disse que não, que de jeito nenhum ia [e então ela usou, de fato com a maior naturalidade, um termo de gíria que, traduzido literalmente para o francês, significa *souffler*] aqueles garotos nojentos, porque eu só gostava dele. Aí ele me mandou embora."

Não havia muito mais a contar. Naquele inverno de 1949, Fay e ela tinham arranjado uns bicos. Durante quase dois anos, ela havia... ah, andado de um lado para o outro, trabalhando em restaurantes de cidades pequenas, até encontrar o Dick. Não, ela não sabia onde estava o outro. Talvez em Nova York. Naturalmente, era tão famoso que ela o teria encontrado num instante se quisesse. Fay havia tentado voltar para o rancho, mas não existia mais nada lá, a casa tinha pegado fogo de cima a baixo, não sobrara *nada*, só um monte de coisas carbonizadas. Era tão *estranho*, tão *estranho*...

Ela fechou os olhos e abriu a boca, recostando-se na almofada, um pé no chinelo de feltro sobre o chão. O assoalho era tão inclinado que uma bilha de aço, colocada na sala, rolaria até a cozinha. Eu já sabia tudo o que queria saber. Não tencionava de modo algum torturar minha querida. De trás do barraco de Bill, o rádio de alguém que voltara do trabalho levou até nós uma música que falava de loucura e destino, e lá estava ela com sua beleza destroçada, as veias saltadas nas mãos estreitas de adulta, a pele arrepiada nos braços brancos, as orelhas sem viço, as axilas descuidadas, lá estava ela (minha Lolita!) irremediavelmente gasta aos dezessete anos, com aquela criança que dentro de seu ventre já sonhava em ser um sujeito importante e se aposentar no ano 2020 — e fiquei olhando para ela, sabendo, tão lucidamente como sei que vou morrer um dia, que eu a amava mais do que tudo o que jamais vi ou imaginei neste mundo, ou que possa esperar em qualquer outro. Ela era apenas um traço fugaz de perfume, o eco de uma folha morta, quando comparada à ninfeta sobre a qual eu rolara outrora gemendo de prazer; um eco à beira de uma ravina acobreada, com uma floresta longínqua sob o céu lívido, folhas marrons sufocando o riacho, um derradeiro grilo nas ervas ressequidas... mas, graças a Deus, não era apenas esse eco que eu venerava. Aquilo que eu costumava acariciar entre as vinhas emaranhadas de meu coração, *mon grand péché radieux*, estava reduzido a sua essência: todo o resto, o vício estéril e egoísta, fora abolido, amaldiçoado. Podem zombar de mim, ameaçar de evacuar o tribunal, mas até que eu seja amordaçado e semi-asfixiado continuarei a proclamar aos brados minha pobre verdade. Insisto em que o mundo saiba o quanto amei minha Lolita, *esta* Lolita, pálida e poluída, carregando o filho de outro homem, mas ainda com os mesmos olhos cinzentos, os mesmos cílios cor de fuligem, os mesmos tons de castanho e amêndoa, a mesma Carmencita, ainda e sempre minha! *Changeons de vie, ma Carmen, allons vivre quelque part où nous ne serons jamais séparés.* Ohio? Os ermos de Massachusetts? Não importa, mesmo que teus olhos fiquem embaciados como os de um peixe míope, mesmo que teus mamilos inchem e se rachem, mesmo que se macule e se rasgue teu jovem e adorável delta, tão delicadamente aveludado... mesmo então eu enlouqueceria de ternura à simples vista de teu rosto amado e lúrido, ao simples som de tua voz rouquenha, minha Lolita.

"Lolita, isso talvez não tenha o menor cabimento, mas tenho que te dizer. A vida é muito curta. Daqui até o carro que você conhece tão bem são vinte, vinte e cinco passos. Uma caminhada à-toa. Trata de dar esses vinte e cinco passos. Agora. Agora mesmo. Vem assim como você está. E nós vamos viver felizes para sempre."

Carmen, voulez-vous venir avec moi?

"O quê?", ela disse, abrindo os olhos e erguendo ligeiramente o corpo, a cobra que se apronta para dar o bote. "Quer dizer que você só vai dar aquele dinheiro para nós [para nós!] se eu for com você a um motel? É *isso* que você quer dizer?"

"Não", respondi, "você entendeu tudo errado. Eu quero que você deixe esse teu Dick acidental, este buraco pavoroso, e venha viver comigo, e morrer comigo, e tudo comigo" (não foram essas as palavras exatas).

"Você ficou maluco", ela disse, o rosto contraído.

"Pensa bem, Lolita. Não estou impondo nenhuma condição. Exceto, talvez... bom, não importa." (Queria dizer "uma suspensão da pena", mas calei-me.) "De qualquer maneira, mesmo que você recuse, vai receber teu... *trousseau.*"

"Sem brincadeira?", indagou Dolly.

Passei-lhe um envelope com quatrocentos dólares em dinheiro, além de um cheque de três mil e seiscentos dólares.

Vagarosamente, ainda ressabiada, ela recebeu *mon petit cadeau*, e então sua testa coloriu-se de um rosa encantador. "Quer dizer", ela perguntou com angustiada ênfase, "que você está dando para nós *quatro mil dólares*?" Cobri o rosto com as mãos e derramei as lágrimas mais quentes de toda a minha vida. Senti-as escorrendo por entre meus dedos, descendo pelo queixo, queimando a pele, o nariz entupido, sem conseguir controlar-me — e então ela tocou no meu pulso.

"Eu vou morrer se você tocar em mim. Tem certeza que não vem comigo? Não há nenhuma esperança de que possa vir? Só me diz isso."

"Não", ela respondeu. "Não, meu querido. Não."

Ela nunca havia me chamado de querido.

"Não", repetiu, "não há a menor chance disso. Eu preferia voltar para o Quil. Quer dizer..."

Lutou para encontrar as palavras, que eu forneci mentalmente ("*Ele* partiu meu coração. *Você* apenas destruiu minha vida").

"Acho", ela prosseguiu, "epa!" (o envelope escorregou do sofá e foi apanhado rapidamente), "acho que foi muito bonito da tua parte, muito bonito *mesmo*, dar para nós toda essa grana. Resolve tudo, podemos ir embora na semana que vem. Pára de chorar, por favor.

Você precisa entender. Deixa eu pegar outra cerveja para você. Ah, não chora, eu me arrependo de haver enganado você tanto, mas a vida é assim mesmo."

Enxuguei o rosto e os dedos. Ela sorriu para o *cadeau*. Estava exultante. Queria chamar o Dick. Eu disse que tinha de sair dentro de um minuto e que não queria vê-lo, de jeito nenhum. Tentamos encontrar um assunto de conversa. Por alguma razão, eu continuava a ver — a imagem tremia e cintilava sedosamente em minha úmida retina — uma criança radiosa de doze anos, sentada à soleira de uma porta, atirando pedrinhas — ping! ping! — numa lata vazia. À cata de uma observação casual, quase disse: "Às vezes fico curioso de saber o que aconteceu com a filha dos McCoo, será que ela ficou boa?" — mas parei a tempo, temeroso de que ela pudesse retrucar: "Às vezes fico curiosa de saber o que aconteceu com a filha da Charlotte Haze...". Finalmente, retornei às questões financeiras. Aquele valor, expliquei, representava mais ou menos a renda líquida do aluguel da casa de sua mãe. "Mas a casa já não tinha sido vendida?" Não (admito que havia dito isso a ela para cortar todas as relações com Ramsdale); um advogado lhe enviaria proximamente um relatório sobre a situação financeira, que era rósea: algumas das modestas ações de sua mãe tinham se valorizado muito. Sim, eu tinha mesmo de ir embora. Tinha de ir, para encontrá-lo e destruí-lo.

Como não teria sobrevivido ao toque de seus lábios, fui recuando a cada passo que ela e sua barriga deram em minha direção, num esmerado minueto.

Ela e o cachorro levaram-me até o carro. Fiquei surpreso (trata-se apenas de uma figura de retórica, não fiquei nem um pouco surpreso) com o fato de que a visão do velho sedã, em que ela havia viajado como criança e ninfeta, a deixasse tão indiferente. Limitou-se a observar que o azul estava ficando avermelhado de velhice. Disse que o carro era dela, que poderia ir de ônibus. Ela me disse para não ser bobo, eles iriam de avião para Júpiter (ou era Juneau?), onde comprariam um carro. Ofereci-me para comprar aquele por quinhentos dólares.

"Desse jeito, vamos acabar virando milionários", ela disse ao jubilante cachorro.

Carmencita, lui demandais-je... "Uma última palavra", disse eu com meu estilo horrivelmente empolado. "Você tem certeza, absoluta certeza, de que... não amanhã, evidentemente, nem depois de amanhã, mas... você sabe, algum dia, sei lá quando, você não gostaria de ir viver comigo? Vou criar um Deus novinho em folha e me prostrarei diante dele em ação de graças se você me der essa microscópica esperança" (mais uma vez, não foram bem essas as palavras).

"Não", ela disse, sorrindo, "não."

"Isso faria toda a diferença", disse Humbert Humbert.

Puxei então minha automática... quer dizer, esse é o tipo de bobagem que alguns leitores poderiam imaginar que eu fizesse. Isso jamais passou pela minha cabeça.

"Tchau!", ela cantou, meu doce amor americano, minha amada imortal, minha amada morta. Porque, se você está lendo isto, ela está morta e tornou-se imortal, segundo o acordo que fiz com as chamadas autoridades.

No momento em que arranquei, ouvi que ela chamava seu Dick com um grito vibrante; o cachorro começou a correr e saltitar ao lado do carro, como um gordo golfinho, mas, velho e pesado, logo desistiu.

E me encontrei só, dirigindo através da garoa do dia que agonizava, com os limpadores de pára-brisa em plena ação, embora incapazes de lidar com minhas lágrimas.

30

Partindo de Coalmont por volta das quatro da tarde (pela estrada X, não me lembro do número), poderia ter chegado a Ramsdale ao nascer do sol caso não houvesse sido tentado por um atalho. Tinha que tomar a estrada Y. Meu mapa mostrava muito solicitamente que logo depois de passar por Woodbine, onde cheguei ao anoitecer, podia abandonar a asfaltada X e alcançar a também asfaltada Y através de uma transversal de terra batida. Ainda segundo o mapa, eram só uns sessenta quilômetros. Caso contrário, teria que rodar mais cento e sessenta quilômetros pela X e então percorrer os preguiçosos meandros da Z, até atingir a Y e meu destino. No entanto, o tal atalho foi ficando cada vez pior, cada vez mais esburacado, cada vez mais lamacento, e, quando tentei fazer meia-volta após uns vinte quilômetros de progresso tortuoso, digno de uma tartaruga míope, meu velho e combalido Melmoth atolou de vez. Tudo era escuridão, umidade, desesperança. Os faróis pairavam sobre um largo fosso cheio d'água. O campo a meu redor, se é que existia, não passava de um negro deserto. Procurei escapar, mas as rodas traseiras simplesmente giravam na lama, gemendo de angústia. Amaldiçoando o atalho, tirei minhas roupas finas, vesti umas calças de brim, enfiei a suéter perfurada de balas e patinhei de volta ao longo de seis quilômetros até encontrar uma fazenda à beira da estrada. No meio do caminho começou de novo a chover, mas não tive forças para voltar e apanhar minha capa impermeável. Incidentes desse tipo me convenceram de que não tenho nada de grave no coração, apesar do que dizem ultimamente alguns diagnósticos. Por volta da meia-noite, um reboque tirou o carro do atoleiro. Naveguei de volta à estrada X e segui viagem. Uma hora depois, ao entrar numa cidadezinha anônima, fui tomado de um cansaço irresistível. Encostei junto ao meio-fio e, sob o manto das trevas, tomei um gole longo de meu frasco amigo.

A chuva fora banida muitos quilômetros antes. Era uma noite escura e quente, em algum lugar da Apaláchia. Vez por outra, um carro passava por mim, luzes vermelhas se afastando, faróis brancos avançando, mas a cidade parecia morta. Ninguém passeava rindo pelas calçadas, como o fazem, em seus momentos de lazer, os aldeões da doce, madura e putrescente Europa. Eu estava só para desfrutar da noite inocente e de meus terríveis pensamentos. Um receptáculo de arame junto ao meio-fio era muito exigente na escolha de seu conteúdo: "Folhas, Gravetos e Papéis"; "É Proibido Lixo". Letras luminosas, cor de cereja, assinalavam uma loja de aparelhos fotográficos. Um imenso termômetro, encimado pelo nome de conhecido laxativo, repousava tranqüilamente na frente de uma farmácia. A vitrine da Joalheria Rubinov exibia diamantes artificiais lindamente refletidos num espelho vermelho. Um relógio iluminado de verde boiava nas alvas profundezas da Lavanderia Jiffy Jeff. Do outro lado da rua, uma garagem balbuciava em pleno sono: lubricidade genuflexa, corrigindo-se logo depois para Lubrificação Gulflex. Um avião, também adornado de rubis por nosso amigo Rubinov, passou zumbindo no céu aveludado. Quantas dessas cidadezinhas adormecidas eu já não tinha visto! E aquela não seria a última.

Deixem que eu me divirta um pouco, ele já está praticamente liquidado. Mais abaixo, na calçada oposta, luzes de néon piscavam num ritmo duas vezes mais lento que o de meu coração: o contorno de um grande bule de café, anunciando um restaurante, nascia a cada segundo numa explosão verde-esmeralda; ao morrer, era substituído por letras cor-de-rosa que diziam: "Especialidades Gastronômicas", mas o bule ainda permanecia visível como uma sombra latente, provocando o olhar até sua próxima ressurreição esmeraldina. Fizemos teatro de sombras. Esse furtivo burgo não ficava longe dos Caçadores Encantados. Comecei de novo a chorar, bêbado de um passado impossível.

<h1 style="text-align:center">31</h1>

Naquela solitária parada de recuperação entre Coalmont e Ramsdale (entre a inocente Dolly Schiller e o jovial tio Ivor), passei meu caso em revista. Pude então ver-me, a mim e a meu amor, com a mais absoluta clareza e simplicidade. Todos os esforços similares que fizera no passado pareciam, em comparação, fora de foco. Dois anos antes, com a ajuda de um inteligente confessor de língua francesa (a quem, num momento de curiosidade metafísica, eu havia submetido um opaco ateísmo protestante em troca de uma cura papista à moda antiga), ainda tivera a esperança de deduzir de meu senso de pecado a existência de um Ser Supremo. Naquelas manhãs frígidas em que a geada engalanava as ruas de Quebec, o bom padre vertia sobre mim toda a sua ternura e compreensão. Sou-lhe infinitamente grato, assim como à grande instituição que ele representava. Mas eu era incapaz de transcender o simples fato humano de que, fosse qual fosse o consolo espiritual que pudesse obter, fossem quais fossem as eternidades litofânicas que me esperavam no Além, nada poderia fazer minha Lolita esquecer a imunda lascívia que eu lhe infligira. A menos que me seja provado — a mim como sou agora, hoje, com meu coração, minha barba e minha podridão — que nas dobras infinitas do tempo de nada importa que uma menina americana chamada Dolores Haze tenha sido privada de sua infância por um maníaco, a menos que isso possa ser provado (e, se puder, então a vida é uma piada), não vejo nenhuma cura para minha desgraça senão o paliativo melancólico, e de efeito muito local, da arte articulada. Como diz um velho poeta: "Este senso moral dos mortais é o tributo/ A pagar pelo senso da mortal beleza".

<h1 style="text-align:center">32</h1>

Houve um dia, durante nossa primeira viagem (o primeiro círculo de nosso paraíso), em que, a fim de desfrutar em paz minhas fantasias, decidi firmemente ignorar o que de outro modo não podia deixar de perceber: o fato de que eu não era para ela um namorado, nem um homem sedutor, nem um amigo e nem sequer um ser humano, mas apenas dois olhos e um palmo de músculo intumescido — para mencionar apenas o que pode ser mencionado. E houve um dia em que, tendo voltado atrás da promessa utilitária que lhe fizera na véspera (o que quer que houvesse atraído seu coraçãozinho curioso — um rinque de patinação com um piso especial de matéria plástica ou uma matinê de cinema a que desejava ir sozinha), vi por acaso do banheiro, graças à combinação fortuita de um espelho enviesado e de uma porta entreaberta, uma expressão em seu rosto... algo que não consigo descrever com precisão... uma expressão tão absolutamente perplexa que parecia beirar a inanidade: ela havia atingido o próprio limite da injustiça e da frustração — e, como todo limite pressupõe a existência de algo além, daí aquele semblante de parva contemplação. Quando se leva em conta que aquelas sobrancelhas erguidas e aquela boca aberta pertenciam a uma criança, pode-se melhor apreciar que profundezas de calculada carnalidade e que desespero refletido me impediam de cair a seus pés amados, dissolvendo-me em lágrimas humanas, sacrificando meus ciúmes a quaisquer prazeres que Lolita esperasse fruir do contato com as crianças sujas e perigosas do mundo lá de fora, para ela tão real.

E guardo ainda outras lembranças sufocadas, que agora afloram como monstrengos de dor. Certa tarde, em Beardsley, quando um fim de rua se perdia no sol poente, ela se voltou para Eva Rosen (eu estava levando as duas ninfetas a um concerto e caminhava atrás delas, tão perto que meu corpo quase as tocava) e, tendo sua amiguinha dito que era melhor morrer a ouvir o Milton Pinski (um colegial do bairro) falar de música, minha Lolita, num tom curiosamente grave e sereno, comentou: "Você sabe, o mais horrível quando se morre é que a gente está totalmente sozinha".

E então compreendi, enquanto meus joelhos de autômato subiam e baixavam, que eu desconhecia por completo o que se passava na mente de minha menina e que muito possivelmente, por trás daqueles atrozes lugares-comuns típicos da juventude, havia dentro dela um jardim e um crepúsculo, o portão de um palácio — regiões nebulosas e adoráveis cujo acesso me era lúcida e terminantemente vedado, com meus andrajos poluídos e minhas miseráveis convulsões; freqüentemente percebia que, vivendo como vivíamos, ela e eu, num mundo totalmente pecaminoso, ficávamos estranhamente constrangidos quando eu tentava conversar sobre algum assunto que ela e uma amiga mais velha, ela e um pai ou uma mãe, ela e um namorado de verdade, eu e Annabel, Lolita e um sublime Harold Haze (purificado, analisado e deificado), teriam discutido com toda a naturalidade — uma idéia abstrata, um quadro, o mosqueado Hopkins ou o tosquiado Baudelaire, Deus ou Shakespeare, qualquer coisa genuína. Nem pensar! Ela tratava logo de proteger sua vulnerabilidade com uma couraça de enfado e insolência vulgar, enquanto eu, desfiando meus comentários desesperadamente impessoais num tom de voz tão artificial que causava engulhos em mim mesmo, provocava em minha interlocutora tais explosões de grosseria que era impossível prosseguir com a conversa. Ah, minha pobre e castigada criança!

Eu te amei. Era um monstruoso pentápode, mas como te amava. Era desprezível, brutal, torpe — tudo isso e muito mais, *mais je t'aimais, je t'aimais*! E houve momentos em que sabia como você se sentia, e era um inferno sabê-lo, minha menina querida. Minha pequena Lolita, minha corajosa Dolly Schiller!

Lembro certas ocasiões (icebergs no paraíso), em que, saciado dela — após fabulosas e dementes investidas que me deixavam exausto, o corpo listrado de azul na luz que penetrava pelas persianas do motel —, eu a tomava nos braços com (enfim) um mudo gemido de ternura humana (sua pele brilhando com reflexos de néon, seus cílios cor de fuligem emaranhados, seus olhos sérios e cinzentos mais vazios do que nunca — para todos os efeitos uma pequena paciente recém-saída da sala de operação, atordoada ainda pela anestesia); e a ternura, penetrando mais fundo, transformava-se em vergonha e desespero, e eu embalava a leve e longínqua Lolita nos meus braços de mármore, e gemia nos seus cálidos cabelos, e a acariciava a esmo implorando mudamente seu perdão e, no auge dessa onda de ternura tão humana, tão sofrida e abnegada (com minha alma literalmente pairando sobre seu corpo nu, prestes a arrepender-se), de repente, ironicamente, horrivelmente, o desejo voltava a crescer — e "ah, *não*", diria Lolita com um suspiro dirigido aos céus, e no instante seguinte a ternura e as listras azuis se partiam em mil pedaços.

As idéias prevalecentes em meados deste século acerca da relação entre pais e filhos foram bastante contaminadas pelas arengas escolásticas e pelos símbolos padronizados dos mercadores da psicanálise, mas espero que meus leitores sejam pessoas de espírito aberto. Certo dia, quando o pai de Avis buzinou da rua a fim de avisar à filhinha que estava na hora de voltar para casa, senti-me obrigado a convidá-lo a entrar; sentamo-nos na sala de visitas por uns minutos e, enquanto conversávamos, Avis (uma criança afetuosa, mas gorducha e sem graça) grudou-se nele e logo empoleirou-se pesadamente sobre seu joelho. Ora, não me lembro se já mencionei que Lolita sempre agraciava os estranhos com um sorriso absolutamente encantador — um suave e aveludado semicerrar dos olhos, uma doce e sonhadora fulgurância em cada traço do rosto —, um sorriso que por certo não significava nada, mas era tão bonito, tão sedutor, que se tornava difícil explicá-lo apenas como o efeito de um gene mágico que automaticamente lhe iluminava o semblante no resquício atávico de algum remoto ritual de boas-vindas. Prostituição hospitaleira, dirão os leitores mais rudes... Bem, lá estava ela, enquanto o sr. Byrd girava o chapéu e falava, e — ah, vejam que estupidez a minha, deixei de mencionar a principal característica do famoso sorriso de Lolita: o terno e nectáreo fulgor cravejado de covinhas jamais era dirigido ao estranho que porventura estivesse na sala, mas na verdade flutuava, se assim posso dizer, no centro florido e longínquo de sua própria vacuidade, ou vagava com míope brandura por sobre os objetos circundantes. E era isso que estava acontecendo naquele momento: enquanto a obesa Avis se dependurava no pai, Lolita sorria docemente para uma faca de cortar frutas equilibrada na borda da mesa contra a qual se apoiava, a quilômetros de distância de mim. Avis então enroscou-se no pescoço do pai, enquanto ele envolvia seu volumoso e disforme rebento num abraço casual, e de repente reparei que o sorriso de Lolita perdera todo o brilho, transformando-se numa gélida e diminuta sombra de si mesmo. Nesse instante, a faca escorregou da mesa e seu cabo de prata atingiu-lhe por acaso o tornozelo, fazendo com que ela abrisse a boca com um ar de espanto e se abaixasse, atirando a cabeça para a frente; depois, pulando num pé só, o rosto contorcido na careta preparatória que fazem as crianças até jorrarem as lágrimas, disparou para a cozinha — logo seguida e consolada por Avis, que tinha um papai tão gordo, rosado e carinhoso, e um irmãozinho rechonchudo, e uma irmãzinha recém-nascida, e um lar, e dois cachorros saltitantes, enquanto Lolita não tinha nada. Essa cena faz par com outra, também ocorrida em Beardsley. Lolita, que estava lendo junto à lareira, espreguiçou-se toda e, com o cotovelo ainda no ar, perguntou numa espécie de resmungo: "Afinal de contas, onde é que ela está enterrada?".

"Quem?" "Ah, você sabe, minha mãe que foi assassinada." "Você sabe muito bem onde fica a sepultura dela", respondi, controlando-me e dizendo o nome do cemitério — nas cercanias de Ramsdale, entre os trilhos da estrada de ferro e o morro Lakeview. "Seja como for", acrescentei, "a tragédia daquele acidente fica aviltada pelo epíteto que você usou para descrevê-lo. Se você de fato quiser que tua mente triunfe sobre a idéia da morte..." "Uma salva de palmas", interrompeu Lô, saindo da sala com um andar lânguido. Durante algum tempo, com os olhos ardendo, fiquei contemplando o fogo. Depois apanhei seu livro. Era uma dessas porcarias feitas para consumo de adolescentes. Tinha uma menina triste, chamada Marion, e sua madrasta, que, contrariando todas as expectativas, revelou-se uma jovem ruiva, alegre e compreensiva, que explicou a Marion que sua falecida mãe realmente havia sido uma mulher heróica, pois dissimulara deliberadamente seu grande amor pela filha porque estava morrendo e não desejava que Marion sentisse sua perda. Não subi correndo aos prantos para o quarto de Lô. Sempre preferi a higiene mental da não-interferência. Agora, contorcendo-me de dor e deblaterando contra minha própria memória, reconheço que naquela ocasião, como em outras semelhantes, eu sistematicamente cuidava de ignorar os sentimentos de Lolita apenas para aliviar minha vil consciência. Quando, sob as nuvens revoltas, em seu vestido lívido e encharcado, minha mãe subira arquejante (assim eu a imaginava vividamente) aquele morro que se erguia sobre Moulinet para ali ser atingida por um raio, eu era muito pequeno e, em retrospecto, jamais pude enxertar qualquer sentimento tradicional de saudade em nenhum momento de minha infância, por mais selvagemente que os psicoterapeutas hajam me bombardeado com perguntas durante meus períodos posteriores de depressão. Admito, porém, que um homem com meu poder de imaginação não tem o direito de invocar um desconhecimento pessoal das emoções universais. Talvez eu também tenha tirado proveito em excesso das relações anormalmente frias entre Charlotte e sua filha. Mas o ponto terrível a que eu quero chegar é o seguinte: pouco a pouco, durante nossa singular e animalesca coabitação, a mente convencional de Lolita foi se dando conta de que até mesmo a mais miserável das vidas em família era preferível àquela paródia de incesto — que, afinal de contas, era o que eu tinha de melhor a oferecer à pobre criança, abandonada.

33

Ramsdale revisitada. Abordei-a pelo lado do lago. O céu ensolarado do meio-dia era todo olhos. Enquanto seguia no meu carro salpicado de lama, podia entrever cintilações de diamante entre os pinheiros distantes. Parei no cemitério e caminhei entre lápides e jazigos de todos os tamanhos. *Bondjur*, Charlotte. Sobre algumas das sepulturas havia pequenas bandeiras nacionais, pálidas e transparentes, imóveis no ar parado sob os ramos dos ciprestes. Poxa, Ed, isso é que é azar — referindo-me a G. Edward Grammar, um nova-iorquino de trinta e cinco anos, gerente de empresa, que acabara de ser acusado da morte de sua esposa Dorothy, de trinta e três anos. Almejando cometer o crime perfeito, Ed havia matado a mulher com algumas pancadas na cabeça e pusera o corpo ao volante do imenso Chrysler azul, reluzente de novo, que dera à sra. Grammar como presente de aniversário. A coisa desandara quando dois guardas rodoviários viram o carro descendo uma colina em louca disparada dentro da sua jurisdição (Deus abençoe nossos competentes policiais!). O Chrysler raspou num poste e, subindo um barranco coberto de capim, morangos silvestres e potentilhas, finalmente capotou. As rodas ainda estavam girando mansamente à luz macia do sol quando os patrulheiros removeram o corpo da sra. G. Parecia de início ser um acidente de estrada corriqueiro. Infelizmente, porém, o crânio amassado da mulher não se coadunava com os pequenos estragos sofridos pelo carro. Eu me saí melhor.

Retomei o caminho. Foi engraçado rever a esguia igreja branca e os enormes olmos. Esquecendo-me de que numa rua de subúrbio americana um pedestre solitário é mais conspícuo do que um motorista solitário, deixei o carro na avenida para caminhar sem ser notado em frente ao número 342 da rua do Gramado. Antes da grande carnificina, bem que merecia um momento de alívio, um espasmo catártico de regurgitação mental. As venezianas brancas da mansão do Ferro-Velho estavam fechadas e no letreiro branco que anunciava: "À venda", inclinado em direção à rua, alguém pendurara uma fita de veludo preto achada na calçada. Nenhum cachorro latia. Nenhum jardineiro telefonava. Nenhuma senhora inválida estava sentada na varanda coberta de trepadeiras — onde, para desagrado do pedestre solitário, duas moças com idênticos rabos-de-cavalo e aventais de bolinhas interromperam o que quer que estivessem fazendo para olhá-lo fixamente: a velha havia muito morrera, sem dúvida, e aquelas deviam ser suas sobrinhas gêmeas da Filadélfia.

Será que eu deveria entrar em minha velha casa? Como num conto de Turgueniev, uma torrente de música italiana veio de uma janela aberta — a da sala de visitas: que alma romântica estaria tocando piano ali onde nenhum piano havia mergulhado e espadanado naquele mágico domingo em que o sol brincara sobre suas pernas adoradas? De repente notei que, do gramado que eu outrora havia aparado, uma ninfeta de nove ou dez anos — pele dourada, cabelos castanhos e shorts brancos — olhava para mim, absolutamente fascinada, com seus grandes olhos azul-escuros. Disse-lhe alguma coisa simpática, sem a menor maldade, algum elogio à européia, que olhos bonitos você tem, mas ela bateu em retirada, a música cessou abruptamente e um homem moreno, de semblante violento, brilhando de suor, surgiu na porta e me encarou. Estava a ponto de identificar-me quando, com um sobressalto de vergonha pesadelesca, tomei consciência de minhas calças grosseiras e enlameadas, de minha suéter suja e rasgada, de meu queixo por barbear, de meus olhos injetados de sangue como os de um vagabundo. Sem dizer uma única palavra, dei meia-volta e caminhei pesadamente em direção à avenida. Uma flor anêmica erguia-se numa fenda memorável da calçada. Calmamente ressuscitada, a vizinha da frente, na sua cadeira de rodas, estava sendo empurrada para fora pelas duas sobrinhas, como se a varanda fosse um camarote de teatro e eu o ator principal. Rezando para que ela não me chamasse, apressei o passo rumo ao carro. Como era íngreme a ruazinha! Como era arborizada a avenida! Um talão de multa vermelho havia sido posto sob o limpador do pára-brisa; rasguei-o cuidadosamente em dois, quatro, oito pedaços.

Sentindo que estava perdendo meu tempo, parti célere para o hotel no centro da cidade ao qual chegara com uma mala nova havia mais de cinco anos. Ocupei um quarto, marquei dois compromissos pelo telefone, fiz a barba, banhei-me, vesti um terno preto e desci para tomar um drinque no bar. Nada mudara. A sala estava envolta naquela mesma luz baça, de um vermelho impossível, que na Europa caracteriza os piores antros mas que nos Estados Unidos supostamente empresta uma certa "atmosfera" aos hotéis familiares. Sentei-me à mesma mesinha em que no início de minha estada, logo após tornar-me inquilino de Charlotte, eu tivera a idéia de celebrar a ocasião compartilhando elegantemente com ela meia garrafa de champanhe, o que havia conquistado fatalmente seu pobre coração transbordante de felicidade. Tal como então, um garçom com cara de lua estava arrumando, com astronômica precisão, cinqüenta cálices numa bandeja redonda para uma festa de casamento. Dessa vez, os sobrenomes dos nubentes eram Murphy e Fantasia. Faltavam oito minutos para as três. Ao atravessar o saguão, tive de contornar um grupo de senhoras que, com *mille grâces*, se despediam depois de um almoço de confraternização. Soltando um estridente grito de reconhecimento, uma delas avançou para mim. Tratava-se de uma mulher baixa e corpulenta, com um vestido cinza-pérola e um chapeuzinho onde havia sido fincada uma longa e fina pluma cinzenta. Era a sra. Chatfield. Atacou-me com um sorriso falso, iluminado pela curiosidade malsã. (Será que eu tinha feito com Dolly o mesmo que aquele tal de Frank Lasalle, um mecânico de cinqüenta anos, fizera com Sally Horner, de onze anos, em 1948?) Rapidamente consegui controlar sua ávida exultação. Pensava que eu estava na Califórnia. Como estava...? Com imenso prazer, informei-a de que minha enteada acabara de casar-se com um jovem e brilhante engenheiro de minas que estava fazendo um trabalho secreto no Noroeste. Ela disse que era contrária a esses casamentos de gente muito moça, não deixaria nunca que sua Phyllis, que só tinha dezoito anos...

"Ah, sim, naturalmente me lembro da Phyllis", disse eu em voz calma. "Phyllis e o Acampamento Q. Sem dúvida. Aliás, ela alguma vez lhe contou como o Charlie Holmes deflorava as menininhas que estavam lá sob a guarda da mãe dele?"

O sorriso já avariado da sra. Chatfield desintegrou-se por completo.

"Faça o favor", ela exclamou, "faça o favor, senhor Humbert! O pobre rapaz acaba de ser morto na Coréia!"

Perguntei se ela não achava que a expressão francesa "vient de se faire tuer" era muito mais evocativa, e lhe disse que já era hora de ir andando.

O hotel ficava a apenas dois quarteirões do escritório de Windmuller. Recebeu-me com um forte e inquisitivo aperto de mão, muito lento e envolvente. Pensava que eu estava na Califórnia. Eu não havia morado antes em Beardsley? Sua filha acabara de entrar para a Universidade de Beardsley. E como estava...? Prestei todas as informações necessárias sobre a sra. Schiller. Tivemos uma agradável conversa de negócios. Saí para o sol cálido de setembro na condição de um feliz indigente.

Agora que estava tudo arranjado, podia dedicar-me inteiramente ao principal objetivo de minha vinda a Ramsdale. Com os hábitos metódicos de que sempre me orgulhei, vinha mantendo o rosto mascarado de Clare Quilty na minha escura masmorra, onde ele aguardava que eu chegasse com um barbeiro e um padre: "Réveillez-vous, Laqueue, il est temps de mourir!". Caminhando apressado para o consultório de seu tio, não tenho tempo para examinar em profundidade os processos mnemônicos da fisiognomonia, mas permitam-me mencionar o seguinte: eu tinha preservado no álcool de uma memória enevoada o embrião de uma face odiosa. Graças a algumas olhadelas ocasionais, notara sua ligeira semelhança com um parente meu da Suíça, um comerciante de vinho folgazão e bem repugnante. Com seus halteres e sua malcheirosa roupa de banho, seus braços gordos e cabeludos, sua careca e sua criada-concubina de feições porcinas, ele era, ao fim e ao cabo, um velho salafrário inofensivo. Inofensivo demais, na verdade, para ser confundido com minha presa. No estado de espírito em que me encontrava, eu perdera contato com a imagem de Trapp. Ela fora totalmente eclipsada pela fisionomia de Clare Quilty — tal como representada, com precisão artística, na fotografia emoldurada que adornava a mesa de seu tio.

Em Beardsley, sob os cuidados do encantador dr. Molnar, eu havia feito uma complexa cirurgia odontológica que me deixara apenas alguns dentes da frente nas duas arcadas. Os substitutos dependiam de um sistema de placas, ligadas por discretíssimo fio de metal que corria ao longo das gengivas superiores. Tratava-se de uma obra-prima em matéria de conforto, e meus caninos gozavam de excelente saúde. No entanto, para enfeitar meu propósito secreto com um pretexto plausível, disse ao dr. Quilty que, na esperança de aliviar certos acessos de nevralgia facial, decidira extrair todos os dentes. Quanto custaria uma dentadura completa? Quanto tempo levaria o tratamento, supondo que marcássemos a primeira consulta para novembro? Onde andava seu célebre sobrinho? Seria possível arrancar todos numa única e dramática sessão?

De avental branco, cabelos grisalhos à escovinha, com grandes bochechas dignas de um político, o dr. Quilty empoleirou-se no canto da mesa e, balançando o pé numa cadência sonhadora e seduzente, começou a expor seu glorioso plano de longo prazo. Inicialmente instalaria uma dentadura provisória, enquanto as gengivas se recuperavam, e só depois prepararia a definitiva. Gostaria de dar uma olhada em minha boca. Usava sapatos de duas cores, com furinhos. Não visitava o patife desde 1946, mas achava que ele podia ser encontrado na casa da família, na estrada Grimm, perto de Parkington. Era um sonho grandioso. O pé voltou a balançar, seu olhar encheu-se de inspiração. Custaria uns seiscentos dólares. Sugeriu que tirássemos as medidas imediatamente, a fim de que a dentadura provisória pudesse estar pronta antes de começarmos a fazer a extração dos dentes. Para ele, minha boca era uma esplêndida caverna cheia de incalculáveis tesouros — mas não permiti que nela penetrasse.

"Não", disse eu. "Pensando melhor, vou fazer o tratamento todo com o dr. Molnar. Ele cobra mais caro, mas obviamente é um dentista muito melhor do que o senhor."

Não sei se algum de meus leitores terá um dia a oportunidade de dizer algo assim. É uma sensação deleitável, digna de um sonho. O tio de Clare continuou sentado sobre a mesa, perdido ainda em devaneios, mas seu pé cessara de embalar o berço de uma rósea expectativa. Por outro lado, sua assistente (uma moça esquelética e estiolada, com os olhos trágicos das louras mal-amadas) correu para bater a porta a minhas costas.

Introduza o pente de balas na coronha e o pressione até ouvir ou sentir que a trava está engrenada. Deliciosamente aconchegante. Capacidade: oito balas. Aço nobremente azulado. Ansiosa para ser descarregada.

34

Em Parkington, o empregado de um posto de gasolina explicou-me detalhadamente como chegar à estrada Grimm. Querendo certificar-me de que Quilty estaria em casa, tentei telefonar-lhe, mas fui informado de que sua linha particular havia sido recentemente desconectada. Será que ele tinha ido embora? Segui rumo à estrada Grimm, que ficava uns vinte quilômetros ao norte da cidade. Àquela altura, a noite eliminara a maior parte da paisagem e, enquanto seguia a estradinha estreita e sinuosa, uma série de pequenos postes fantasmagoricamente brancos, com pequenos refletores, tomavam emprestada a luz de meus faróis para indicar que a curva se fazia à direita ou à esquerda. Podia distinguir um sombrio vale de um lado da estrada, árvores que subiam um morro acima do outro, e à minha frente, qual flocos de neve orfanados, mariposas revoluteavam nas trevas para penetrar na minha aura inquisitiva. Ao atingir o vigésimo quilômetro, como me havia sido dito, uma ponte curiosamente coberta envolveu-me por um instante, após o que se ergueu à direita um rochedo caiado. Alguns metros depois, dobrei também à direita na estrada Grimm, um mero caminho de cascalho. Durante alguns minutos atravessei uma floresta úmida, densa e escura. De repente, em meio a uma clareira circular, surgiu a Mansão Pavor, uma casa de madeira encimada por um torreão. As janelas brilhavam em tons amarelos e vermelhos, meia dúzia de carros se espremiam diante da entrada. Parei sob o abrigo das árvores e apaguei os faróis para refletir calmamente sobre meu próximo passo. Ele certamente estaria cercado de seus vassalos e cortesãs. Não podia deixar de comparar o interior daquele festivo e decrépito castelo ao cenário de *Adolescentes em crise*, uma história que lera numa das revistas de Lolita sobre vagas "orgias", um adulto sinistro com um fálico charuto na boca, entorpecentes, guarda-costas. Pelo menos, ele estava lá: eu voltaria no torpor da manhã.

Regressei sem pressa para a cidade no velho e fiel carro que serenamente, quase alegremente, continuava a servir-me. Minha Lolita! Havia ainda, passados três anos, um prendedor de cabelo dela nas profundezas do porta-luvas. Havia ainda aquela torrente de pálidas mariposas que meus faróis arrancavam da noite. Celeiros escuros ainda se levantavam aqui e ali à beira da estrada. As pessoas ainda estavam indo ao cinema. Enquanto procurava um lugar para dormir, passei por um drive-in. Com um brilho selênico, verdadeiramente místico em seu contraste com a noite maciça e sem luar, numa gigantesca tela que se perdia nos campos sombrios e sonolentos, um esguio fantasma alçava um revólver, tanto ele quanto seu braço reduzidos a um trêmulo lampejo pelo ângulo oblíquo daquele mundo que se afastava — e no momento seguinte um renque de árvores aboliu seu gesto para sempre.

35

Saí do Hotel da Insônia por volta das oito horas da manhã e passei algum tempo em Parkington. Perseguiam-me visões de que poderia fracassar na execução por algum erro banal. Temendo que a munição da pistola automática tivesse se deteriorado durante uma semana de inatividade, troquei-a por balas novas. Dei um tal banho de óleo no meu velho Companheiro que agora não conseguia enxugá-lo por completo. Enrolei-o num pedaço de pano, como se fosse um braço ferido, e usei outro pano para embrulhar um punhado de balas sobressalentes.

Uma tempestade acompanhou-me ao longo da maior parte do trajeto até a estrada Grimm, mas, quando cheguei à Mansão Pavor, o sol saíra de novo, brilhando com vontade, os passarinhos se esgoelavam nas árvores encharcadas das quais subia um morno vapor. A casa dilapidada, no seu estilo extravagante, parecia atordoada, refletindo, por assim dizer, meu próprio estado — pois, quando meus pés tocaram o solo esponjoso e inseguro, não pude deixar de perceber que abusara do meu método de estimulação alcoólica.

Um silêncio discretamente irônico respondeu a meu toque de campainha. A garagem, contudo, estava atochada com seu carro, já então um conversível preto. Tentei a aldrava. Reninguém. Com um rosnar petulante, empurrei a porta e... que beleza, como num conto de fadas medieval ela se abriu de par em par. Fechando-a suavemente atrás de mim, atravessei um vestíbulo espaçoso e feiíssimo; dei uma olhada na sala de estar contígua, vi um grande número de copos que grassavam no tapete e concluí que o castelão dormia ainda em seu quarto senhorial.

Subi pesadamente as escadas. A mão direita segurava no bolso meu embuçado Companheiro, a esquerda ia tateando o pegajoso corrimão. Dos três quartos que examinei, um tinha sido obviamente usado naquela noite. Havia uma biblioteca cheia de flores. Havia um aposento quase sem mobília, com amplos e profundos espelhos e uma pele de urso polar no assoalho escorregadio. Havia ainda outros aposentos. Ocorreu-me uma brilhante idéia. Se e quando o dono da casa voltasse de seu passeio matinal pelo bosque, ou surgisse de algum covil secreto, seria muito aconselhável que um pistoleiro pouco sóbrio, com um longo trabalho pela frente, impedisse seu amiguinho de folguedos de trancar-se num quarto. Por isso, nos cinco minutos seguintes, dediquei-me — lucidamente insano, insanamente calmo, um caçador encantado e muito bêbado — a girar todas as chaves em todas as fechaduras que encontrei, embolsando-as depois com a mão esquerda, que estava livre. A velha casa fora projetada para oferecer muito mais privacidade a seus ocupantes do que essas modernas e glamourosas caixas de sapato onde o banheiro, por ser a única peça que dispõe de chave, precisa servir às necessidades furtivas do planejamento familiar.

Por falar em banheiros — estava prestes a visitar o terceiro quando o dono da casa saiu dele, deixando atrás de si uma efêmera cascata. Um canto de corredor não foi suficiente para ocultar-me de todo. Rosto cinéreo, olhos empapuçados, cabelos desgrenhados que não escondiam o princípio de calvície, mas mesmo assim perfeitamente reconhecível, ele passou impávido por mim num roupão cor de púrpura, muito parecido com um dos meus. Ou não me viu ou, então, descartou-me como se eu fosse alguma alucinação habitual e inofensiva — e, exibindo as barrigas da perna cabeludas, desceu as escadas com passos de sonâmbulo. Meti no bolso minha última chave e o segui até o vestíbulo. Ele entreabriu a boca e a porta da frente, olhando para fora por uma fresta ensolarada como quem acha que ouviu um visitante indeciso tocar a campainha e afastar-se. Feito isso, ignorando ainda o fantasma enfiado numa capa de chuva que parara no meio das escadas, entrou num aconchegante boudoir que ficava em frente à sala de visitas, através da qual (sem pressa, sabendo que ele estava seguro) cheguei a uma cozinha transformada em bar, onde cuidadosamente desembrulhei meu sujo Companheiro, prestando atenção para não deixar nenhuma mancha de óleo na superfície cromada. Acho que comprei o produto errado, minhas mãos estavam todas lambuzadas de preto. Com minha usual meticulosidade, transferi o Companheiro desnudado para um bolso limpo e dirigi-me ao pequeno boudoir. Como disse, caminhava com passos elásticos — talvez elásticos demais para o êxito de minha missão. Mas meu coração batia alegre como o de um tigre em plena caça, e esmigalhei no caminho um copo de coquetel.

O dono da casa esperava por mim na sala decorada com motivos orientais.

"Afinal de contas, quem é você?", ele perguntou numa voz aguda e rouquenha, as mãos enfiadas nos bolsos do roupão, os olhos fixos num ponto situado a nordeste de minha cabeça. "Por acaso você é o Brewster?"

Era óbvio que ele estava dopado e totalmente entregue a minha assim chamada mercê. Podia divertir-me à vontade.

"Isso mesmo", respondi em tom suave. "*Je suis* monsieur Brustère. Vamos conversar um pouquinho antes de começar."

Pareceu satisfeito, um ligeiro frêmito agitou seu bigode ralo. Tirei a capa de chuva. Vestia um terno preto, camisa preta, sem gravata. Sentamo-nos em duas poltronas.

"Sabe", ele disse, coçando ruidosamente a bochecha carnuda e áspera, e pondo à mostra num sorriso hipócrita os dentes pequenos e brilhantes como pérolas, "você não se parece com o Jack Brewster. Quer dizer, a semelhança não é das mais notáveis. Alguém me disse que ele tinha um irmão que trabalhava na mesma companhia telefônica."

Tê-lo ali acuado, após todos aqueles anos de remorsos e de ódio... Contemplar os pêlos negros nas costas de suas mãos gordas... Percorrer com cem olhos a seda cor de púrpura e o peito cabeludo, saboreando de antemão as perfurações, e a sangria, e a música da dor... Saber que esse crápula subumano, que havia sodomizado minha querida — ah, minha Lolita, era um prazer quase intolerável!

"Não, lamento muito, mas não sou nenhum dos irmãos Brewster."

Ele inclinou a cabeça para o lado, parecendo mais satisfeito do que nunca.

"Tenta adivinhar de novo, polichinelo."

"Ah", disse polichinelo, "então você não veio me aborrecer com aquele problema das chamadas interurbanas?"

"Você às vezes até que faz umas chamadas interurbanas, não é mesmo?"

"Como?"

Disse que havia dito que pensava que ele dissera que nunca...

"É essa gente", ele disse, "essa gente em geral — não estou acusando você, Brewster —, mas é incrível como as pessoas invadem essa droga dessa casa sem ao menos bater na porta. Usam o banheiro, usam a cozinha, usam o telefone. Phil faz uma chamada para a Filadélfia, Pat fala com alguém na Patagônia. Recuso-me a pagar. Você tem um sotaque engraçado, capitão."

"Quilty", disse eu, "você se lembra de uma menininha chamada Dolores Haze, Dolly Haze? Será que Dolly ligou para a cidade de Dolores, no Colorado?"

"Claro, pode ter ligado, sem dúvida. Para qualquer lugar. Paraíso, no estado de Washington, Garganta do Inferno. Quem se importa com isso?"

"Eu, Quilty. Você sabe, sou o pai dela."

"Que nada", ele disse. "Coisa nenhuma. Você é um agente literário estrangeiro. Um francês certa vez traduziu meu livro *Proud flesh*

[Carne inflamada] por *La fierté de la chair* [O orgulho da carne]. Um absurdo."

"Ela era minha filha, Quilty."

No estado em que se encontrava, nada poderia realmente espantá-lo, mas seu ar de bazófia não era de todo convincente. Uma espécie de cautelosa suspeita iluminou seus olhos com um lampejo de vida, que logo se apagou.

"Eu mesmo gosto muito de crianças", ele disse, "e seus pais se contam entre meus melhores amigos."

Virou a cabeça para o lado, procurando alguma coisa. Apalpou os bolsos. Tentou levantar-se da poltrona.

"Senta aí!", disse eu, numa voz aparentemente muito mais alta do que tencionara usar.

"Não precisa rugir para mim", ele se queixou com seu jeito estranhamente feminino. "Só queria um cigarro. Estou morrendo de vontade de fumar."

"De qualquer maneira, você vai morrer mesmo."

"Ah, pára com isso. Você está começando a me cansar. Que que você quer? Você é francês? Vulê-vu-buar? Vamos até o barzinho tomar um bom..."

Viu a pequena arma negra em minha mão, como se a estivesse oferecendo para ele.

"Legal!", ele disse, alongando a última sílaba e começando a imitar um gângster de cinema, "belezinha de máquina que você tem aí. Vai querer quanto por ela?"

Dei um tapa em sua mão estendida e ele conseguiu derrubar uma caixa que se achava sobre a mesinha a seu lado. Vários cigarros rolaram para fora.

"Cá estão eles", disse alegremente. "Você se lembra do que disse o Kipling: 'Une femme est une femme, mais un Caporal est une cigarette'? Agora precisamos de fósforos."

"Quilty", disse eu, "quero que você se concentre. Você vai morrer daqui a pouco. O além, tanto quanto sabemos, talvez seja uma eternidade de loucura excruciante. Você fumou seu último cigarro ontem. Concentre-se. Tente compreender o que está acontecendo com você."

Ele partiu um cigarro — que era da marca Drome — e começou a mastigar as aparas de tabaco.

"Estou pronto a tentar", ele disse. "Você é um australiano ou um refugiado de guerra alemão. Precisa mesmo falar comigo? Você sabe, esta aqui não é uma casa de judeus. Talvez já esteja na hora de você ir andando. E pára de ficar exibindo essa pistola. Tenho uma velha Stern-Luger na sala de música."

Apontei o Companheiro para seu pé calçado num elegante chinelo e apertei o gatilho. Ouviu-se um simples clique. Ele olhou para seu pé, para a pistola, novamente para o pé. Fiz outro terrível esforço e, com um som ridiculamente débil e juvenil, a arma disparou. A bala penetrou no grosso tapete cor-de-rosa e tive a impressão paralisante de que apenas mergulhara por um segundo e poderia sair outra vez.

"Está vendo o que eu disse?", perguntou Quilty. "Você tem que ser um pouco mais cuidadoso. Pelo amor de Deus, me dá esse troço."

Tentou alcançar a arma. Empurrei-o de volta para a poltrona. Meu extraordinário júbilo inicial estava se desvanecendo. Já era mais do que tempo de liquidá-lo, mas ele precisava entender por que estava sendo eliminado. Seu estado me contaminava, a arma parecia flácida e desajeitada em minha mão.

"Concentre-se", disse eu, "na imagem de Dolly Haze, que você raptou... "

"Não raptei!", ele gritou. "Você está inteiramente enganado. Salvei-a de um tarado, de um anormal. Mostra o seu distintivo de policial, seu macaco, em vez de ficar atirando no meu pé. Cadê o distintivo? Não sou responsável se outro sujeito abusa de uma criança. Que absurdo! Aquela fuga foi uma brincadeirinha idiota, concordo com isso, mas você pegou ela de volta, não pegou? Vamos, vem tomar um drinque comigo."

Perguntei se ele preferia ser executado de pé ou sentado.

"Ah, deixa eu pensar", ele disse. "Não é uma pergunta fácil de responder. Aliás, eu cometi um erro. Que lamento sinceramente. Você sabe, não me diverti nem um pouco com a sua Dolly. Para dizer a triste verdade, sou praticamente impotente. E dei a ela umas férias esplêndidas. Ela se encontrou com algumas pessoas notáveis. Você sabe por acaso..."

E, com um poderoso arranco, jogou-se sobre mim, fazendo com que a pistola fosse parar embaixo de uma cômoda. Por sorte, ele era mais impetuoso do que vigoroso, e tive pouca dificuldade em empurrá-lo de volta para a poltrona.

Algo ofegante, ele cruzou os braços sobre o peito.

"Agora você se deu mal", ele disse, "Vous voilà dans de beaux draps, mon vieux."

Seu francês estava cada vez melhor.

Olhei a meu redor. Talvez, se... Talvez eu pudesse... De gatinhas? Deveria arriscar?

"Alors, que fait-on?", ele perguntou, observando-me com grande atenção.

Abaixei-me. Ele não se moveu. Abaixei-me ainda mais.

"Meu caro senhor", ele disse, "pare de brincar com a vida e a morte. Sou um autor de peças de teatro. Escrevi tragédias, comédias, fantasias. Fiz filmes, exclusivamente para uso particular, baseados na *Justine* e outras criações eróticas do século XVIII. Sou o autor de cinqüenta e dois roteiros cinematográficos de sucesso. Conheço todos os truques do ofício. Deixe que eu cuide disso. Deve haver por aí um ferro de lareira. Por que você não procura por ele e então pescamos essa coisa que você perdeu?"

Fazendo-se de solícito, gesticulando muito enquanto falava sem parar, ele manhosamente levantou-se outra vez. Tateei embaixo da cômoda, tentando, ao mesmo tempo, mantê-lo sob minha vista. De repente, notei que ele havia notado que eu não parecia ter notado o cano de meu Companheiro despontando sob a outra extremidade da cômoda. Começamos de novo a lutar. Abraçados como duas enormes e ineptas crianças, rolamos pelo chão. Estava nu por baixo do roupão, e seu cheiro de bode quase me sufocou quando rolou por cima de mim. Rolei sobre ele. Rolamos sobre mim. Rolaram sobre ele. Rolamos sobre nós.

Em sua forma impressa, este livro está sendo lido, assim suponho, nos primeiros anos do próximo século (1935 mais oitenta ou noventa anos: tenha vida longa, meu amor!); a essa altura, os leitores idosos certamente se lembrarão da cena obrigatória nos filmes de mocinho de sua infância. Faltavam em nossa luta, porém, aqueles murros capazes de derrubar um touro, aqueles móveis voando pelo ar. Ele e eu não passávamos de dois gigantescos bonecos, estofados de algodão e trapos sujos. Foi um combate silencioso, informe, frouxo, entre dois literatos, um dos quais inteiramente debilitado por alguma droga, o outro prejudicado por um problema cardíaco e gim em demasia. Quando por fim retomei a posse de minha preciosa arma e reinstalei o autor de roteiros cinematográficos em sua poltrona, estávamos ambos arfando como jamais o estiveram os gladiadores de *saloon*.

Resolvi inspecionar a pistola — nosso suor poderia ter estragado alguma coisa — e retomar o fôlego antes de passar à principal atração do programa. A fim de preencher aquela pausa, propus que ele lesse sua própria sentença, na forma poética que lhe havia dado. A expressão "justiça poética" pode ser aqui aplicada com grande felicidade. Entreguei-lhe uma folha cuidadosamente datilografada.

"Sim", ele disse, "esplêndida idéia. Deixe eu pegar meus óculos de leitura" (tentou levantar-se).

"Não."

"Como você preferir. Quer que eu leia em voz alta?"

"Quero."

"Aí vai. Vejo que é em verso."

> Porque você se aproveitou de um pecador
> porque você se aproveitou
> porque você tirou
> porque você tirou vantagem de minha desvantagem...

"Está muito bom, você sabe? Bom à beça."

> ...quando eu me achava tão nu quanto
> Adão diante da lei e de suas estrelas pontiagudas

"Ah, magnífico!"

> ...Porque você se aproveitou de um pecado
> quando eu inerme, em plena muda, úmido e tenro,
> ansiava por um dia melhor
> sonhando com um casamento numa terra montanhosa
> e uma ninhada de Lolitas...

"Não entendi isso."

> Porque você se aproveitou
> de minha mais íntima e essencial inocência
> porque você me privou...

"Um pouco repetitivo, não? Vejamos, onde estava mesmo?"

> Porque você me privou de minha redenção
> porque você a levou

na idade em que os meninos
apenas começam a hastear suas lanças

"Ah, descambando para a indecência, hem?"

uma garotinha inda coberta de penugem
usando soquetes brancas
comendo pipoca na penumbra do cinema
enquanto peles-vermelhas caíam dos cavalos
por um punhado de moedas
porque você a roubou
de seu digno e pálido protetor
cuspindo no seu olho de pesadas pálpebras
rasgando sua flava toga
para deixá-lo ao amanhecer
como um porco chafurdando em sua própria miséria
o horror do amor e das violetas
remorso desespero enquanto você
despedaçava uma boneca inerme
atirando ao lixo sua cabeça
por tudo que você fez
por tudo que não fiz
você tem de morrer

"Muito bem, meu caro senhor, trata-se sem dúvida de um belo poema. Na minha opinião, é a sua melhor obra."

Dobrou a folha e me entregou de volta.

Perguntei-lhe se tinha algo de sério para dizer antes de morrer. A automática estava outra vez pronta para ser usada. Olhou para ela e soltou um grande suspiro.

"Olha aqui, meu caro", ele disse. "Você está bêbado e eu sou um homem doente. Vamos adiar a questão. Preciso de tranqüilidade, tenho de cuidar da minha impotência. Uns amigos meus vêm me buscar esta tarde para irmos a uma partida de beisebol. Toda essa farsa com a pistola está começando a me dar nos nervos. Somos homens cosmopolitas, experimentados em tudo: sexo, versos livres, tiro ao alvo. Se você acha que eu o ofendi, estou pronto a fazer uma reparação em regra. Até mesmo um duelo à antiga, espada ou pistola, no Rio ou em qualquer outro lugar, não está fora de cogitação. Hoje de manhã minha memória e minha eloqüência estão deixando algo a desejar, mas, cá entre nós, meu caro senhor Humbert, você não era um padrasto ideal e nem forcei sua pequena *protégée* a ir comigo. Foi ela quem pediu que eu a levasse para um lar mais feliz. Esta casa não é tão moderna quanto o rancho que compartilhamos com alguns amigos muito queridos. Mas é espaçosa; bem fresca no verão e no inverno, na verdade muito confortável. Ora, como eu tenciono mesmo mudar-me de vez para a Inglaterra ou para Florença, proponho que você se instale aqui. A casa é sua, grátis. Com a única condição de que você pare de me apontar essa arma de [usou um termo de baixo calão]. Aliás, não sei se você é chegado ao bizarro, mas, se gosta dessas coisas, posso oferecer-lhe, também de graça, juntamente com os gatos e os cachorros, uma aberração bem excitante: uma jovem com três seios, um deles uma belezinha. Trata-se de uma rara e encantadora maravilha da natureza. Agora, *soyons raisonnables.* Tudo que você vai conseguir é me ferir horrivelmente, para depois ficar apodrecendo numa prisão enquanto eu me recupero num paraíso tropical. Eu lhe prometo, Brewster, que você vai ser muito feliz aqui, com uma adega magnífica e todos os direitos autorais de minha próxima peça — no momento não tenho muito dinheiro no banco, mas garanto que faço um empréstimo. E há outras vantagens. Temos aqui uma empregada de toda confiança e sumamente corruptível, a senhora Vibrissa — nome curioso, não é mesmo? —, que vem da cidadezinha duas vezes por semana. Infelizmente não trabalha hoje, mas ela tem várias filhas e netas. Além disso, sei algumas coisinhas sobre o chefe de polícia e ele rasteja a meus pés. Sou um dramaturgo. Já disseram que eu sou o Maeterlinck americano. Em matéria de simbolismo, preferia que dissessem que eu era uma borboleta. Vamos! Tudo isso é muito humilhante, e não sei se estou fazendo o que devia. Só sei que não se deve misturar rum e heroína. Agora seja bonzinho e abaixe essa pistola. Conheci ligeiramente sua simpática esposa. Pode usar todas as minhas roupas. Ah, outra coisa — vai gostar disso. Tenho lá em cima uma coleção realmente extraordinária de livros eróticos. Por exemplo, para mencionar apenas um, tenho um in-fólio de luxo da *Ilha de Bagration*, da psicanalista Melanie Weiss, uma senhora notável, uma obra notável — larga essa arma —, com as fotografias de oitocentos e tantos órgãos sexuais masculinos que ela examinou e mediu em 1932 em Bagration, no mar de Barda, com uns gráficos muito ilustrativos, preparados com grande carinho naquelas paragens amenas — larga essa arma — e, além disso, posso conseguir que você assista à execução de prisioneiros condenados à morte, nem todo mundo sabe que a cadeira elétrica é pintada de amarelo..."

Feu. Dessa vez atingi algo sólido. O espaldar de uma cadeira de balanço preta, algo parecida com a de Dolly Schiller — a bala pegou em cheio no alto do encosto, fazendo com que ela imediatamente se pusesse a balançar com tal elã e velocidade que, se alguém entrasse na sala, ficaria pasmo diante daquele duplo milagre: a cadeira, tomada de pânico, balançando-se sozinha, e a poltrona, onde meu purpúreo alvo estivera até um segundo atrás, agora vazia de qualquer conteúdo humano. Agitando os dedos no ar, com um rápido arranco do traseiro ele disparou para a sala de música e, no instante seguinte, estávamos puxando e empurrando, ofegantes, de cada lado da porta, cuja chave me passara despercebida. Venci novamente, e com outro movimento abrupto Clare, o Imprevisível, sentou-se diante do piano e tocou uma série de acordes atrozmente vigorosos e histericamente plangentes, as bochechas tremelicando, as mãos crispadas martelando as teclas, exalando pelas narinas os sons resfolegantes que haviam faltado na trilha sonora de nosso entrevero. Emitindo ainda aqueles grunhidos impossíveis, ele tentou inutilmente abrir com o pé uma espécie de arca de marinheiro próxima ao piano. Minha segunda bala atingiu-o no flanco e ele se ergueu do tamborete, cada vez mais alto, como o louco e encanecido Nijinski, como um gêiser do Parque Yellowstone, como um de meus velhos pesadelos, alcançando uma altura fenomenal (ou pelo menos assim me pareceu) enquanto fendia o ar que ainda vibrava com aqueles acordes ricos e sombrios. A cabeça jogada para trás num urro primevo, uma das mãos apertada contra a testa e a outra agarrando a axila como se houvesse sido picado por um marimbondo, aterrissou sobre os calcanhares e, revertendo à condição de um homem normal envolto no seu robe, correu para o vestíbulo.

Vejo-me perseguindo-o através do vestíbulo, com uma espécie de duplo, triplo pulo de canguru, as pernas retesadas mas sem jamais perder o equilíbrio, até que, com um salto vigoroso de primeiro bailarino, cortei-lhe o caminho da porta da frente, que não estava bem fechada.

Recuperando subitamente sua dignidade, com uma expressão taciturna, ele começou a galgar os amplos degraus; mudando de posição, mas sem segui-lo, disparei três ou quatro vezes em rápida sucessão, atingindo-o com todos os tiros; e a cada vez que eu o feria, que lhe infligia aquele castigo pavoroso, seu rosto se contorcia com um ricto absurdamente cômico, como se ele estivesse exagerando a dor; diminuía o passo, revirava os olhos sob as pálpebras semicerradas e soltava um "ai!" feminino, tremelicando cada vez que uma bala o atingia como se eu lhe estivesse fazendo cócegas; e toda vez que seu corpo era perfurado por aquelas minhas balas lentas, cegas e desajeitadas, ele dizia baixinho com um falso sotaque britânico — tremendo todo, retorcendo-se horrivelmente, com um sorriso afetado —, mas numa voz estranhamente impessoal, quase amável: "Ai, isso dói, meu senhor, chega! Ai, é uma dor atroz, meu caro amigo. Por favor, eu lhe peço que pare. Ai, dói muito, dói demais... Meu Deus! Ai! Isso é abominável, realmente você não devia...". Sua voz se extinguiu quando chegou ao patamar, mas ele ainda caminhava malgrado todo o chumbo que eu alojara em seu corpo balofo — e, angustiado, quase em pânico, compreendi que, ao invés de matá-lo, estava injetando maiores doses de energia no infeliz, como se as balas fossem cápsulas dentro das quais dançasse um inebriante elixir.

Recarreguei a arma com mãos negras e sangrentas — havia tocado em algo que ele besuntara com seu sangue espesso. Feito isso, fui a seu encontro no andar de cima, as chaves tilintando nos meus bolsos como moedas de ouro.

Ele andava com passos pesados de um aposento para o outro, sangrando majestosamente, tentando achar uma janela aberta, sacudindo a cabeça, procurando ainda convencer-me a mudar de idéia. Apontei para a cabeça, e ele retirou-se para seu quarto com um jorro de púrpura real onde antes ficava uma orelha.

"Vai embora, sai daqui", ele disse, tossindo e cuspindo; e, num pesadelo de espanto, vi aquele ser ensangüentado mas ainda munido de energia deitar-se na cama e enrolar-se nas caóticas cobertas. Alvejei-o à queima-roupa através dos lençóis, e então ele se estendeu ao comprido; uma grande e rósea bolha, de conotações juvenis, formou-se em seus lábios, cresceu até ficar do tamanho de uma bola de soprar e se desvaneceu.

Talvez tenha perdido contato com a realidade por um ou dois segundos — ah, nada no gênero desses criminosos baratos que dizem que não sabiam o que estavam fazendo; pelo contrário, faço questão de assumir a responsabilidade por cada gota de seu sangue borbulhante; mas ocorreu um deslizamento momentâneo, como se eu estivesse no quarto com Charlotte e ela se encontrasse doente na cama. Quilty também era um homem muito doente. Dei por mim segurando um de seus chinelos em vez da pistola — na verdade, estava sentado sobre ela. Instalei-me um pouco mais confortavelmente na cadeira próxima à cama e consultei meu relógio de pulso. O vidro se perdera, mas o mecanismo continuava a tiquetaquear. Tinha levado mais de uma hora para executar a triste tarefa. Afinal ele estava imóvel. Longe de sentir qualquer alívio, abateu-se sobre mim um peso ainda maior do que aquele de que imaginara iria libertar-me. Não encontrava forças para tocá-lo a fim de verificar se estava realmente morto. Parecia que sim: um quarto de seu rosto estraçalhado, duas moscas vibrando de alegria com a expectativa de um festim inacreditável. Minhas mãos não estavam em muito melhores condições que as suas. Fiz o possível para lavá-las no banheiro ao lado. Agora podia ir embora. Chegando ao patamar, fiquei surpreso ao descobrir que o alegre burburinho que até então eu descartara como um mero zumbido em meus ouvidos era de fato uma mistura de vozes e música de rádio vinda da sala de estar.

Lá encontrei diversas pessoas que aparentemente haviam acabado de chegar e atacavam alacremente o estoque de bebidas de Quilty. Havia um homem gordo numa poltrona. Duas belas e pálidas jovens de cabelos pretos, sem dúvida irmãs (uma grande e a outra pequena, quase uma criança), estavam recatadamente sentadas lado a lado num sofá. Um sujeito de rosto rubicundo e olhos azul-safira trazia dois copos da cozinha-bar, onde duas ou três mulheres conversavam enquanto partiam gelo. Parei na entrada da sala e disse: "Acabo de matar o Clare Quilty". "Parabéns", disse o sujeito de rosto avermelhado enquanto oferecia um dos drinques à irmã mais velha. "Há muito tempo que alguém devia ter feito isso", comentou o gordo. "Tony, que que ele está dizendo?", perguntou do bar uma loura desbotada. "Que matou o Quil", respondeu o rubicundo. "Bem", disse outro homem não identificado, levantando-se do canto onde estivera agachado olhando os discos, "acho que todos nós deveríamos dar cabo dele algum dia." "Seja como for", disse Tony, "é melhor que desça logo. Não podemos ficar esperando por ele muito mais se quisermos ver o jogo." "Alguém aí ofereça um drinque ao nosso amigo", disse o gordo. "Quer uma cerveja?", perguntou uma mulher de calça comprida, mostrando-me de longe um copo.

Apenas as duas irmãs no sofá, ambas vestidas de preto, a mais moça brincando com alguma coisa brilhante que adornava seu alvo pescoço, somente elas não disseram nada, limitando-se a sorrir, tão jovens, tão lascivas. Quando a música parou por um momento, ouviu-se um súbito ruído nas escadas. Tony e eu corremos para o vestíbulo. Quilty — por incrível que pareça — conseguira arrastar-se até o patamar, onde podíamos vê-lo agitando os braços, tentando erguer o corpo, até desabar, dessa vez para sempre, transformado numa massa purpurina.

"Anda logo, Quil", disse Tony com uma risada. "Acho que ele está ainda..." Voltou para a sala, e a música afogou o resto da frase.

Aqui termina, pensei comigo, a engenhosa peça que Quilty encenou para mim. Com o coração pesado, saí da casa e caminhei entre reluzentes manchas de sol até o carro. Estava espremido entre dois outros, e não foi fácil sair dali.

36

O resto é um pouco insosso, desbotado. Dirigi lentamente morro abaixo e logo depois me vi, ainda sem pressa, seguindo na direção oposta a Parkington. Havia deixado minha capa de chuva no boudoir e o Companheiro no banheiro. Não, não gostaria de viver naquela casa. Perguntei-me distraidamente se não existiria algum cirurgião genial capaz de modificar o curso de sua própria carreira, e talvez o destino de toda a humanidade, fazendo reviver o quimérico Quilty, Clare, o Obscuro. Não que eu me importasse; tudo o que queria era esquecer aquela sujeira toda — e, quando me disseram que ele havia morrido, a única satisfação que senti foi o alívio de saber que não precisaria acompanhar mentalmente, durante meses a fio, uma convalescência dolorosa e repugnante, interrompida por toda sorte de operações e recaídas indescritíveis, ao fim da qual talvez tivesse de receber sua visita, quando não saberia encará-lo racionalmente como algo mais do que um fantasma. O apóstolo Tomás tinha sua razão. É curioso como o sentido do tato, que é infinitamente menos precioso para o homem do que a visão, torna-se nos momentos críticos nosso principal, se não único, meio de contato com a realidade. Eu estava totalmente impregnado de Quilty — da sensação de seu corpo quando rolamos pelo chão, antes de se iniciar a carnificina.

A estrada atravessava agora um campo aberto, e ocorreu-me a idéia — não à guisa de protesto, não como um símbolo ou qualquer coisa no gênero, mas apenas como uma experiência nova — de que, tendo violado todas as leis humanas, bem poderia também transgredir as regras de trânsito. Cruzei então para o lado esquerdo da estrada e verifiquei que achava aquilo ótimo. Alguma coisa parecia estar se derretendo deliciosamente à altura de meu diafragma, juntamente com difusos reflexos tácteis, tudo isso acentuado pelo pensamento de que nada poderia estar mais próximo da eliminação das leis fundamentais da física do que dirigir no lado errado da estrada. De certa forma, era uma experiência genuinamente espiritual. Suavemente, sonhadoramente, sem jamais passar de trinta quilômetros por hora, segui pela esquerda como se o mundo estivesse se vendo no espelho. Havia pouco movimento. Os carros que vez por outra me ultrapassavam pela pista que lhes deixara livre buzinavam raivosamente. Os que vinham em minha direção dançavam para um lado e para o outro, desviando-se no último instante com gritos de pavor. Pouco depois, dei-me conta de que me aproximava de lugares mais povoados. Furar um sinal vermelho foi como tomar um gole de vinho proibido quando eu era criança. A situação se complicava a cada minuto, já agora vinha sendo seguido e escoltado. De repente, vi que dois carros se colocavam a minha frente para bloquear inteiramente o caminho. Com uma elegante guinada, saí da estrada e, após dois ou três grandes solavancos, subi por uma encosta relvada em meio a vacas perplexas até que o carro parou com suaves tremores. Uma sutil síntese hegeliana ligando duas mulheres mortas.

Dentro em breve me tirariam do carro (Ei, Melmoth, muitíssimo obrigado, meu velho amigo!) — e na verdade eu estava ansioso para entregar-me a muitas mãos, sem nada fazer para ajudá-las enquanto me carregassem, sereno, confortável, submetendo-me languidamente como um paciente hospitalizado, derivando um estranho prazer de minha lassidão e do amparo absolutamente infalível dos policiais e dos enfermeiros. E, enquanto esperava que eles subissem correndo até o topo da encosta, evoquei uma última miragem de assombro e desespero. Certo dia, pouco após o desaparecimento de Lolita, um acesso de abominável náusea forçou-me a parar à beira de uma velha estrada de montanha, um fantasma de estrada que ora margeava ora cruzava uma rodovia nova em folha, seguida por uma multidão de florezinhas silvestres banhadas no calor desatento de uma tarde azulada de fim de verão. Depois de quase virar-me pelo avesso, sentei numa pedra para descansar por uns minutos e, imaginando que o ar ameno pudesse me fazer bem, dei alguns passos na direção de um parapeito de pedra que se erguia entre a estrada e o precipício. Pequenos gafanhotos saltitavam em meio às ervas murchas que ladeavam o caminho. Uma tênue nuvenzinha abria os braços e se movia ao encontro de outra algo mais substancial, pertencente a um sistema mais lento, mais encharcado de céu. Ao aproximar-me do acolhedor abismo, percebi um melodioso conjunto de sons que subia como vapor de uma cidadezinha estendida a meus pés numa dobra do vale. Dava para se ver a geometria das ruas entre os quarteirões de telhados vermelhos e cinzentos, os verdes pompons das árvores, um riacho serpentino, o rico brilho mineral do depósito de lixo e, para além do casario, o entrecruzar de estradas na colcha de retalhos dos campos claros e escuros, até que a vista esbarrava, ao longe, em altas montanhas cobertas de florestas. Entretanto, ainda mais viva do que aquelas cores que se regozijavam tranqüilamente (pois há cores e sombras que parecem divertir-se em boa companhia), mais viva e mais doce para os ouvidos do que para os olhos, era aquela vibração vaporosa de sons acumulados, que não cessava por um segundo e ascendia até a borda de granito onde eu me encontrava, enxugando a boca imunda. E logo percebi que todos aqueles sons tinham a mesma natureza, que nenhum outro ruído emergia da cidade transparente, com as mulheres dentro de casa e os homens no trabalho. Leitor! O que eu ouvia era simplesmente a melodia de crianças brincando, nada senão isso, e o ar era tão límpido que, em meio àquele eflúvio de vozes entrelaçadas — majestosas e diminutas, remotas e magicamente próximas, inocentes e divinamente enigmáticas —, podia discernir-se vez por outra, como se enfim liberados, o vívido cascatear de um riso borbulhante, o estalido de uma bola contra o bastão de beisebol, o chocalhar de um caminhão de brinquedo, mas tudo isso longe demais para que os olhos distinguissem qualquer movimento nas ruas finamente tracejadas. Ali fiquei, no meu sublime mirante, ouvindo aquela vibração musical, o espocar de gritos isolados contra o tímido murmúrio do fundo sonoro — e compreendi, então, que o que havia de desesperadoramente terrível não era a ausência de Lolita a meu lado, mas a ausência de sua voz naquele coral.

Esta, pois, é minha história. Acabo de relê-la. Tem pedaços de medula ainda presos a seus ossos, e sangue, e belas e reluzentes moscas verdes. Num ou noutro trecho sinuoso, sinto que a escorregadia personagem central me escapa, mergulhando em águas profundas e tenebrosas demais para que eu tenha a coragem de persegui-la. Camuflei o que pude para não ferir ninguém. E ponderei muitos pseudônimos para mim mesmo antes de descobrir o que era particularmente apropriado. Encontro em minhas anotações "Otto Otto", "Mesmer Mesmer" e "Lambert Lambert", mas, por alguma razão, creio que minha escolha é a que melhor exprime a sordidez.

Quando, há cinqüenta e seis dias, comecei a escrever *Lolita*, inicialmente sob observação na enfermaria psiquiátrica, e depois nessa cela bem aquecida, conquanto sepulcral, pensei usar estas anotações *in totum* durante o julgamento, evidentemente não tanto para salvar minha pele, mas sim minha alma. A meio caminho, contudo, dei-me conta de que não podia exibir Lolita enquanto ela estivesse viva. Talvez ainda use partes destas memórias em sessões a portas fechadas, mas sua publicação tem de ser adiada.

Por motivos que podem parecer mais óbvios do que realmente o são, sou contrário à pena de morte; espero que tal atitude seja compartilhada pelo juiz que proferirá minha sentença. Estivesse eu no seu lugar, condenaria Humbert a pelo menos trinta e cinco anos de prisão por estupro, ignorando todas as demais acusações. Mas, mesmo que isso ocorra, Dolly Schiller provavelmente sobreviverá a mim por muitos anos. A declaração que faço a seguir equivale formalmente a um testamento assinado: é minha vontade que estas memórias só sejam publicadas quando Lolita já não estiver viva.

Portanto, nenhum de nós dois estará vivo quando o leitor abrir este livro. Mas, enquanto o sangue ainda pulsa nesta mão com que escrevo, você faz parte, como eu, da bendita matéria universal, e daqui posso te alcançar nas lonjuras do Alasca. Seja fiel a teu Dick. Não deixe que nenhum outro homem te toque. Não fale com estranhos. Espero que você ame teu bebê. Espero que seja um menino. Esse teu marido, assim espero, sempre te tratará bem, porque, se não, meu fantasma o atacará como uma nuvem de negra fumaça, como um gigante insano, e o destroçará nervo por nervo. E não tenha pena do C. Q. Era preciso escolher entre ele e H. H., e era desejável que H. H. existisse pelo menos alguns meses a mais a fim de que você pudesse viver para sempre nas mentes das futuras gerações. Estou pensando em bisões extintos e anjos, no mistério dos pigmentos duradouros, nos sonetos proféticos, no refúgio da arte. Porque essa é a única imortalidade que você e eu podemos partilhar, minha Lolita.

Sobre um livro intitulado "Lolita"
Vladimir Nabokov

Após minha imitação do judicioso John Ray, a personagem de *Lolita* que assina o Prefácio, quaisquer comentários de minha parte podem parecer ao leitor — em verdade, a mim mesmo — como um arremedo de Vladimir Nabokov falando de seu próprio livro. Alguns pontos, contudo, merecem ser examinados, e o método autobiográfico talvez induza o imitador e seu modelo a se fundirem.

Os professores de literatura têm o hábito de fazer perguntas do tipo: "Qual era o propósito do autor?", ou ainda pior: "O que é que esse sujeito está tentando dizer?". Ora, acontece que sou um desses autores que, ao iniciar um livro, não têm outro propósito senão o de livrar-se dele o mais rápido possível e que, ao serem chamados a explicar-lhe a origem e desenvolvimento, se vêem obrigados a recorrer a fórmulas cediças do gênero "interação entre a inspiração e a combinação" — o que, admito, é o mesmo que um mágico explicar um truque executando outro.

Senti a primeira palpitação de *Lolita* em Paris, em fins de 1939 ou começo de 1940, quando estava acamado com uma séria crise de nevralgia intercostal. Tanto quanto me recordo, o frêmito inicial de inspiração foi de alguma forma provocado por certo artigo de imprensa sobre um macaco no Jardin des Plantes, o qual, após ser persuadido durante meses por um cientista, enfim produziu o primeiro desenho feito por um animal: nele só apareciam as grades da jaula da pobre criatura. Esse impulso não tinha nenhuma conexão textual com a linha de pensamento por ele suscitada, da qual resultou, entretanto, o protótipo de *Lolita*, um conto de cerca de trinta páginas. Escrevi-o em russo, como todos os romances que vinha compondo desde 1924 (dos quais os melhores não foram traduzidos para o inglês, estando todos proibidos na União Soviética por motivos políticos). O homem era originário da Europa Central, a anônima ninfeta era francesa, a ação se passava em Paris e na Provença. Arthur (pois este era seu nome) casa-se com a mãe da menina, uma mulher doente que morre logo depois, e, após uma tentativa frustrada de abusar da órfã num quarto de hotel, atira-se sob as rodas de um caminhão. Li o conto numa noite de guerra (com os vidros da janela cobertos de papel azul) para um grupo de amigos — Mark Aldanov, dois membros do Partido Social-Revolucionário e uma médica; mas não gostei da coisa e destruí o manuscrito pouco depois de mudar-me para os Estados Unidos em 1940.*

Por volta de 1949, em Ithaca (estado de Nova York), a palpitação, que nunca cessara por completo, voltou a atormentar-me. A combinação e a inspiração interagiram com renovado elã, envolvendo-me num tratamento novo do tema, dessa vez em inglês — a língua de uma certa srta. Rachel Home, minha primeira governanta em São Petersburgo nos idos de 1903. A ninfeta, agora com umas gotas de sangue irlandês, guardava muito da primeira menina, e a idéia básica do casamento com a mãe também subsistia; mas, afora isso, a trama toda era nova e desenvolvera em segredo as asas e garras de um verdadeiro romance.

O livro evoluiu lentamente, com muitas interrupções e apartes. Eu levara quase quarenta anos para inventar a Rússia e a Europa Ocidental, e agora estava confrontado com a tarefa de inventar os Estados Unidos. A obtenção daqueles ingredientes locais que me permitissem acrescentar algumas pitadas de "realidade" (uma das poucas palavras que só fazem sentido entre aspas) no caldeirão de minha fantasia pessoal provou ser muito mais difícil, aos cinqüenta anos, do que fora na Europa de minha juventude, quando a receptibilidade e a retenção se encontravam automaticamente no auge. Outros livros se interpuseram. Uma ou duas vezes estive a ponto de queimar o manuscrito inacabado e certo dia cheguei a carregar minha Juanita Dark até a sombra do incinerador, que se inclinava sobre o inocente gramado, mas fui então interrompido pelo pensamento de que o fantasma do livro destruído pairaria sobre meus arquivos como uma assombração pelo resto de minha vida.

(*) Na realidade, Nabokov descobriu entre seus papéis uma cópia do manuscrito em 1959, quando verificou que a personagem não se chamava Arthur e que a peça, mais longa do que se recordava, tinha inegável valor literário. Não obstante, *The enchanter* (Volshebnik) só veio a lume postumamente, em 1986, traduzido para o inglês por seu filho, Dmitri. A versão brasileira, intitulada *O mago* (Nova Fronteira, 1987), foi feita pelo autor desta nota. (N. T.)

Todos os verões, minha mulher e eu saímos para caçar borboletas. Os espécimens estão depositados em instituições científicas, tais como o Museu de Zoologia Comparada de Harvard ou a coleção da Universidade Cornell. As etiquetas que identificam o local de captura dessas borboletas farão o deleite de algum pesquisador do século XXI que se interesse por biografias esotéricas. Foi nesses quartéis-generais — Telluride, Colorado; Afton, Wyoming; Portal, Arizona; Ashland, Oregon — que dediquei as noites e os dias nublados à enérgica retomada da composição de *Lolita*. Terminei de recopiar o manuscrito na primavera de 1954, passando imediatamente a procurar um editor.

De início, seguindo o conselho de um velho e precavido amigo, fui suficientemente medroso para estipular que o livro tinha de ser publicado anonimamente. Creio que jamais lamentarei o fato de que, pouco depois, compreendendo que essa máscara provavelmente trairia minha própria causa, decidi assumir a autoria de *Lolita*. Os quatro editores americanos — W, X, Y e Z — a quem ofereci sucessivamente o manuscrito revelaram-se, após uma leitura perfunctória, ainda mais escandalizados do que até mesmo meu cauteloso amigo F. P. tinha previsto.

Se é verdade que na Europa de antanho, e até o século XVIII (os melhores exemplos vêm da França), a libidinagem proposta não era incompatível com lampejos de comédia, uma sátira vigorosa ou mesmo com a verve de um bom poeta num momento de devaneio lúbrico, também é verdade que o termo *pornografia* hoje em dia está associado à mediocridade, ao comercialismo e a certas regras estritas de narração. A obscenidade precisa estar acasalada com a banalidade porque todo prazer estético deve ceder lugar à simples estimulação sexual, a qual, para agir diretamente sobre o paciente, exige o emprego das palavras mais vulgares. O pornógrafo tem de obedecer a velhas e rígidas normas a fim de que seu paciente se sinta seguro de que terá a mesma satisfação que têm, por exemplo, os fãs das histórias de detetives — nas quais, se a pessoa não estiver atenta, o verdadeiro criminoso pode vir a ser, para tristeza do fã, a originalidade artística (quem apreciaria um romance policial que não contivesse ao menos um diálogo?). Assim, nas obras pornográficas, a ação tem de limitar-se à cópula de lugares-comuns. O estilo, a estrutura, as imagens não podem jamais distrair o leitor de sua tépida concupiscência. O romance deve consistir necessariamente em uma alternância de cenas sexuais.

As passagens intermediárias devem ser reduzidas a meras suturas narrativas, pontes lógicas da mais simplória arquitetura, breves explicações que o leitor provavelmente pulará mas que precisa saber que existem a fim de não se sentir espoliado (uma reação derivada dos "verdadeiros" contos de fadas de sua infância). Além disso, as cenas sexuais devem ir num crescendo, com novas variações, novas combinações, novos sexos e um aumento constante do número de participantes (numa peça de Sade, até o jardineiro é convocado), de tal modo que os últimos capítulos do livro contenham uma maior dose de obscenidade do que os primeiros.

Certas técnicas usadas no início de Lolita (por exemplo, o diário de Humbert) levaram alguns de meus primeiros leitores a crer erroneamente que se tratava de uma obra libidinosa. Ficaram esperando uma sucessão de episódios eróticos, cada vez mais intensos; quando eles cessaram, os leitores pararam também, sentindo-se entediados e decepcionados. Essa, assim suspeito, foi uma das razões pelas quais nem todas as quatro casas editoras leram o manuscrito até o fim. Se acharam a obra pornográfica ou não, pouco me importa. A recusa do livro baseou-se não no tratamento do tema, senão no próprio tema, pois há pelo menos três assuntos que a maioria dos editores norte-americanos considera tabus; os dois outros são: o casamento de um branco e uma preta (ou vice-versa) em que ambos sejam gloriosamente felizes e tenham muitos filhos e netos; e o ateu incorrigível que leva uma vida útil e venturosa, morrendo em pleno sono aos cento e seis anos de idade.

Algumas das reações foram muito engraçadas: o leitor de uma das editoras sugeriu que a firma poderia publicar o livro se eu transformasse minha Lolita num garoto de doze anos seduzido num celeiro por Humbert, transformado em fazendeiro, em meio a uma paisagem árida e desolada — tudo isso escrito em frases curtas, incisivas e "realistas" ("Ele está maluco. Acho que nós todos estamos malucos. Acho que Deus está maluco" etc.). Embora todo mundo já devesse conhecer minha ojeriza por símbolos e alegorias (que se deve, por um lado, a minha antiga rixa com o charlatanismo freudiano e, por outro, a minha aversão às generalizações perpetradas pelos sociólogos e autores de mitos literários), outro leitor, que até então demonstrara ser uma pessoa inteligente, concluiu, após passar os olhos pela primeira parte do manuscrito, que Lolita representava "a velha Europa pervertendo a jovem América", enquanto outro rápido virador de páginas viu no livro "a jovem América pervertendo a velha Europa". O editor X, cujos conselheiros se enfastiaram tanto com Humbert a ponto de não passar da página 188, teve o candor de me dizer por carta que a Parte II era longa demais. O editor Y, por sua vez, lamentou que não houvesse pessoas boas no livro. O editor Z disse que, se publicasse *Lolita*, ele e eu iríamos para a cadeia.

Não se deveria exigir que, num país livre, qualquer escritor se preocupasse com a exata demarcação entre o sensorial e o sensual. Seria um absurdo! Só posso admirar, sem jamais emular, a precisão de julgamento daqueles que publicam nas revistas fotografias de belas e jovens fêmeas, cujos decotes são suficientemente baixos para causar tremores nos safardanas e suficientemente altos para não provocar a ira das puritanas. Presumo que haja leitores que se excitem com o vocabulário chulo daqueles romances enormes e irremediavelmente banais, datilografados por autores medíocres com os polegares mas caracterizados como "vigorosos" e "intensos" pelos críticos de plantão. Há boas almas que considerarão *Lolita* irrelevante porque não lhes ensina nada. Não escrevo nem leio obras de ficção com fins didáticos, e, a despeito da afirmação de John Ray, *Lolita* não traz nenhuma moral a reboque. Para mim, um romance só existe na medida em que me proporciona o que chamarei grosso modo de volúpia estética, isto é, um estado de espírito ligado, não sei como nem onde, a outros estados de espírito em que a arte (curiosidade, ternura, bondade, êxtase) constitui a norma. Não há muitos desses livros. Todo o resto é sandice de caráter tópico ou aquilo que alguns chamam de "literatura de idéias", e que muito freqüentemente não passa de sandices tópicas moldadas em grandes blocos de gesso, os quais são cuidadosamente transmitidos de geração em geração até que aparece alguém munido de martelo e dá umas boas pancadas num Balzac, num Gorki, num Mann.

Outros leitores acusaram *Lolita* de ser uma obra antiamericana. Isso é algo que me dói bastante mais do que a pecha imbecil de imoralidade. Considerações de profundidade e perspectiva (um gramado suburbano, um vale de montanha) levaram-me a erigir alguns cenários norte-americanos. Necessitava de um ambiente alegre, e não há nada mais alegre do que a vulgaridade filistina. Mas, em matéria de vulgaridade filistina, não existe nenhuma diferença intrínseca entre os costumes paleárticos e neárticos. Qualquer proletário de Chicago pode ser tão burguês (na acepção flaubertiana do termo) quanto um duque. Se escolhi os motéis norte-americanos em vez dos hotéis suíços ou das hospedarias inglesas foi apenas porque estou tentando ser um escritor norte-americano, e simplesmente reivindico os mesmos direitos de que gozam outros escritores deste país. Por outro lado, minha personagem Humbert é um estrangeiro e um anarquista, havendo muitas coisas, além de ninfetas, nas quais não concordo com ele. E todos os leitores dos livros que escrevi em russo sabem que meus velhos mundos — russos, ingleses, alemães, franceses — são tão fantásticos e pessoais quanto o novo.

A fim de que ninguém veja nestes comentários uma manifestação de rancor, apresso-me a acrescentar que, além das pobres almas que leram o manuscrito de *Lolita* ou a edição da Olympia Press perguntando-se "Por que ele tinha de escrever isso?" ou "Por que eu haveria de ler a história de um tarado?", muitas pessoas inteligentes, sensíveis e resolutas compreenderam meu livro muito melhor do que eu poderia aqui explicá-lo.

Todo escritor sério, ouso dizer, sente cada um de seus livros publicados como uma presença constante e reconfortante. Sua luz-piloto cintila sem cessar no porão, bastando um simples toque no termostato pessoal para que imediatamente se sinta uma onda de calor familiar. Essa presença, esse brilho do livro num lugar remoto mas sempre acessível, é uma sensação muito agradável e, quanto mais a obra haja se conformado ao contorno e às cores com que foi concebida, mais forte e suave é o clarão. No entanto, há certos trechos, certos desvios e desvãos preferidos, que o autor evoca com mais ardor e mais carinho do que o restante do romance. Não reli *Lolita* desde que corrigi as provas na primavera de 1955, mas o tenho agora como uma presença amena e tranqüila na casa, tal qual um dia de verão que sabemos radioso por trás da neblina. E, quando penso assim sobre *Lolita*, algumas imagens se oferecem para meu especial deleite: o sr. Taxovitch, aquela lista de alunos da Escola Ramsdale, Charlotte dizendo "à prova d'água", Lolita avançando em câmera lenta na direção dos presentes de Humbert, as fotografias que adornavam o sótão estilizado de Gaston Godin, o barbeiro de Kasbeam (que me custou um mês de trabalho), Lolita jogando tênis, o hospital de Elphinstone, a pálida Dolly Schiller — grávida, amada, irrecuperável — morrendo em Gray Star (a capital do livro), os sons vibrantes que subiam da cidadezinha no fundo do vale até o caminho de montanha (onde capturei a primeira fêmea do gênero *Lycaeides sublivens* Nabokov). Esses são os nervos do romance, os pontos secretos, as coordenadas subliminares a partir das quais o livro se estrutura — embora saiba muito bem que essas e outras cenas serão lidas às pressas ou ignoradas, ou nem mesmo atingidas, por aqueles que abrirão o livro pensando encontrar algo do tipo *Memórias de uma mulher fatal* ou *Les amours de milord Grosvit*. Que meu romance contém diversas alusões aos impulsos fisiológicos de um anormal, isso é verdade. Mas, afinal de contas, não somos crianças, nem delinqüentes juvenis e analfabetos, nem freqüentamos aquelas escolas inglesas onde os alunos, após uma noite de folguedos homossexuais, são paradoxalmente obrigados a ler os clássicos em versões expurgadas.

É uma infantilidade estudar uma obra de ficção a fim de informar-se sobre um país, uma classe social ou o próprio autor. E, no entanto, um de meus amigos mais íntimos, depois de ler *Lolita*, preocupou-se sinceramente com o fato de que eu (eu!) estivesse convivendo com "pessoas tão deprimentes" — quando o único desconforto que senti foi o de viver em meu estúdio em meio a membros rejeitados e torsos inacabados.

Depois que a Olympia Press publicou o livro em Paris, um crítico norte-americano sugeriu que *Lolita* era o registro de meu caso de amor com a literatura romântica. A substituição de "literatura romântica" por "língua inglesa" tornaria mais correta essa elegante formulação. Mas aqui sinto que minha voz ganha um tom estridente demais. Nenhum de meus amigos norte-americanos leu os romances em russo e, por isso, qualquer apreciação baseada apenas naqueles que escrevi em inglês estará necessariamente fora de foco. Minha tragédia pessoal — que não pode e, na verdade, não deve interessar a ninguém — é que tive de abandonar meu idioma natural, minha rica, fluida e infinitamente dócil língua russa em troca de um inglês de segunda categoria, desprovido de todos os acessórios — o espelho de truques, o pano de fundo de veludo preto, as tradições e associações implícitas — de que o ilusionista local, com as abas do fraque a voar, pode valer-se magicamente a fim de transcender tudo o que lhe chega como herança.

12 de novembro de 1956